O JESUS
QUE EU
NUNCA
CONHECI

O JESUS QUE EU NUNCA CONHECI

—

PHILIP YANCEY

—

EDITORA VIDA
Rua Conde de Sarzedas, 246 — Liberdade
CEP 01512-070 — São Paulo, SP
Tel.: 0 xx 11 2618 7000
atendimento@editoravida.com.br
www.editoravida.com.br
@editora_vida /editoravida

O JESUS QUE EU NUNCA CONHECI
©1995, de Philip Yancey
Originalmente publicado nos EUA com
o título *The Jesus I Never Knew*
Edição brasileira © 1998, Editora Vida
Publicação com permissão contratual da
ZONDERVAN PUBLISHING HOUSE
(Grand Rapids, Michigan, EUA)

Todos os direitos desta edição em língua portuguesa
reservados e protegidos por Editora Vida pela
Lei 9.610, de 19/02/1998.

É proibida a reprodução desta obra por quaisquer meios
(físicos, eletrônicos ou digitais), salvo em breves citações,
com indicação da fonte.

■

Exceto em caso de indicação em contrário,
todas as citações bíblicas foram extraídas de
Nova Versão Internacional (NVI)
© 1993, 2000, 2011 by International Bible Society, edição
publicada por Editora Vida. Todos os direitos reservados.

Todas as citações bíblicas e de terceiros foram adaptadas
segundo o Acordo Ortográfico da Língua Portuguesa,
assinado em 1990, em vigor desde janeiro de 2009.

■

As opiniões expressas nesta obra refletem o ponto de vista
de seus autores e não são necessariamente equivalentes às
da Editora Vida ou de sua equipe editorial.

Editora responsável: Gisele Romão da Cruz
Editora-assistente: Aline Lisboa M. Canuto
Tradução: Yolanda Krieven
Revisão do Acordo Ortográfico: Equipe Vida
Diagramação: Claudia Fatel Lino e Marcelo Alves
Capa: Arte Vida

Os nomes das pessoas citadas na obra foram alterados nos
casos em que poderia surgir alguma situação embaraçosa.

Todos os grifos são do autor, exceto indicação em contrário.

1. edição: 1998
9ª *reimp.*: ago. 2008
10ª *reimp.*: nov. 2010
11ª *reimp.*: ago. 2011
12ª *reimp.*: mar. 2012
13ª *reimp.*: ago. 2013
14ª *reimp.*: mar. 2014
15ª *reimp.*: set. 2016
16ª *reimp.*: mar. 2017
17ª *reimp.*: set. 2018
18ª *reimp.*: ago. 2019
19ª *reimp.*: out. 2020
20ª *reimp.*: jul. 2021
21ª *reimp.*: maio 2023
22ª *reimp.*: abr. 2024

Dados Internacionais de Catalogação na Publicação (CIP)
(Câmara Brasileira do Livro, SP, Brasil)

Yancey, Philip
  O Jesus que eu nunca conheci / Philip Yancey; tradução Yolanda M. Krievin.
— São Paulo: Editora Vida, 2004.

  Título original: The Jesus I Never Knew.
  Bibliografia
  ISBN 978-85-7367-108-7
  e-ISBN: 978-65-5584-362-0

  1. Jesus Cristo — Biografia 2. Jesus Cristo — Ensinamentos 3. Jesus Cristo
— Pessoa e missão I. Título.

04-5655   CDD-232

Índices para catálogo sistemático:
1. Jesus Cristo : Cristologia 232

OBRIGADO

À classe que ensinei, e da qual aprendi,
na Igreja da Rua LaSalle, em Chicago.

A Tim Stafford, Bud Ogle e Walter Wangerin Jr.,
cujos comentários perspicazes me fizeram reescrever
este livro diversas vezes mais do que
teria reescrito sem eles.

A Verlyn Verbrugge,
por sua cuidadosa revisão técnica
em assuntos de exatidão bíblica.

Ao meu editor, John Sloan,
que pacientemente suportou e ajudou a melhorar
todos aqueles rascunhos.

SUMÁRIO

PRIMEIRA PARTE

QUEM ELE ERA

1. O Jesus que eu pensava conhecer 11
2. Nascimento: o planeta visitado 25
3. Antecedentes: raízes e solo judeus 43
4. A tentação: revelações no deserto 61
5. Perfil: o que eu deveria ter percebido? 75

SEGUNDA PARTE

POR QUE ELE VEIO

6. As bem-aventuranças: felizes são os infelizes 95
7. Mensagem: um sermão ofensivo 117
8. Missão: uma revolução da graça 133
9. Milagres: instantâneos do sobrenatural 149
10. A morte: a semana final 169
11. Ressurreição: uma manhã além da fé 189

TERCEIRA PARTE

O QUE ELE DEIXOU PARA TRÁS

12. A ascensão: um céu absolutamente azul 203
13. O reino: trigo entre ervas daninhas 217
14. A diferença que ele faz 233

15. Bibliografia 253

PRIMEIRA
PARTE

—

QUEM ELE ERA

—

CAPÍTULO 1

O JESUS
QUE EU PENSAVA
CONHECER

> Vamos supor que tenhamos ouvido os comentários de muita gente acerca de um homem desconhecido. Suponhamos que fiquemos perplexos ao ouvir alguns dizerem que ele era muito alto, e outros, muito baixo; que alguns se opuseram à sua obesidade, outros lamentaram sua magreza; que alguns o acharam muito moreno, outros, muito loiro. Uma explicação [...] seria talvez que tivesse uma aparência estranha. Mas há outra explicação. Poderia ter a forma correta [...]. Talvez (em suma) essa coisa extraordinária seja na realidade algo comum; pelo menos o normal, o âmago. — G. K CHESTERTON

Conheci Jesus quando era criança, cantando "Sim, Cristo me ama" na escola dominical, fazendo orações antes de dormir ao "Querido Senhor Jesus", vendo professores do clube bíblico movimentar figuras no flanelógrafo. Associei Jesus a bolachas açucaradas com suco e a estrelas douradas que os alunos assíduos recebiam.

Lembro-me especialmente de um quadro na escola dominical, uma pintura a óleo que pendia da parede de concreto. Jesus tinha cabelos longos, flutuantes, diferentes dos cabelos de qualquer outro homem que eu conhecesse. O rosto era comprido e bonito; a pele, macia e branca como leite. Usava um manto escarlate, e o artista havia-se esforçado por mostrar o jogo de luzes nas dobras. Nos braços,

Jesus aninhava um cordeirinho adormecido. Imaginava-me como aquele cordeiro, abençoado além da imaginação.

Há pouco li um livro que o velho Charles Dickens[1] escreveu para resumir a vida de Jesus aos filhos. Nele, surge o retrato de uma doce governanta vitoriana que acaricia a cabeça das crianças e dá conselhos como: "Agora, crianças, devem obedecer à mamãe e ao papai". De sobressalto, lembrei-me do quadro de Jesus que via na escola dominical, o qual me acompanhou por toda a infância: alguém bondoso e confortante, sem nenhuma aresta — um herói afável antes da época da televisão para crianças. Quando criança, sentia-me confortado com essa pessoa.

Mais tarde, ao cursar a faculdade cristã, encontrei uma imagem diferente. Uma pintura popular naquele tempo apresentava Jesus de mãos estendidas, suspenso, num estilo que lembrava Dali, sobre o prédio das Nações Unidas, em Nova York. Ali estava o Cristo cósmico, aquele a quem todas as coisas são inerentes, o ponto imóvel do mundo em transformação. Essa figura mundial se afastara bastante do pastor da minha infância que carregava uma ovelha.

Ainda assim, os alunos falavam do Jesus cósmico com uma intimidade chocante. Os professores insistiam conosco para que desenvolvêssemos um "relacionamento com Jesus Cristo", e nos cultos da faculdade cantávamos o nosso amor por Ele da forma mais íntima. Um hino falava sobre ouvir a sua voz em um jardim coberto de gotas de orvalho.[2] Os alunos, quando davam testemunho de sua fé, espontaneamente deixavam escapar frases como "O Senhor me disse...". Minha fé mesmo pendia numa espécie de incerteza cética durante o tempo que passei ali. Eu estava desconfiado, confuso, sempre a questionar.

Olhando em retrospectiva para os meus anos de faculdade cristã, vejo que, apesar de todas as intimidades devocionais, foi ali que Jesus se tornou estranho para mim. Passou a ser um objeto de escrutínio. Memorizei nos evangelhos a

---

[1] **The life of our Lord**. Londres: Associated Newspapers, 1934.

[2] A referência é ao conhecido hino **Que doce voz tem meu Jesus**, porém na versão do Cancioneiro salvacionista (n. 276): "Bem cedo encontro o jardim / De orvalho ainda coberto, / E uma voz a mim vem falando assim: 'Meu filho, estou bem perto!' "(tradução de "I come to the garden alone, / While the dew is still on the roses, / And the voice I hear, falling on my ear, / The Son of God discloses"). Preferiu-se a tradução do Cancioneiro salvacionista (n. 276) em detrimento da tradicional **Que doce voz tem meu Jesus**, por ser aquela mais fiel ao original, o que não desmerece o valor poético e de bênção que tem esta última. [N. do E.]

lista dos 34 milagres específicos, mas não pude sentir o impacto de apenas um milagre que fosse. Aprendi as bem-aventuranças, mas nunca enfrentei o fato de que nenhum de nós — eu especialmente — poderia atinar com o sentido daquelas palavras misteriosas, muito menos viver por elas.

Um pouco depois, a década de 1960 (que na realidade me atingiu, junto com a maior parte da igreja, no começo da década de 1970) pôs tudo em questionamento. Os "defeitos" de Jesus — o próprio termo teria sido um paradoxismo nos tranquilos anos da década de 1950 — subitamente apareceram em cena, como se depositados ali por extraterrestres. Os discípulos de Jesus já não eram representantes bem-vestidos da classe média; alguns eram radicais relaxados, desmazelados. Teólogos da libertação começaram a venerar Jesus em pôsteres junto com Fidel Castro e Che Guevara.

Comecei a perceber que quase todos os retratos de Jesus, mesmo o Bom Pastor de minha escola dominical e o Jesus das Nações Unidas de minha faculdade cristã, mostravam-no usando bigode e barba, ambos estritamente banidos da faculdade. Agora perguntas que nunca me ocorreram na infância começaram a avultar em mim. Por exemplo: Como o ato de dizer às pessoas que fossem boas umas para com as outras pôde levar à crucificação de um homem? Que governo executaria o senhor Rogers ou o capitão Canguru? Thomas Paine dizia que nenhuma religião poderia ser verdadeiramente divina se contivesse qualquer doutrina que ofendesse a sensibilidade de uma criança. A cruz se qualificaria?

Em 1971, vi pela primeira vez o filme *O evangelho segundo S. Mateus*, dirigido pelo produtor italiano Pier Paolo Pasolini.[3] Sua divulgação escandalizou não apenas a instituição religiosa, que dificilmente reconhecia Jesus na tela, mas também a comunidade do cinema, que conhecia Pasolini como homossexual declarado e marxista. Pasolini cinicamente dedicou o filme ao papa João XXIII, o homem indiretamente responsável por sua criação. Preso em um enorme congestionamento do tráfego durante uma visita papal em Florença, Pasolini se hospedou em um quarto de hotel onde, aborrecido, pegou um exemplar do Novo Testamento da mesinha de cabeceira e leu todo o livro de Mateus. O que descobriu naquelas páginas o deixou tão perplexo que decidiu fazer um filme utilizando, não o texto, mas a releitura atual do evangelho de Mateus.

---

[3]   Apud CAMPBELL, Richard; PITTS, Michael R. **The Bible on film**. Metuchen: The Scarecrow Press, 1981. p. 54.

O filme de Pasolini captou bem a reavaliação de Jesus que aconteceu na década de 1960. Filmado no sul da Itália com um orçamento apertado, evoca em brancuras de giz e cinzas poeirentos um pouco do ambiente da Palestina em que Jesus viveu. Os fariseus usam turbantes altos, e os soldados de Herodes lembram de certa forma *os squadristi* fascistas. Os discípulos agem como recrutas inexperientes e convencidos, mas o próprio Jesus, com um olhar firme e uma intensidade penetrante, parece destemido. As parábolas e outros monólogos, ele os desfere em frases resumidas a esmo, enquanto corre de um lugar para outro.

O impacto do filme de Pasolini só pode ser entendido por alguém que passou pela adolescência naquele período tumultuado. Naquele tempo o filme tinha o poder de fazer calar multidões nos cinemas. Estudantes radicais perceberam que não eram os primeiros a proclamar uma mensagem dissonantemente antimaterialista, contra a hipocrisia, pró-paz e pró-amor.

Para mim, o filme ajudou a forçar uma reavaliação perturbadora da imagem que eu tinha de Jesus. Na aparência física, Jesus favorecia os que foram expulsos da faculdade cristã e foram rejeitados pela maioria das igrejas. Entre os de sua época, adquiriu de certa forma uma reputação de "beberrão de vinho e glutão". Os que tinham autoridade religiosa ou política consideravam-no criador de problemas, um perturbador da paz.

Ele falava e agia como um revolucionário, desprezando a fama, a família, a propriedade e outras medidas tradicionais do sucesso. Eu não podia me esquivar ao fato de que as palavras do filme de Pasolini estavam inteiramente de acordo com o evangelho de Mateus, mas sua mensagem não se encaixava claramente em minha concepção anterior de Jesus.

Mais ou menos nessa mesma época, um obreiro da "Young Life" [Vida jovem] chamado Bill Milliken,[4] que criou uma comunidade nas vizinhanças de uma cidade do interior, escreveu *So long, sweet Jesus* [Adeus, doce Jesus]. O título desse livro deu palavras à transformação que se operava dentro de mim. Naqueles dias eu trabalhava como editor da revista *Campus Life,* publicação oficial da Mocidade para Cristo nos Estados Unidos. *Quem era esse Cristo, afinal?* eu ficava imaginando. Enquanto escrevia e revisava ou preparava as obras dos outros, um pequenino demônio da dúvida pairava bem a meu lado. *Você realmente crê nisso? Ou está simplesmente administrando a linha do partido, o que lhe pagam para você crer?*

---

[4] **So long, sweet Jesus.** New York: Prometheus Press, [s.d.].

Você se juntou à instituição conservadora, segura — versão moderna dos grupos que se sentiam ameaçados por Jesus?

Sempre que podia, evitava escrever diretamente sobre Jesus.

* * *

Quando liguei o meu computador hoje de manhã, o Microsoft Windows piscou a data, implicitamente reconhecendo que, quer você creia, quer não, o nascimento de Jesus foi tão importante que dividiu a história em duas partes. Tudo o que já aconteceu neste planeta encaixa-se em uma categoria de antes de Cristo ou depois de Cristo.

Richard Nixon empolgou-se em 1969 quando os astronautas da Apolo pousaram pela primeira vez na lua. "É o maior dia desde a Criação!", exclamou o presidente, até que Billy Graham solenemente o lembrou do Natal e da Páscoa. Segundo qualquer medida histórica, Graham estava certo. Esse galileu, que em vida falou a menos pessoas do que as que lotariam apenas um dos muitos estádios que Graham lotou, mudou o mundo mais do que qualquer outra pessoa. Ele apresentou um novo campo de força na história, e agora mantém segura a fidelidade de um terço de todas as pessoas da terra.

Hoje, as pessoas utilizam-se do nome de Jesus até para praguejar. Como soaria estranho se, quando um homem de negócios perdesse uma tacada, gritasse "Thomas Jefferson!" ou se um encanador berrasse "Mahatma Gandhi!" quando sua ferramenta lhe esmagasse um dedo. Não podemos nos libertar desse homem Jesus.

"Mais de mil e novecentos anos depois", disse H. G. Wells,[5] "um historiador como eu, que nem mesmo se intitula cristão, descobre o quadro centralizando-se irresistivelmente ao redor da vida e do caráter desse homem muito significativo [...]. O teste do historiador para a grandeza de um indivíduo é 'O que ele fez crescer?'. Ele levou os homens a pensar por linhas novas com um vigor que persistiu depois dele? Por esse teste Jesus está em primeiro lugar". Você pode avaliar o tamanho de um navio que desapareceu de vista pela grande onda que deixa para trás.

E ainda assim não estou escrevendo um livro acerca de Jesus porque ele é um grande homem que mudou a história. Não me sinto tentado a escrever acerca de

---

[5] Apud Link, Mark S. J. **The greatest men in history, He is the still point of the turning world**. Chicago: Argus Communications, 1971. p. 111.

Júlio César ou do imperador chinês que construiu a Grande Muralha. Sinto-me atraído por Jesus, irresistivelmente, porque ele se posicionou como o divisor de águas da vida — minha vida. "Digo-vos que todo aquele que me confessar diante dos homens também o Filho do homem o confessará diante dos anjos de Deus",[6] ele disse. De acordo com Jesus, o que penso dele e como reajo vai determinar meu destino por toda a eternidade.

Às vezes aceito a audaciosa reivindicação de Jesus sem questionar. Às vezes, confesso, fico imaginando que diferença faria à minha vida que um homem tivesse vivido há dois mil anos em um lugar chamado Galileia. Posso resolver essa tensão interior entre o que duvida e o que ama?

Inclino-me a escrever para enfrentar minhas próprias dúvidas. Os títulos de meus livros — *Onde está Deus quando chega a dor?* e *Decepcionado com Deus* — me traem. Volto repetidas vezes para a mesma pergunta, como se mexendo em uma antiga ferida que nunca sara por completo. Deus se importa com a miséria aqui embaixo? Realmente temos importância para Deus?

Uma vez, durante um período de duas semanas, fiquei isolado por causa da neve numa cabana nas montanhas do Colorado: A nevasca fechou todas as estradas e, mais ou menos como Pasolini, eu não tinha nada para ler além da Bíblia. Passei por ela devagarinho, página por página. No Antigo Testamento me descobri identificando-me com aqueles que ousadamente se levantaram diante de Deus: Moisés, Jó, Jeremias, Habacuque, os salmistas. Conforme eu lia, sentia que estava assistindo a uma peça com personagens humanos que apresentavam suas vidas de pequeno triunfo e grande tragédia no palco, enquanto periodicamente gritavam para um diretor de cena invisível: "Você não sabe como é ficar aqui na frente!". Jó foi mais inflamado, arremessando a Deus esta acusação: "Tens tu olhos de carne? Vês tu como vê o homem?".[7]

Com a mesma frequência, posso ouvir o eco de uma voz retumbando longe do palco, por trás da cortina. "Sim, e você não sabe também como é ficar aqui atrás!", ela dizia, para Moisés, para os profetas, mais audivelmente para Jó. Contudo, quando cheguei aos evangelhos, as vozes acusadoras silenciaram. Deus, se posso empregar esta linguagem, "descobriu" como a vida é nos confins do planeta Terra. Jesus se familiarizou com o sofrimento em pessoa, em uma vida curta, perturbada,

---

[6]   Lucas 12.8

[7]   Jó 10.4

não muito longe das planícies poeirentas em que Jó havia sofrido. Das muitas razões para a encarnação, certamente uma foi para responder à acusação de Jó: "Tens olhos de carne?". Durante algum tempo, Deus teve.

Se ao menos eu pudesse ouvir a voz saindo do redemoinho e, como Jó, manter uma conversa com o próprio Deus! penso às vezes. E talvez seja por isso que agora resolvi escrever acerca de Jesus. Deus não é mudo: a Palavra falou, não saída de um redemoinho, mas da laringe humana de um judeu palestino. Em Jesus, Deus se deitou na mesa de dissecação, por assim dizer, estendeu-se na postura da crucificação para o escrutínio de todos os céticos que já viveram. Entre os quais me incluo.

> *A visão de Cristo que abrigas*
> *É da minha visão a maior inimiga:*
> *A tua tem um grande nariz torto como o teu,*
> *A minha tem um nariz arrebitado como o meu [...]*
> *Ambos lemos a Bíblia noite e dia,*
> *Onde você lê preto, branco eu lia.*
>
> WILLIAM BLAKE[8]

Quando penso acerca de Jesus, uma analogia de Karl Barth[9] me vem à mente. Um homem está em uma janela observando a rua. Lá fora, as pessoas estão fazendo sombra com as mãos sobre os olhos e olham para o céu. Por causa da arquitetura do edifício, o homem não consegue ver para o que estão apontando. Nós, que vivemos dois mil anos depois de Jesus, temos uma perspectiva semelhante à do homem que estava na janela. Ouvimos os gritos de exclamação. Estudamos os gestos e as palavras nos evangelhos e os muitos livros que geraram. Mas, por mais que estiquemos o pescoço, não teremos um vislumbre de Jesus na carne.

Por esse motivo, como o poema de William Blake expressa bem, às vezes aqueles de nós que procuram Jesus não podem ver além do próprio nariz. A tribo Lakota,[10] por exemplo, refere-se a Jesus como "o bezerro de búfalo de Deus". O governo cubano distribui uma pintura de Jesus com uma bandoleira de

---

8   The everlasting gospel. **The portable Blake**. New York: Viking Press, 1968. p. 612.

9   **The Word of God and the word of man**. New York: Harper & Row, 1957. p. 62.

10   MURPHY, Cullen. Who do men say that I am? **The Atlantic Monthly**, p. 58, dez. 1986.

carabina sobre o ombro. Durante as guerras religiosas com a França, os ingleses costumavam gritar: "O papa é francês, mas Jesus Cristo é inglês!".

A cultura moderna turva o quadro ainda mais. Se você procurar nos livros acadêmicos disponíveis em uma livraria de seminário, vai encontrar um Jesus político revolucionário, um mágico que se casou com Maria Madalena, um galileu carismático, um rabino, um camponês judeu cético, um fariseu, um essênio antifariseu, um profeta escatológico, um "hippie em um mundo de yuppies elegantes" e o líder alucinogênico de um culto sagrado de LSD. Mestres sérios escreveram essas palavras, com poucas mostras de acanhamento.[11]

Surgiram atletas com retratos criativos de Jesus a perturbar os estudiosos modernos. Norm Evans,[12] ex-juiz dos "Miami Dolphins", escreveu em seu livro *On God's squad* [Na equipe de Deus]: "Eu lhes garanto que Cristo seria o cara mais duro que jamais participou deste jogo [...]. Se vivesse hoje, eu o descreveria como um jogador da defesa de 1,90 m de altura e 100 kg que sempre faria as grandes jogadas e seria difícil, para os jogadores de ataque como eu, mantê-lo fora da linha de defesa". Fritz Peterson,[13] ex-jogador dos "New York Yankees", imagina mais facilmente um Jesus com uniforme de beisebol: "Creio firmemente que, se Jesus Cristo estivesse escorregando para a segunda base, derrubaria o segundo homem de base no campo esquerdo para acabar com o jogo duplo. Cristo poderia não fazer um arremesso ilegal, mas jogaria duro dentro das regras".

No meio de tanta confusão, como respondemos à simples pergunta: "Quem era Jesus?". A história secular dá poucas dicas. Em uma deliciosa ironia, a figura que mudou a história mais do qualquer outro conseguiu escapar da atenção da maioria dos mestres e historiadores de seu próprio tempo. Até mesmo os quatro homens que escreveram os evangelhos omitiram muito do que interessaria aos leitores modernos, passando por cima de nove décimos de sua vida. Uma vez que nenhum dedica uma palavra à descrição física, não sabemos nada acerca da aparência, ou da estatura, ou da cor dos olhos de Jesus. Detalhes de sua família são

---

[11]   O público dos Estados Unidos está inclinado a desprezar tais retratos tendenciosos. Um recente levantamento do Instituto Gallup revelou que 84% dos americanos creem que Jesus Cristo era Deus ou Filho de Deus. Espantosamente, os americanos creem que Jesus era sem pecado, corajoso e emocionalmente equilibrado. Com pequenas diferenças, consideram-no fácil de compreender (!), fisicamente forte e atraente, prático, caloroso e aceitável.

[12]   Apud Making it big. **The Reformed Journal**, p. 4, dez. 1986.

[13]   Apud **The Chicago Tribune**, 24 maio 1981.

O Jesus que eu pensava conhecer

tão escassos que os estudiosos ainda debatem se tinha ou não irmãos e irmãs. Os fatos biográficos considerados essenciais para os leitores modernos simplesmente não preocuparam os escritores dos evangelhos.

Antes de iniciar este livro, passei diversos meses em três bibliotecas de seminários — uma católica, uma protestante liberal, uma evangélica conservadora — lendo sobre Jesus. Foi extremamente desanimador entrar no primeiro dia e ver não apenas prateleiras, mas paredes inteiras dedicadas aos livros acerca de Jesus. Um mestre da Universidade de Chicago[14] calcula que mais tem sido escrito acerca de Jesus nos últimos vinte anos do que nos dezenove séculos anteriores. Eu me sentia como se o comentário hiperbólico do final do evangelho de João se tivesse tornado real: "Jesus fez muitas outras coisas. Se cada uma delas fosse escrita, cuido que nem ainda o mundo todo poderia conter os livros que seriam escritos".

O aglomerado de pesquisas começou a ter um efeito entorpecente sobre mim. Li dezenas de escritos sobre a etimologia do nome Jesus, debates sobre as línguas que ele falava, debates sobre quanto tempo viveu em Nazaré, ou Cafarnaum, ou Belém. Qualquer imagem fiel transformava-se em um borrão obscuro, indistinto. Tenho um palpite de que o próprio Jesus ficaria consternado com muitas das descrições que eu estava lendo.

Ao mesmo tempo, com grande constância descobri que sempre que retornava aos próprios evangelhos, a neblina parecia desaparecer. J. B. Phillips[15] escreveu, depois de traduzir e parafrasear os evangelhos: "Tenho lido, em grego e em latim, dezenas de mitos, mas não encontrei o mais tênue sabor de mito aqui [...]. Nenhum homem teria conseguido escrever narrativas tão simples e tão vulneráveis como essas a não ser que um Evento real estivesse por trás delas".

Alguns livros religiosos têm o cheiro desagradável da propaganda — mas não os evangelhos. Marcos registra em uma frase o que pode ser o acontecimento mais importante de toda a história, acontecimento que os teólogos lutam para interpretar com palavras como "propiciação, expiação, sacrifício": "Dando um grande brado, Jesus expirou".[16] Cenas estranhas, imprevisíveis, aparecem, como a família e os vizinhos de Jesus tentando prendê-lo por suspeita de insanidade. Por que incluir tais cenas se é uma biografia que se está escrevendo? Os discípulos

---

[14] David Tracy. Apud MURPHY, Cullen. **Who do men say that I am?** cit., p. 38.

[15] **Ring of truth**. Wheaton: Harold Shaw, 1977. p. 79.

[16] Marcos 15.37

mais dedicados de Jesus geralmente se saíam com gestos como coçar a cabeça em perplexidade — *Quem é esse sujeito?* —, mais frustrados que conspiratórios.

O próprio Jesus, quando desafiado, não ofereceu provas concludentes de sua identidade. Jogou dicas aqui e ali, a bem da verdade, mas também disse, depois de recorrer às evidências: "E bem-aventurado é aquele que não se escandalizar por minha causa".[17] Lendo as narrativas, é difícil encontrar alguém que em determinado momento não se tenha escandalizado. Os evangelhos jogam a decisão de volta para o leitor de maneira notável. Funcionam mais como uma história de detetive do tipo "quem fez isso" (ou, como Alister McGrath[18] destacou, um "quem foi ele") do que um desenho de ligar os pontos. Encontrei energia renovada nessa qualidade dos evangelhos.

Ocorre-me que todas as teorias distorcidas acerca de Jesus espontaneamente geradas desde o dia de sua morte só confirmam o tremendo risco que Deus assumiu quando se estendeu sobre a mesa de dissecação — risco que parece ter aceitado de bom grado. Examinem-me. Testem-me. Tirem as suas conclusões.

O filme italiano *La dolce vita* começa com a cena de um helicóptero transportando uma estátua gigantesca de Jesus para Roma. Braços estendidos, Jesus pende de uma linga, e, enquanto o helicóptero passa pela paisagem, as pessoas começam a reconhecê-lo. "Ei, é Jesus!", exclama um velho fazendeiro, pulando fora de seu trator para correr pelo campo. Mais perto de Roma, moças de biquíni, bronzeando-se ao redor de uma piscina, acenam amigavelmente, e o piloto do helicóptero mergulha para olhar mais de perto. Silencioso, com uma expressão quase triste no rosto, o Jesus de concreto balança de maneira incongruente por cima do mundo moderno.

Minha busca de Jesus tomou uma direção nova quando o cineasta Mel White me emprestou uma coleção de quinze filmes sobre a vida de Jesus. Iam de *King of kings* [Rei dos reis], o silencioso clássico de 1927 de Cecil B. DeMille, e os musicais como *Godspell* e *Cotton Patch Gospel* [Evangelho de remendo de algodão] até a notavelmente moderna apresentação franco-canadense *Jesus of Montreal* [Jesus de Montreal]. Critiquei esses filmes com cuidado, delineando-os cena por cena. Então, nos dois anos seguintes, ensinei a vida de Jesus a uma classe, utilizando os filmes como ponto de partida para nosso debate.

---

[17]   Mateus 11.6

[18]   **Understanding Jesus**. Grand Rapids: Zondervan, 1987. p. 52.

A classe funcionava assim. Quando chegávamos a um acontecimento mais importante da vida de Jesus, eu explorava os diversos filmes e deles selecionava sete ou oito enfoques que pareciam dignos de nota. Quando a aula começava, mostrava clipes de dois a quatro minutos de cada filme, começando com as interpretações cômicas e formais e trabalhando na direção das profundas ou evocativas. Descobrimos que o processo de ver o mesmo acontecimento por olhos de sete ou oito cineastas ajudava a arrancar a coloração de previsibilidade que se criara através dos anos de escola dominical e de leitura da Bíblia. Obviamente, algumas das interpretações dos filmes tinham de estar erradas — contradiziam-se flagrantemente —, mas quais? O que realmente aconteceu? Depois de reagir aos clipes dos filmes, voltávamos para as narrativas dos evangelhos, e a discussão começava.

Essa classe se reunia na Igreja "LaSalle", congregação animada no centro de Chicago composta de ph.Ds do noroeste bem como de homens sem lar que se utilizavam daquela hora em recinto aquecido como oportunidade para dormir um pouco. Graças sobretudo à classe, gradualmente passei por uma transformação da visão que tinha de Jesus. Walter Kasper[19] dizia: "Noções extremas [...] veem Deus vestido de Papai Noel, ou introduzindo-se na natureza humana como alguém que veste jeans a fim de consertar o mundo depois de uma avaria. A doutrina bíblica ou eclesiástica, segundo a qual Jesus foi um homem completo com um intelecto humano e liberdade humana, não parece prevalecer na cabeça dos cristãos comuns". Nao prevalecia em minha cabeça, admito, até que lecionei na classe da Igreja "LaSalle" e procurei encontrar a pessoa histórica de Jesus.

Essencialmente, os filmes ajudaram a restaurar para mim o caráter humano de Jesus. Os credos repetidos nas igrejas falam da preexistência eterna de Cristo e da gloriosa vida após a morte, mas desprezam sobremaneira a sua carreira terrena. Os próprios evangelhos foram escritos anos depois da morte de Jesus, desde a Páscoa, tratando de acontecimentos tão distantes dos escritores como a Guerra da Coreia para nós hoje. Os filmes ajudaram-me a retroceder mais, para mais perto de um entendimento da vida de Jesus conforme vista pelos de sua época. Como teria sido ouvir atentamente a rispidez da multidão? Como eu teria reagido a esse homem? Eu o teria convidado para jantar, como Zaqueu? Eu me teria afastado tristemente como o jovem legislador? Eu o teria traído como Judas e Pedro?

---

[19]   **Jesus the Christ**. New York: Paulist Press, 1977. p. 46.

Jesus, descobri, tinha uma pequena semelhança com a figura do Senhor Rogers que conheci na escola dominical, sendo notavelmente diverso da pessoa que estudei na faculdade cristã. Uma coisa eu sei, ele era muito menos manso. Em minha primeira imagem, percebi, a personalidade de Jesus combinava com a do sr. Spock de *Jornada nas estrelas:* permanecia calmo, sereno e controlado enquanto caminhava como um robô entre os seres humanos nervosos na nave espacial Terra. Não foi o que encontrei descrito nos evangelhos e nos melhores filmes. Outras pessoas influíram em Jesus profundamente: a obstinação o frustrava, a justiça própria o enfurecia, a fé simples o entusiasmava. Na verdade, ele parecia mais emotivo e espontâneo do que as pessoas comuns, não menos. Mais passional, não menos.

Quanto mais eu estudava Jesus, mais difícil se tornava classificá-lo. Ele falou pouco sobre a ocupação romana, o assunto principal das conversas de seus conterrâneos, mas pegou um chicote para expulsar do templo judeu os pequenos aproveitadores. Insistia na obediência à lei de Moisés, enquanto adquiria a reputação de transgressor da lei. Poderia ser tomado de simpatia por um estrangeiro, mas afastou o melhor amigo com a dura repreensão: "Para trás de mim, Satanás!".[20] Tinha opiniões inflexíveis sobre os homens ricos e as mulheres de vida fácil, mas ambos os tipos desfrutavam de sua companhia.

Um dia, os milagres pareciam fluir de Jesus; no dia seguinte, seu poder ficava bloqueado pela falta de fé das pessoas. Um dia, falava em pormenores sobre a segunda vinda; no outro, não sabia o dia nem a hora. Fugiu de ser preso uma vez e marchou inexoravelmente rumo à prisão em outra. Falou eloquentemente sobre a pacificação, depois disse a seus discípulos que procurassem espadas. Suas reivindicações extravagantes colocaram-no no centro da controvérsia, mas, quando fazia alguma coisa realmente miraculosa, procurava ocultar. Como disse Walter Wink,[21] se Jesus nunca tivesse vivido, não poderíamos tê-lo inventado.

Duas palavras ninguém pensaria em aplicar ao Jesus dos evangelhos: enfadonho e previsível. Então, por que a igreja domou esse caráter — "aparou", nas palavras de Dorothy Sayers,[22] "com muita eficiência as garras do Leão de Judá, declarando-o um bichinho de estimação adequadamente domesticado para pálidos vigários e velhas senhoras piedosas"?

---

[20] Mateus 16.23

[21] **Engaging the powers**. Minneapolis: Fortress Press, 1992. p. 129.

[22] **Christian letters to a post-christian world**. Grand Rapids: Eerdmans, 1969. p. 15.

Barbara Tuchman,[23] a historiadora que recebeu o prêmio Pulitzer, insiste em uma regra para escrever história: nada de "pequenas previsões". Quando ela estava escrevendo sobre a Batalha de Bulge, na Segunda Guerra Mundial, por exemplo, resistiu à tentação de incluir um aparte: "Naturalmente todos sabemos como isso acabou". Na verdade, as tropas aliadas envolvidas na Batalha de Bulge *não* sabiam como a batalha terminaria. Pela aparência das coisas, poderiam bem ser escorraçadas de volta para as praias da Normandia, de onde tinham vindo. Um historiador que deseja reter qualquer semelhança da tensão e do drama nos acontecimentos conforme eles se desenrolam não se atreve a fazer previsões de outro ponto de vista que tudo vê. Se o fizer, toda a tensão se desfará. Antes, um bom historiador recria para o leitor as condições da história que está sendo descrita, dando a impressão de que "você esteve lá".

Esse é, concluí, o problema — da maioria de nossas obras e ideias sobre Jesus. Lemos os evangelhos pelas lentes de pequenas previsões de concílios eclesiásticos como o de Niceia e o de Calcedônia, mediante as tentativas estudadas da igreja de lhe dar sentido.

Jesus foi um ser humano, judeu da Galileia com nome e família, pessoa de certo modo exatamente igual a todos. Mas, de outro modo, era um pouco diferente do que qualquer um que já tenha vivido na terra antes. A igreja levou cinco séculos de debates ativos para concordar sobre algum tipo de equilíbrio epistemológico entre "como todo mundo" e "alguma coisa diferente". Como disse Blaise Pascal:[24] "A Igreja tem tido tanta dificuldade em mostrar que Jesus Cristo foi homem, contra aqueles que o negaram, como em mostrar que ele foi Deus; e as probabilidades são igualmente grandes".

Deixem-me esclarecer que aceito os credos. Mas neste livro espero retroceder para além dessas formulações. Espero, até onde é possível, olhar para a vida de Jesus "de baixo", como um espectador, um dos muitos que o seguiram. Se eu fosse um cineasta japonês, com cinquenta milhões de dólares e nenhum roteiro além do texto dos evangelhos, que tipo de filme eu faria? Espero, nas palavras de Lutero,[25] "introduzir Cristo o mais profundamente possível na carne".

---

[23] **Practicing History**. New York: Alfred A. Knopf, 1981. p. 22.

[24] **Pensées**. New York: E. P. Dutton, 1958. p. 228.

[25] Apud MOLTMANN, Jürgen. **The Way of Jesus Christ**. San Francisco: Harper-SanFrancisco, 1990. p. 84.

No processo, às vezes me tenho sentido como um turista andando ao redor de um grande monumento, admirado e dominado. Ando ao redor do monumento de Jesus inspecionando suas partes constituintes — as histórias do nascimento, os ensinamentos, os milagres, os inimigos e os discípulos — a fim de refletir sobre isso e tentar compreender o homem que mudou a história.

Outras vezes me tenho sentido como um restaurador de obras de arte estendido no andaime da Capela Sistina, raspando o encardido da história com um produto de limpeza. Se a sujeira está dura demais, será que vou descobrir o original por baixo de todas essas camadas?

Neste livro, tento contar a história de Jesus, não a minha própria história. Inevitavelmente, entretanto, uma busca de Jesus acaba sendo a busca do próprio eu. Ninguém que encontre Jesus continua sendo o mesmo. Descobri que as dúvidas que me afligiam vindas de muitas fontes — da ciência, da religião comparada, de um defeito inato de ceticismo, da aversão à igreja — assumiram uma nova luz quando eu trouxe essas dúvidas ao homem chamado Jesus. Para dizer mais a esta altura, neste primeiro capítulo, eu transgrediria o princípio predileto de Barbara Tuchman.

CAPÍTULO 2

NASCIMENTO: O PLANETA VISITADO

O Deus de poder, enquanto percorria
Em suas majestosas roupagens de glória,
Resolveu parar; e assim um dia
Ele desceu, e pelo caminho se despia
— GEORGE HERBERT

Examinando a pilha de cartões que chegou à nossa casa no Natal passado, percebi que todo tipo de símbolos conseguira fazer parte da celebração. Espantosamente, as paisagens apresentam as cidades da Nova Inglaterra enterradas na neve, geralmente acrescidas do toque de um trenó puxado por cavalos. Em outros cartões, os animais brincam: não apenas a rena, mas também os esquilos, os ratinhos, os cardeais e os engraçados camundongos cinzentos. Um cartão exibe um leão africano reclinado com uma pata dianteira envolvendo afetivamente um cordeiro.

Os anjos têm voltado aos bandos ultimamente, e os selos com "Saudações Americanas" agora os exibem com destaque, embora sejam criaturas de aparência reservada e aconchegante, não do tipo que sempre precisa anunciar "Não temais!". Os cartões explicitamente religiosos (uma notável minoria) focalizam a sagrada família, e você pode perceber imediatamente que essas pessoas são diferentes. Parecem tranquilas e serenas. Reluzentes auréolas douradas, como coroas de outro mundo, flutuam bem sobre suas cabeças.

No interior, os cartões destacam palavras radiosas como amor, boa vontade, alegria, felicidade e cordialidade. É ótimo, suponho, que honremos o sagrado feriado com tais sentimentos familiares. Mas, quando me volto para as narrativas do evangelho sobre o primeiro Natal, percebo um tom diferente e sinto principalmente algo se romper.

Lembro-me de ter assistido a um episódio de *Thirtysomething* [Trinta e qualquer coisa], espetáculo da TV em que Hope, uma cristã, argumenta com Michael, o marido judeu, a respeito dos feriados.

— Por que você ainda se preocupa com o Hanuká? — ela pergunta. — Você acredita mesmo que um punhado de judeus manteve afastado um exército utilizando algumas lâmpadas que milagrosamente não ficavam sem combustível?

Michael explodiu.

— Ah! E o Natal faz mais sentido? Você acredita mesmo que um anjo apareceu a uma adolescente que depois ficou grávida sem fazer sexo e, depois, viajou a cavalo para Belém, onde passou a noite num estábulo e teve o nenê que se transformou no Salvador do mundo?

Francamente, a incredulidade de Michael parece com o que leio nos evangelhos. Maria e José tiveram de enfrentar a vergonha e o desprezo da família e dos vizinhos, que reagiram... bem... muito de acordo com Michael ("Você acredita mesmo que um anjo apareceu...?").

Até mesmo os que aceitam a versão sobrenatural dos acontecimentos concordam em que grandes problemas virão a seguir: um velho tio ora "para nos livrar dos nossos inimigos e da mão de todos os que nos odeiam";[1] Simeão tenebrosamente adverte a virgem de que "uma espada trespassará também a tua própria alma";[2] o hino de ação de graças de Maria menciona governos derrubados e homens orgulhosos dispersos.

Ao contrário do que os cartões gostariam que crêssemos, o Natal não simplifica de maneira sentimental a vida no planeta Terra. Talvez seja isso o que sinto quando chega o Natal e me afasto da alegria dos cartões indo para a seriedade dos evangelhos.

A arte do Natal apresenta a família de Jesus em imagens prensadas de papel dourado, em que Maria, calma, recebe as boas-novas da anunciação como um

---

[1] Lucas 1.71

[2] Lucas 2.35

tipo de bênção. Mas isso não é tudo o que Lucas conta na história. Maria ficou "grandemente perturbada" e "teve medo" com o aparecimento do anjo, e, quando o anjo pronunciou as sublimes palavras acerca do Filho do Altíssimo cujo reino não teria fim, Maria teve uma ideia muito mais mundana em sua mente: *Mas eu sou virgem!*

Certa vez, uma jovem advogada solteira chamada Cynthia corajosamente se colocou diante de minha igreja em Chicago e confessou um pecado que já conhecíamos: víamos seu filho hiperativo correr de um lado para outro entre os bancos todos os domingos. Cynthia tomara a decisão solitária de criar um filho ilegítimo e cuidar dele depois que o pai decidiu fugir da cidade. O pecado de Cynthia não foi pior que muitos outros e, ainda assim, conforme nos contou, teve consequências muito conspícuas. Ela não podia esconder o resultado desse simples ato de paixão, pois foi visível no seu abdome por meses até que uma criança surgiu para mudar todas as horas de cada um de seus dias pelo resto da vida. Não nos admiramos de que a adolescente Maria se sentisse grandemente perturbada: enfrentou as mesmas perspectivas, só que sem o ato da paixão.

Nos Estados Unidos atualmente, onde todos os anos um milhão de adolescentes ficam grávidas fora do casamento, o problema de Maria sem dúvida perderia um pouco a força, mas numa comunidade judaica fortemente unida no século I, a notícia que o anjo trouxe não poderia ter sido de todo bem-vinda. A lei considerava adúltera a mulher comprometida que ficasse grávida, sujeita à morte por apcdrejamento.

Mateus fala de José concordando de modo magnânimo em divorciar-se de Maria em segredo sem impor culpas, até que um anjo apareceu para corrigir-lhe a ideia de que fora traído. Lucas nos conta acerca de uma Maria trêmula, apressando-se para falar com a única pessoa que talvez entendesse aquilo por que estava passando: sua parenta Isabel, que milagrosamente ficara grávida na velhice depois de outra anunciação angélica. Isabel acredita em Maria e partilha de sua alegria, mas a cena ainda realça de modo enternecedor o contraste entre as duas mulheres: toda a redondeza está falando acerca do ventre curado de Isabel, enquanto Maria tem de esconder a vergonha do milagre que lhe ocorrera.

Dentro de poucos meses, o nascimento de João Batista aconteceu no meio de grandes clarinadas, com parteiras, parentes idosos e o tradicional coro da vila celebrando o nascimento de um judeu. Seis meses depois, Jesus nasceu longe de casa, sem parteira, sem parentes, sem a presença do coro da vila. O chefe da casa teria bastado para o censo romano; será que José arrastou a esposa grávida até Belém para poupá-la da ignomínia de dar à luz em sua cidadezinha natal?

C. S. Lewis[3] escreveu acerca do plano de Deus: "A coisa toda se estreita cada vez mais, até que afinal para num pequeno ponto, pequeno como a ponta de uma espada — uma moça judia em oração". Hoje, quando leio as narrativas do nascimento de Jesus, tremo de pensar que o destino do mundo repousou sobre a reação de dois camponeses jovens. Quantas vezes Maria relembrou as palavras do anjo quando sentia o Filho de Deus chutar contra as paredes do seu útero? Quantas vezes José examinou o seu encontro com o anjo — *apenas um sonho?* — enquanto suportava a grande vergonha de viver entre os habitantes da vila que podiam ver claramente a mudança na aparência de sua noiva?

Nada sabemos sobre os avós de Jesus. O que teriam sentido? Será que reagiram como muitos pais de jovens não casados de hoje, com uma explosão de fúria moral seguida de um período de silêncio sombrio pelo menos até que finalmente chegue o recém-nascido de olhos brilhantes para derreter o gelo e criar uma frágil trégua familiar? Ou será que, como muitos pais nas cidades do interior de hoje, graciosamente se ofereceram para aceitar a criança sob seu próprio teto?

Nove meses de desajeitadas explicações, o prolongado rastro do escândalo — parece que Deus preparou as circunstâncias mais humilhantes possíveis para a sua entrada, como se fosse para evitar qualquer acusação de favoritismo. Fico impressionado pelo fato de que o Filho de Deus, ao se tornar ser humano, jogou de acordo com as regras, severas regras: cidades pequenas não tratam com delicadeza os meninos que crescem sob paternidade questionável.

Malcolm Muggeridge[4] observou que, nos nossos dias, com as clínicas de planejamento familiar a oferecer meios cômodos de corrigir "erros" que poderiam levar à desgraça o nome da família, seria "extremamente improvável, sob as condições existentes, que Jesus sequer tivesse permissão de nascer. A gravidez de Maria, nas desagradáveis circunstâncias, e com pai desconhecido, teria sido sem dúvida um caso de aborto; e sua conversa de ter concebido pela intervenção do Espírito Santo teria exigido tratamento psiquiátrico, tornando o argumento a favor da interrupção da gravidez ainda mais forte. Assim, a nossa geração, precisando de

---

[3]   The grand miracle. In: **God in the dock:** essays on Theology and Ethics. Grand Rapids, Eerdmans, 1972. p. 84.

[4]   **Jesus: the man who lives**. New York: Harper & Row, 1975. p. 19.

um Salvador, talvez mais do que qualquer outra que já existiu, seria humana demais para permitir que ele nascesse".

A virgem Maria, contudo, cuja maternidade não foi planejada, teve reação diferente. Ouviu o anjo, analisou a repercussão e respondeu: "Eu sou a serva do Senhor. Cumpra-se em mim segundo a tua palavra".[5] Com frequência uma obra de Deus vem com dois gumes, grande alegria e grande sofrimento e, nessa resposta prosaica, Maria abraçou os dois. Foi a primeira pessoa a aceitar Jesus com todas as suas condições, apesar do custo pessoal.

* * *

Quando o missionário jesuíta Matteo Ricci[6] foi à China no século XVI, levou junto exemplares de arte religiosa para ilustrar a história cristã para o povo que nunca ouvira falar dela. Os chineses rapidamente adotaram quadros da virgem Maria segurando o filho, mas, quando ele apresentou as pinturas da crucificação e tentou explicar que o Deus-menino crescera apenas para ser executado, o auditório reagiu com repulsa e horror. Preferiram mil vezes a Virgem e insistiram em adorar a ela e não ao Deus crucificado.

Enquanto examino mais uma vez a minha coleção de cartões de Natal, percebo que nos países cristãos fazemos com frequência a mesma coisa. Guardamos um dia santo e alegre, domesticado e purificado de qualquer traço de escândalo. Acima de tudo, purificamo-lo de qualquer resíduo de como a história que começou em Belém e acabou no Calvário.

Nas histórias do nascimento narradas por Lucas e por Mateus, apenas uma pessoa parece captar a natureza misteriosa do que Deus começou: o velho Simeão, que reconheceu o nenê como o Messias e instintivamente compreendeu que certamente o conflito se seguiria. "Esta criança é posta para queda e elevação de muitos em Israel, para ser alvo de contradição [...]",[7] ele disse, e depois fez a predição de que uma espada perfuraria a alma da própria Maria. De alguma forma, Simeão sentiu que, apesar de poucas coisas terem mudado na superfície — o autocrata Herodes ainda reinava, as tropas romanas ainda estavam enforcando

---

[5] Lucas 1.38

[6] SPENCE, Jonathan D. **The Memory Palace of Matteo Ricci**. New York: Penguin Books, 1984. p. 245.

[7] Lucas 2.34

os patriotas, Jerusalém ainda transbordava de pedintes —, por baixo, tudo estava mudado. Uma nova força havia chegado para solapar os poderes do mundo.

No princípio, Jesus dificilmente parecia ameaçar aqueles poderes. Nasceu sob o governo de César Augusto,[8] num período em que a esperança flutuava por todo o Império Romano. Mais do que qualquer outro governante, Augusto elevou as expectativas do que um líder poderia realizar e do que uma sociedade poderia alcançar. Foi Augusto que, aliás, tomou emprestada pela primeira vez dos gregos a expressão "evangelho" ou "boas-novas" e a aplicou como um rótulo para a nova ordem mundial representada pelo seu reinado. O Império o declarou deus e estabeleceu rituais de adoração. Muitos acreditavam que seu regime iluminado e estável permaneceria para sempre, solução definitiva para o problema do governo.

Entrementes, em um canto obscuro do Império de Augusto, o nascimento de um nenê chamado Jesus foi esquecido pelos cronistas da época. Sabemos dele principalmente pelos quatro livros escritos anos depois de sua morte, numa época em que menos da metade de um por cento do mundo romano jamais ouvira falar dele. Os biógrafos de Jesus também tomariam emprestada a palavra evangelho, proclamando um tipo totalmente diferente de ordem mundial. Mencionariam Augusto uma única vez, uma referência de passagem para estabelecer a data de um recenseamento que garantiu que Jesus nascesse em Belém.

Contudo, os primeiros acontecimentos da vida de Jesus deram uma prévia ameaçadora da luta inverossímil que está agora em andamento. Herodes, o Grande, rei dos judeus, reforçava o governo romano local, e, numa ironia da história, conhecemos o nome de Herodes principalmente por causa do massacre dos inocentes.[9] Nunca vi um cartão de Natal descrever esse ato terrorista patrocinado pelo Estado, mas ele também fez parte da vinda de Cristo. Embora a história secular não se refira à atrocidade, ninguém familiarizado com a vida de Herodes duvida de que ele fosse capaz. Matou dois cunhados, a própria esposa, Mariamne, e dois dos próprios filhos. Cinco dias antes de sua morte, ordenou a prisão de muitos cidadãos e decretou que fossem executados no dia de sua morte, a fim de garantir uma atmosfera adequada de luto no país. Para tal déspota, um procedimento de exterminação menor em Belém não apresentava nenhum problema.

---

[8] CROSSAN, John Dominic. **The historical, Jesus:** the life of a Mediterranean Jewish peasant. San Francisco: HarperCollins, 1991. p. 31.

[9] KLAUSNER, Joseph. **Jesus of Nazareth:** his life, times, and teaching. Londres: George Allen & Unwin, 1925. p. 146.

Nascimento: o planeta visitado

Mal passava um dia, aliás, sem uma execução durante o regime de Herodes. O clima político no tempo do nascimento de Jesus parecia o da Rússia na década de 1930, sob o governo de Stalin. Os cidadãos não podiam reunir-se publicamente. Havia espiões por toda parte. Na mente de Herodes, a ordem de matar as crianças de Belém talvez fosse um ato da máxima racionalidade, ação de proteção para preservar a estabilidade de seu reino contra um boato de invasão.

Em *For the time being* [Por enquanto], W. H. Auden[10] projeta o que poderia estar se passando na mente de Herodes enquanto refletia sobre o massacre:

> Hoje foi um daqueles dias de inverno perfeitos, frio, brilhante e totalmente parado, quando o latido de um cachorro dos pastores é levado a milhas de distância, as grandes montanhas agrestes aproximam-se bastante dos muros da cidade, a mente fica intensamente desperta, e nesta noite, enquanto estou nesta janela no alto da fortaleza, não há nada em todo o magnífico panorama da planície e das montanhas que indique que o Império esteja ameaçado por um perigo mais terrível do que qualquer invasão dos tártaros sobre camelos velozes ou uma conspiração da Guarda Pretoriana [...].
> Ó Deus, por que essa criança desventurada não nasceu em algum outro lugar?

E assim Jesus Cristo entrou no mundo no meio da disputa e do terror e passou a infância escondido no Egito como refugiado. Mateus observa que a política local até determinou onde Jesus cresceria. Quando Herodes, o Grande, morreu, um anjo disse a José que seria seguro ele retornar a Israel, mas não para a região em que Arquelau, o filho de Herodes, assumira o governo. Então José mudou-se com a família para Nazaré, no norte, onde ficaram morando sob domínio de outro filho de Herodes, Antipas, de quem Jesus diria "aquela raposa", e também aquele que mandaria decapitar João Batista.

Alguns anos depois, os romanos assumiram o comando direto da província do sul, que abrangia Jerusalém, e o mais cruel e famigerado desses governadores foi um homem chamado Pôncio Pilatos. Bem relacionado, Pilatos casou-se com a neta de César Augusto. Segundo Lucas, Herodes Antipas e Pilatos, o governador

---

[10]   **The collected poetry**. New York: Random House, 1945. p. 455.

romano, consideravam-se inimigos até o dia em que o destino os reuniu para determinar o destino de Jesus. Naquele dia, eles colaboraram, esperando ter sucesso na área em que Herodes, o Grande, havia falhado: livrar-se do estranho pretendente e assim preservar o reino.

Do início ao fim, o conflito entre Roma e Jesus parecia ser de todo unilateral. A execução de Jesus aparentemente acabaria com qualquer ameaça, ou era o que pensavam naquele tempo. A tirania venceria mais uma vez. Não ocorreu a ninguém que seus obstinados discípulos pudessem simplesmente sobreviver ao Império Romano.

Os fatos do Natal, rimados nas canções natalinas, recitados pelas crianças em peças apresentadas nas igrejas, ilustrados nos cartões, tornaram-se tão conhecidos que fica fácil esquecer a mensagem por trás dos fatos. Depois de ler as histórias do nascimento mais uma vez, pergunto-me: *Se Jesus veio para nos revelar Deus, então o que aprendo acerca de Deus nesse primeiro Natal?*

A associação de palavras que me vem à mente enquanto pondero nessa pergunta me pegou de surpresa. Humilde, acessível, oprimido, corajoso — essas palavras dificilmente são aplicáveis à divindade.

Humilde. Antes de Jesus, quase nenhum escritor pagão utilizou a palavra "humilde" como elogio. Mas os acontecimentos do Natal apontam inevitavelmente para o que parece um paradoxo: um Deus humilde. O Deus que veio à terra não veio num redemoinho arrasador, nem num fogo devorador. O Criador de todas as coisas encolheu-se além da imaginação, tanto, tanto, tanto, que se tornou um óvulo, um simples ovo fertilizado, quase invisível, um óvulo que se dividiria e se redividiria até que um feto fosse formado, expandindo-se célula por célula dentro de uma irrequieta jovem. "A imensidão enclausurada em teu amado ventre", maravilhou-se o poeta John Donne.[11] Ele "a si mesmo se esvaziou [...] humilhou-se a si mesmo",[12] disse o apóstolo Paulo de forma mais prosaica.

Lembro-me de certo Natal em que estava sentado num belo auditório de Londres, ouvindo o *Messias* de Handel, com um coro completo cantando acerca do dia em que "a glória do Senhor for revelada". Eu passara a manhã em museus vendo remanescentes da glória da Inglaterra — as joias da coroa, um sólido cetro de ouro de um governante, a carruagem dourada do prefeito de

---

[11] **"Nativity"**: The Complete English Poems. New York: Penguin Books, 1971. p. 307.

[12] Filipenses 2.7

Nascimento: o planeta visitado

Londres — e me ocorreu que exatamente aquelas imagens de riqueza e de poder deviam ter enchido a mente dos que viveram na época de Isaías e ouviram aquela promessa pela primeira vez. Quando os judeus leram as palavras de Isaías, sem dúvida pensaram no passado com aguda nostalgia, nos dias gloriosos de Salomão, quando "fez o rei que em Jerusalém houvesse prata como pedras".[13]

O Messias que se apresentou, entretanto, usava um diferente tipo de glória, a glória da humildade. "Deus é grande', a exclamação dos muçulmanos, é uma verdade que não precisava ser sobrenatural para ensinar os homens", escreve Neville Figgis.[14] "Que Deus é *pequeno*, essa é a verdade que Jesus ensinou ao homem". O Deus que trovejava, que podia movimentar exércitos e impérios como peões num tabuleiro de xadrez, esse Deus apareceu na Palestina como um nenê que não podia falar, nem comer alimento sólido, nem controlar a bexiga, que dependia de uma jovem para receber abrigo, alimento e amor.

Em Londres, olhando por cima do camarote real do auditório em que estava sentada a rainha e sua família, tive vislumbres da maneira mais típica como os governantes andam pomposamente pelo mundo: com guarda-costas, fanfarra, floreado de roupas coloridas e reluzentes joias. A rainha Elizabeth II há pouco visitou os Estados Unidos, e os repórteres deleitaram-se em explicar as logísticas em questão: seus mil e oitocentos quilos de bagagem, incluindo dois trajes para cada ocasião, um traje para luto no caso de alguém morrer, quarenta quartilhos de plasma e assentos de pelica branca para vasos sanitários. Ela trouxe consigo sua cabeleireira, dois camareiros e uma infinidade de atendentes. Uma rápida visita da realeza a um país estrangeiro pode facilmente custar vinte milhões de dólares.

Em humilde contraste, a visita de Deus à terra aconteceu num abrigo para animais, sem assessores presentes e sem lugar para deitar o rei recém-nascido além de um cocho. De fato, o acontecimento que dividiu a história, e até mesmo nossos calendários, em duas partes, talvez tenha tido mais testemunhas animais que humanas. Uma mula poderia ter pisado nele. "Tão silenciosamente o maravilhoso dom foi dado".

Por apenas um instante, o céu ficou iluminado com os anjos, mas quem viu o espetáculo? Serviçais analfabetos que vigiavam rebanhos alheios, "joões-ninguém" que não deixaram seus nomes. Os pastores tinham uma reputação tão

---

[13] 1Reis 10.27

[14] **The gospel and human needs**. Londres: Longmans, Green, 1909. p. 11.

ruim que os judeus decentes faziam deles um só pacote junto com os "ímpios", restringindo-os aos pátios externos do templo. Nada mais adequado do que Deus escolher a eles para ajudar a celebrar o nascimento daquele que seria conhecido como amigo dos pecadores.

No poema de W. H. Auden[15] os sábios proclamam: "Aqui e agora a nossa viagem interminável acaba". Os pastores dizem: "Aqui e agora a nossa viagem interminável se inicia". A busca da sabedoria do mundo havia terminado; a verdadeira vida começava.

Acessível. Aqueles de nós que foram criados com um tipo de oração informal ou particular talvez não apreciem a mudança que Jesus operou no modo pelo qual os seres humanos se aproximam da divindade. Os hindus oferecem sacrifícios no templo. Os muçulmanos, quando se ajoelham, se inclinam tanto que suas testas tocam o chão. Na maior parte das tradições religiosas, aliás, o medo é a primeira emoção quando alguém se aproxima de Deus.

Certamente os judeus associavam o temor com a adoração. A sarça ardente de Moisés, as brasas vivas de Isaías, as visões extraterrenas de Ezequiel — uma pessoa "abençoada" por um encontro direto com Deus esperava sair dele chamuscada ou reluzente, ou talvez meio aleijada como Jacó. Esses eram os felizardos: as crianças judias também aprendiam histórias da montanha sagrada no deserto que se comprovou fatal para todos os que a tocaram. Manusear a arca da aliança de maneira errada era morte certa. Se alguém entrasse no Lugar Santíssimo, nunca sairia vivo de lá.

Para as pessoas que criaram um lugar santo separado para Deus no templo e se encolhiam de medo de pronunciar ou soletrar o nome dele, ele fez uma surpresa aparecendo como um nenê na manjedoura. O que pode ser menos sagrado do que um recém-nascido com os membros firmemente enfaixados contra o corpo? Em Jesus, Deus encontrou um meio de se relacionar com os seres humanos que não passava pelo medo.

Na verdade, o temor jamais funcionou direito. O Antigo Testamento inclui muito mais pontos baixos que altos. Um novo método se fazia necessário, uma nova aliança, para empregar os termos bíblicos, algo que não ressaltasse o imenso abismo entre Deus e a humanidade, mas em vez disso o transpusesse.

---

[15]   **The collected poetry** cit., p. 443-444.

Nascimento: o planeta visitado

Uma amiga minha chamada Kathy estava usando o jogo "Adivinhe quem é?" para ajudar seu filho de seis anos de idade a aprender o nome de diferentes animais. A vez dele:

— Estou pensando num mamífero. É grande e faz mágicas.

Kathy pensou um pouco e então desistiu:

— Não sei.

— É Jesus! — disse o filho, triunfante.

A resposta pareceu um tanto irreverente naquela hora, Kathy me contou, porém mais tarde, quando ela pensou a respeito, percebeu que o filho tinha assimilado uma perspectiva perturbadora das profundezas da encarnação: Jesus como mamífero!

Aprendi acerca da encarnação quando tive um aquário de água salgada. Gerenciar um aquário marinho, descobri, não é tarefa fácil. Precisava manejar um laboratório químico portátil para monitorar os níveis do nitrato e o conteúdo de amônia. Bombeava dentro dele vitaminas, antibióticos e sulfa, e enzimas suficientes para fazer crescer uma rocha. Filtrava a água por meio de fibras de vidro e carvão, e o expunha à luz ultravioleta. Era de esperar que, à vista de toda essa energia despendida em benefício dos meus peixes, eles ficassem pelo menos gratos. Mas não. Toda vez que minha sombra aparecia por cima do tanque, eles mergulhavam em busca de abrigo na concha mais próxima. Demonstravam só uma "emoção": medo. Embora eu abrisse a tampa e jogasse dentro alimento em horários regulares, três vezes ao dia, reagiam a cada visita como sinal certo de meus desígnios de torturá-los. Eu não podia convencê-los de minha verdadeira preocupação.

Para os meus peixes, eu era a divindade. Era grande demais para eles; minhas ações, incompreensíveis demais. Meus atos de misericórdia, eles os viam como crueldade; minhas tentativas de curá-los, consideravam-nas destruição. Mudar suas perspectivas, comecei a entender, exigia uma forma de encarnação. Eu teria de me tornar um peixe e "falar" a eles em uma linguagem que pudessem entender.

Um ser humano transformando-se em peixe não é nada se comparado a Deus tornando-se um bebê. E, de acordo com os evangelhos, foi o que aconteceu em Belém. O Deus que criou a matéria tomou forma dentro dela, como um artista que se tornasse uma mancha em uma pintura ou o autor de uma peça que se transformasse em um personagem dentro de sua própria peça. Deus escreveu uma história nas páginas da história real utilizando apenas personagens verdadeiros. A Palavra se tornou carne.

Oprimido. Até estremeço enquanto escrevo a palavra, sobretudo em relação a Jesus. É uma palavra cruel e utilizada através do tempo para os perdedores previsíveis e as vítimas da injustiça. Mas, enquanto leio as histórias do nascimento de Jesus, não posso deixar de concluir que, embora o mundo possa inclinar-se para os ricos e poderosos, Deus está inclinado para os oprimidos. "Depôs dos tronos os poderosos, e elevou os humildes",[16] Maria disse em seu hino, o *Magnificat*.

Laszlo Tokes,[17] o pastor romeno cujos maus tratos ultrajaram o país e deram início à rebelião contra o governador comunista Ceausescu, conta de uma ocasião quando tentava preparar um sermão de Natal para uma igrejinha nas montanhas em que fora exilado. A polícia do Estado cercava os dissidentes, e a violência explodia por todo o país. Com medo de perder a vida, Tokes trancou as portas, assentou-se e leu de novo as histórias em Lucas e em Mateus. Diferenciando--se dos muitos pastores que pregariam naquele Natal, preferiu tirar o seu texto dos versículos que se referiam ao massacre dos inocentes realizado por Herodes. Era a única passagem que falaria mais diretamente aos membros de sua igreja. A opressão, o medo e a violência, o quinhão diário dos oprimidos, eles entendiam bem.

No dia seguinte, no Natal, chegaram notícias de que Ceausescu fora aprisionado. As igrejas tocaram sinos, e a alegria explodiu por toda a Romênia. Outro rei Herodes caíra. Tokes se lembra: "Todos os acontecimentos da história do Natal tinham agora dimensão nova e cintilante para nós, dimensão da história enraizada na realidade de nossas vidas [...]. Para aqueles de nós que os viveram, os dias do Natal de 1989 representaram um ornamento rico e vibrante da história do Natal, um tempo em que a providência de Deus e a loucura da perversidade humana pareciam tão fáceis de compreender como o sol e a lua sobre as eternas colinas da Transilvânia". Pela primeira vez em quatro décadas, a Romênia celebrou o Natal como um feriado público.

Talvez a melhor maneira de perceber a natureza "oprimida" da encarnação seja traduzi-la em termos que possamos entender hoje. Uma mãe solteira, sem lar, foi forçada a procurar abrigo enquanto viajava para obedecer às pesadas exigências tributárias de um governo colonialista. Vivia em uma terra que se recuperava da violência das guerras civis e ainda estava tumultuada — uma situação muito parecida com a atual Bósnia, com Ruanda ou com a Somália. Como metade de

---

[16]   Lucas 1.52

[17]   **The fall of tyrants**. Wheaton: Crossway Books, 1990. p. 186.

Nascimento: o planeta visitado

todas as mães que dão à luz hoje, ela o fez na Ásia, no extremo oeste, a parte do mundo que se mostraria menos receptiva ao filho que tinha. Esse filho tornou-se refugiado na África, o continente em que ainda podemos encontrar o maior número de refugiados.

Fico imaginando o que Maria pensou sobre o seu revolucionário hino *Magníficat* durante os angustiantes anos no Egito. Para um judeu, o Egito trazia belas lembranças de um Deus poderoso que havia arrasado os exércitos de faraó e realizado a libertação; agora Maria fugiu para lá, desesperada, uma estrangeira em terra estranha, escondendo-se do seu próprio governo. Seria possível para o seu nenê, perseguido, desamparado, em fuga, cumprir as grandes esperanças de seu povo?

Até a língua materna da família trazia lembranças de seu estado oprimido: Jesus falava aramaico, linguagem comercial intimamente relacionada com o árabe, lembrete agudo da sujeição dos judeus aos impérios estrangeiros.

Alguns astrólogos estrangeiros (talvez da região em que agora está o Iraque) apareceram para visitar Jesus, mas esses homens eram considerados "impuros" pelos judeus daquele tempo. Naturalmente, como todos os dignitários, tinham primeiro consultado o rei regente em Jerusalém, que nada sabia acerca do nenê de Belém. Depois que viram a criança e perceberam quem era, esses visitantes envolveram-se em um ato de desobediência civil: enganaram Herodes e foram para casa por outro caminho, a fim de proteger a criança. Escolheram o lado de Jesus, contra os poderosos.

Crescendo Jesus, sua sensibilidade foi afetada mais profundamente pelos pobres, pelos desamparados — resumindo, pelos oprimidos. Hoje os teólogos debatem a propriedade da expressão "a opção preferencial de Deus pelos pobres" como um jeito de descrever a preocupação divina pelos oprimidos. Considerando que Deus planejou as circunstâncias nas quais ia nascer no planeta Terra — sem poder nem riqueza, sem direitos nem justiça — suas opções preferenciais falam por si mesmas.

Corajoso. Em 1993, li uma reportagem acerca de uma "visão messiânica" em Crown Heights, região do Brooklyn, em Nova York. Vinte mil judeus hassídicos lubavitcher[18] moravam em Crown Heights, e em 1993 muitos deles acreditavam

---

[18] REMNICK, David. Waiting for the Apocalypse in Crown Heights. **The New Yorker**, p. 52ss., 21 dez. 1992.

que o Messias estava morando entre eles na pessoa do rabino Menachem Mendel Schneerson.

A notícia do aparecimento público do rabino espalhou-se como um incêndio pelas ruas de Crown Heights, e os lubavitchers em seus casacos pretos e costeletas crespas logo correram pelas calçadas em direção à sinagoga em que o rabino costumava orar. Aqueles que tinham a felicidade de estar ligados a uma rede de bipes levaram vantagem, correndo a toda a velocidade em direção à sinagoga no momento em que sentiram uma leve vibração. Eles se aglomeraram às centenas no vestíbulo principal, acotovelando-se e até mesmo escalando os pilares para ter mais espaço. O vestíbulo encheu-se de um ar de antecipação e frenesi normalmente encontrados em eventos esportivos para decisão de campeonato, não em um culto religioso.

O rabino tinha 91 anos de idade. Sofrera um derrame no ano anterior e não podia falar desde então. Quando a cortina finalmente foi puxada, os que se aglomeravam na sinagoga viram um homem idoso e frágil com uma barba longa, que mal podia acenar, levantar a cabeça ou mexer as sobrancelhas. Porém, ninguém no auditório parecia incomodar-se com aquilo. "Viva o nosso mestre, o nosso professor e nosso rabi, Rei, Messias, para sempre e sempre!", eles cantavam em uníssono, repetidas vezes, aumentando o volume até que o rabino fez um pequeno gesto délfico com a mão, e a cortina fechou-se. Eles partiram lentamente, saboreando o momento, em estado de êxtase.[19]

Quando li a primeira vez a notícia, quase ri em voz alta. Quem essa gente está tentando enganar — um Messias nonagenário mudo no Brooklyn? E depois aquilo me pegou: eu estava reagindo contra o rabino Schneerson exatamente como o povo do século I reagiu contra Jesus. Um Messias da Galileia? O filho de um carpinteiro, nada mais?

O desprezo que senti ao ler acerca do rabino e de seus discípulos fanáticos deram-me uma pista da reação que Jesus enfrentou toda a sua vida. Seus vizinhos perguntaram: "De onde veio a este a sabedoria, e esses poderes miraculosos? Não é esse o filho do carpinteiro? e não se chama sua mãe Maria, e seus irmãos Tiago, José, Simão e Judas?".[20] Outros conterrâneos zombavam: "Pode vir alguma coisa

---

[19]   O rabino Schneerson morreu em junho de 1994. Agora muitos lubavitchers estão esperando sua ressurreição física.

[20]   Mateus 13.54,55

boa de Nazaré?".[21] Sua própria família queria prendê-lo, acreditando que estivesse louco. As autoridades religiosas procuraram matá-lo. Quanto aos "carneirinhos" da plebe, em um momento julgavam-no "possuído por um demônio"[22] e "fora de si", e no momento seguinte tentavam coroá-lo rei à força.

Era preciso coragem, creio, para Deus deixar de lado o poder e a glória e assumir um lugar entre os seres humanos que poderiam recebê-lo com a mesma mistura de insolência e ceticismo que senti quando pela primeira vez ouvi falar do rabino Schneerson do Brooklyn. Era preciso coragem para arriscar a descida a um planeta conhecido por sua violência canhestra, em uma raça conhecida por rejeitar seus profetas. Que coisa mais temerária Deus poderia ter feito?

A primeira noite em Belém exigiu coragem também. Como Deus-Pai sentiu-se aquela noite, desamparado como qualquer pai humano, observando o Filho emergir sujo de sangue para enfrentar um mundo frio e sombrio? Os versos de dois diferentes hinos de Natal soam em minha mente. Um, "Acorda o Menino, o gado a mugir, mas Ele não chora, se põe a sorrir!", parece-me uma versão higiênica do que aconteceu em Belém. Imagino que Jesus chorou como qualquer outro nenê na noite em que entrou no mundo, mundo que lhe daria muitos motivos para chorar quando adulto. O segundo, um verso de "Pequena Vila de Belém", parece tão profundamente verdadeiro hoje como foi há dois mil anos: "Pequena vila de Belém/ Repousa em teu dormir".

"Único de todos os credos, o cristianismo acrescentou coragem às virtudes do Criador", disse G. K. Chesterton.[23] A necessidade dessa coragem começou com a primeira noite de Jesus na terra e não acabou senão na última.

Há mais uma visão do Natal que nunca vi num cartão de Natal, talvez porque nenhum artista, nem mesmo William Blake, pudesse fazê-lo com justiça. Apocalipse 12 puxa a cortina para nos dar um vislumbre do Natal como ele devia ter parecido em algum lugar bem longe além de Andrômeda: o Natal da perspectiva dos anjos.

A narrativa difere radicalmente das histórias do nascimento nos evangelhos. O Apocalipse não menciona os pastores e um rei infanticida; antes, descreve um dragão liderando uma luta feroz no céu. Uma mulher vestida de sol e usando uma

---

[21]   João 1.46

[22]   João 10.20

[23]   **Orthodoxy**. Garden City: Doubleday/Image Books, 1959. p. 137.

coroa de doze estrelas grita com dores enquanto dá à luz. Subitamente o enorme dragão vermelho entra em cena, sua cauda varrendo um terço das estrelas do céu e jogando-as à terra. Faminto, ele arma um bote diante da mulher, ansioso para devorar seu filho no momento em que este nascer. No último instante, a criança é arrebatada para um lugar seguro, a mulher foge para o deserto, e toda uma guerra cósmica se inicia.

O Apocalipse é um livro estranho, visto sob qualquer ângulo, e os leitores devem entender seu estilo para entender o sentido desse espetáculo extraordinário. Na vida diária, duas histórias paralelas acontecem simultaneamente, uma na terra e outra no céu. O Apocalipse, entretanto, as vê junto, permitindo uma rápida olhada por trás dos bastidores. Na terra um nenê nasceu, um rei o farejou, uma caçada começou. No céu começou a Grande Invasão, um ousado ataque encetado pelo governador das forças do bem no trono universal do mal.

John Milton expressou essa visão de forma majestosa em *Paraíso perdido* e em *Paraíso recuperado*, poemas que fazem do céu e do inferno o foco central e da terra um simples campo de batalha para suas colisões. J. B. Phillips[24] também tentou essa visão numa escala muito menos épica, e no último Natal me voltei para a fantasia de Phillips para tentar escapar da minha visão ligada à terra.

Na versão de Phillips, um anjo antigo está mostrando a um anjo muito jovem os esplendores do universo. Eles veem galáxias turbilhonantes e sóis flamejantes, e depois adejam através de distâncias infinitas do espaço até que finalmente entram em certa galáxia de 500 bilhões de estrelas.

> Enquanto os dois se aproximam da estrela a que chamamos nosso sol e dos seus planetas circulantes, o anjo mais velho aponta para uma esfera pequena e um tanto insignificante que se movia muito lentamente sobre o seu eixo. Ela parecia tão sem graça quanto uma bola de tênis suja para o pequeno anjo, cuja mente estava cheia do tamanho e da glória de tudo quanto vira.
>
> — Quero que você observe esse planeta em particular — disse o anjo mais velho, apontando com o dedo.
>
> — Bem, parece muito pequeno e um tanto sujo — disse o pequeno anjo. — O que há de especial nele?

---

[24] **New Testament Christianity**. Londres: Hodder & Stoughton, 1958. p. 27-33.

Quando li a fantasia de Phillips, pensei nos quadros da Terra retransmitidos pelos astronautas da Apolo,[25] que descreveram nosso planeta como "coeso e redondo, belo e pequeno", um globo azul, verde e castanho suspenso no espaço. Jim Lowell, refletindo sobre a cena mais tarde, disse: "Era apenas outro corpo na verdade, cerca de quatro vezes maior do que a lua. Mas continha toda a esperança e toda a vida e todas as coisas que a tripulação da Apolo 8 conhecia e amava. Era a coisa mais bela que havia para ser vista em todo o céu". Essa era a visão de um ser humano.

Para o pequeno anjo, entretanto, a terra não parecia tão impressionante. Ele ouvia aturdido e incrédulo enquanto o anjo mais velho lhe dizia que aquele planeta, pequeno e insignificante e não muito limpo, foi o famoso Planeta Visitado.

> — Você quer dizer que o nosso grande e glorioso Príncipe [...] desceu em Pessoa para essa bolinha de quinta categoria? Por que ele fez uma coisa dessas? [...].
>
> O rosto do pequeno anjo enrugou-se de desgosto.
>
> — Você está me dizendo — ele disse — que ele desceu tão baixo para se tornar uma daquelas criaturas rastejantes e arrepiadoras daquela bola flutuante?
>
> — Sim, e não penso que ele gostaria de que você as chamasse de "criaturas rastejantes e arrepiadoras" com esse tom de voz. Pois, por estranho que possa parecer para nós, ele as ama. Ele desceu para visitá-las a fim de torná-las parecidas com ele.
>
> O pequeno anjo ficou pasmado. Tal pensamento estava quase além de sua compreensão.

Está também quase além da minha compreensão, mas aceito essa ideia como o segredo para compreender o Natal e é, aliás, a pedra de toque de minha fé. Sendo cristão, creio que vivemos em mundos paralelos. Um mundo consiste em montanhas, e lagos, e celeiros, e políticos, e pastores guardando seus rebanhos à noite. O outro consiste em anjos e forças sinistras, e, em algum ponto lá fora, lugares que se chamam céu e inferno. Em uma noite fria, escura, entre as enrugadas montanhas de Belém, aqueles dois mundos se juntaram em um ponto impressionante de interseção. Deus, que não conhece o antes ou o depois, entrou

---

[25] Apud JUSTICE, William M. **Our visited planet**. New York: Vantage Press, 1973. p. 167.

no tempo e no espaço. Deus, que não conhece fronteiras, assumiu as limitações chocantes da pele de um nenê, as restrições sinistras da mortalidade.

"Ele é a imagem do Deus invisível, o primogênito de toda a criação",[26] certo apóstolo escreveu mais tarde; "Ele é antes de todas as coisas, e todas as coisas subsistem por ele". Mas as poucas testemunhas oculares da noite de Natal não viram nada disso. Viram uma criancinha lutando para usar os pulmões novos em folha.

Seria verdadeira essa história de Belém de um Criador que desceu para nascer em um pequeno planeta? Em caso afirmativo, é uma história diferente de todas as outras. Nunca mais precisamos ficar imaginando se o que acontece neste planeta que se parece com uma pequena bola suja de tênis importa para o resto do universo. Não nos admiramos de que um coro de anjos explodisse num hino espontâneo, perturbando não apenas alguns poucos pastores mas todo o universo.

---

[26] Colossenses 1.15,17

CAPÍTULO 3

ANTECEDENTES: RAÍZES E SOLO JUDEUS

Eis de novo uma grande contradição:
embora fosse judeu, seus discípulos
não foram judeus. — Voltaire

Durante a infância, crescendo em uma comunidade WASP[1] de Atlanta, na Geórgia, não conheci nenhum judeu. Imaginava os judeus estrangeiros com forte sotaque e estranhos chapéus que viviam no Brooklyn ou em algum lugar distante em que todos estudavam para se tornar psiquiatras e músicos. Eu sabia que os judeus tinham algo que ver com a Segunda Guerra Mundial, mas tinha ouvido pouco acerca do Holocausto. Certamente essa gente não tinha nenhuma relação com o meu Jesus.

Apenas aos vinte e poucos anos fiz amizade com um fotógrafo judeu que me desiludiu de minhas noções acerca de sua raça. Uma noite, quando ficamos até tarde conversando, ele explicou o que era ter perdido 27 membros de sua família no Holocausto. Mais tarde, apresentou-me a Elie Wiesel, Chaim Potok, Martin Buber e outros escritores judeus, e depois desses encontros comecei a ler o Novo Testamento com outros olhos. Como eu pudera não ter percebido! A explícita ascendência judia de Jesus saltava logo da primeira sentença de Mateus, que o apresenta como "filho de Davi, filho de Abraão".

---

[1]   De religião protestante, descendente de anglo-saxões, a classe dominante nos EUA (While Anglo-Saxon Protestant, protestante anglo-saxão branco). [N. do E.]

Na igreja declaramos que Jesus é "o unigênito Filho de Deus, gerado por seu Pai antes de todos os mundos [...] o Próprio Deus do Próprio Deus". Essas declarações do credo, entretanto, estão anos-luz distantes da narrativa dos evangelhos acerca do Jesus que cresceu em uma família judia na cidade rural de Nazaré. Mais tarde aprendi que nem mesmo os judeus convertidos — que poderiam ter enraizado Jesus mais solidamente no solo judeu — foram convidados para o Concílio de Calcedônia, que compôs o credo. Nós, gentios, enfrentamos o constante perigo de deixar fugir a ascendência judaica de Jesus, e até mesmo sua humanidade.

No fato histórico, somos os que nos assenhoreamos do Jesus deles. Quando conheci a Jesus, gradualmente entendi que talvez ele não tenha passado a vida entre judeus no século I apenas para salvar os americanos do século XX. Só ele entre todas as pessoas da história teve o privilégio de escolher onde e quando nascer, e ele escolheu uma piedosa família judia em um atrasado protetorado de um império pagão. Não consigo mais compreender Jesus separado de sua ascendência judaica como não consigo compreender Gandhi separado de sua ascendência indiana. Preciso retroceder bastante e imaginar Jesus um judeu do século I com um filactério no pulso e poeira palestina nas suas sandálias.

Martin Buber[2] disse: "Nós, judeus, conhecemos [Jesus] de um jeito — nos impulsos e nas emoções de sua essencial ascendência judaica — que continua inacessível aos gentios submissos a ele". Ele está certo, naturalmente. Para conhecer a história de Jesus eu devo, da mesma forma que venho a conhecer a história de outra pessoa, aprender alguma coisa de sua cultura, família e antecedentes.

Seguindo esse princípio, Mateus inicia o seu evangelho não como eu poderia ser tentado a fazer, com um incitante "Como este livro vai mudar a sua vida", mas antes com uma lista árida de nomes, a genealogia de Jesus. Mateus escolheu uma amostra representativa de quarenta e duas gerações de judeus a fim de estabelecer a linhagem real de Jesus. Muito semelhantemente aos descendentes pobres da realeza europeia deposta, a família de camponeses de José e de Maria podia traçar a sua linhagem até alguns antepassados impressionantes, dentre os quais Davi, o maior dos reis de Israel, e seu fundador, Abraão.[3]

---

[2]   Apud VERMES, Geza. **Jesus the Jew:** A Historian's Reading of the Gospels. Londres: Collins, 1973. p. 9.

[3]   A lista de nomes de Mateus também tira do armário alguns esqueletos. Considere as mulheres mencionadas (uma raridade nas genealogias dos judeus). Pelo menos três das quatro eram

Jesus cresceu durante um tempo de ressurgente "orgulho judeu". Em um recuo contra a pressão de aceitar a cultura grega, as famílias haviam começado a adotar recentemente nomes que retrocediam aos tempos dos patriarcas e ao Êxodo do Egito (como os americanos étnicos que escolheram nomes africanos ou hispânicos para seus filhos). Assim Maria recebeu o seu nome de Miriã, a irmã de Moisés, e José recebeu o nome de um dos doze filhos de Jacó, como os quatro irmãos de Jesus.

O próprio nome de Jesus vem da palavra *Joshua* — "ele salvará" —, nome comum naqueles dias. (Como as listas das principais equipes de beisebol revelam, o nome Jesus continua popular entre os latino-americanos.) Sua grande frequência, não como os "Joões" ou "Josés" de hoje, devia irritar os ouvidos dos judeus no século I quando ouviam as palavras de Jesus. Os judeus não pronunciavam o Honorável Nome de DEUS, a não ser o sumo sacerdote em um dia do ano, e ainda hoje os judeus ortodoxos soletram cuidadosamente D'. Para pessoas nascidas nessa tradição, a ideia de que uma pessoa comum com um nome como o de Jesus podia ser o Filho de Deus e Salvador do mundo parecia extremamente escandalosa. Jesus era um homem — por Deus! —, filho de Maria.

Sinais da ascendência judaica de Jesus aparecem' pelos evangelhos. Ele foi circuncidado quando recém-nascido. De maneira significativa, uma cena da infância de Jesus mostra sua família assistindo a um festival obrigatório em Jerusalém, uma viagem de diversos dias de sua casa. Quando adulto, Jesus adorava na sinagoga e no templo, seguindo os costumes judaicos, e falava em termos que seus conterrâneos judeus pudessem entender. Mesmo suas controvérsias com outros judeus, tais como os fariseus, destacavam o fato de esperarem que ele partilhasse seus valores e agisse mais como eles próprios.

---

estrangeiras, que talvez fosse o jeito de Mateus indicar que Jesus oferecia uma promessa universal. O Messias judeu tinha sangue gentio!

Tamar, viúva sem filhos, precisou vestir-se como prostituta e seduzir o sogro a fim de produzir sua contribuição à linhagem de Jesus. Raabe não apenas fez de conta, mas de fato viveu como prostituta. E a "esposa de Urias", ou Bate-Seba, foi objeto da concupiscência de Davi, o que resultou no mais famoso escândalo real do Antigo Testamento. Esses antepassados de reputação duvidosa mostram que Jesus entrou na história humana sem disfarces, descendente voluntário de sua vergonha. Note-se o contraste com Herodes, o Grande, o rei na época do nascimento de Jesus, o qual mandou destruir os seus registros genealógicos por causa da vaidade, pois não queria que ninguém comparasse os seus antecedentes com os de outros.

Como o teólogo alemão Jürgen Moltmann[4] frisou, se Jesus vivesse durante o Terceiro Reich, muito provavelmente teria sido marcado como os outros judeus e enviado para as câmaras de gás. O *Pogrom* da sua época, o massacre das crianças efetuado por Herodes, foi especificamente destinado a Jesus.

Um rabino amigo mencionou para mim que os cristãos entendem o grito de Jesus na cruz, "Deus meu, Deus meu, por que me desamparaste?",[5] como um momento profundo de luta entre o Pai e o Filho; os judeus, entretanto, ouvem aquelas palavras como o grito de morte de mais uma vítima judia. Jesus não foi o primeiro e certamente não será o último judeu a gritar palavras dos Salmos em momento de tortura.

Mas uma estranha inversão ocorreu dentro de poucas gerações da vida de Jesus. Com raras exceções, os judeus deixaram de segui-lo, e a igreja se tornou totalmente gentia. O que aconteceu? Parece me explícito que Jesus deixou de atender às expectativas dos judeus acerca do Messias que estavam esperando.

Seria impossível exagerar a importância da palavra *Messias* entre os judeus fiéis. Os rolos do mar Morto descobertos em 1947 confirmam que a comunidade de Qunram esperava iminentemente uma figura como a do Messias, colocando ao lado uma cadeira vazia todos os dias na sagrada ceia. Por mais audacioso que pareça sonhar que uma pequena província cercada de grandes potências produza um governante mundial, mesmo assim os judeus criam exatamente nisso. Apostavam o seu futuro num rei que conduziria a nação de volta à glória.

Durante o período da vida de Jesus, a revolta estava no ar. Os pseudomessias periodicamente surgiam para liderar rebeliões, apenas para ser esmagados em cruéis contra-ataques. Para dar apenas um exemplo, um profeta conhecido como "o egípcio" atraiu multidões no deserto, onde proclamou que sob sua ordem os muros de Jerusalém cairiam; o governador romano enviou um destacamento de soldados atrás deles e matou quatro mil rebeldes.

Quando outra notícia se espalhou, de que o profeta há muito aguardado tinha aparecido no deserto, multidões se ajuntaram para ver o selvagem vestido com peles de camelo. "Eu não sou o Cristo [Messias]",[6] insistiu João Batista, que então continuou elevando as esperanças deles, falando em termos exaltados

---

[4] **The way of Jesus Christ** cit., p. 168.

[5] Mateus 27.46

[6] João 3.28

daquele que ia logo surgir. A pergunta de João a Jesus, "És tu aquele que havia de vir, ou devemos esperar outro?",[7] foi na verdade a pergunta do século, sussurrada por toda parte.

Cada profeta hebreu havia ensinado que um dia Deus instalaria o seu reino na terra, e por isso é que os rumores sobre o "Filho de Davi" inflamaram tanto as esperanças judias. Deus provaria pessoalmente que não os abandonara. "Oh! se fendesses os céus e descesses",[8] como proclamara Isaías, "se os montes tremessem diante da tua face!" para "fazer que as nações tremam na tua presença!".

Mas sejamos honestos. Quando João entrou em cena, nem as montanhas nem as nações tremeram. Jesus não veio satisfazer as esperanças pródigas dos judeus. O oposto aconteceu: dentro de uma geração os soldados romanos aniquilaram Jerusalém até o chão. A jovem igreja aceitou a destruição do templo como sinal do fim da aliança entre Deus e Israel, e depois do século I muito poucos judeus se converteram ao cristianismo. Os cristãos apropriaram-se das Escrituras judaicas, trocando o seu nome para "Antigo Testamento", e acabaram com a maioria dos costumes judeus.

Rejeitados pela igreja, acusados pela morte de Jesus, alguns judeus começaram um contra-ataque aos cristãos. Espalharam rumores de que Jesus era descendência ilegítima da ligação de Maria com um soldado romano e escreveram uma paródia cruel dos evangelhos. Jesus fora enforcado na véspera da Páscoa, dizia um relatório, porque "praticara feitiçaria, enganara e desviara Israel do caminho".[9] O homem cujo nascimento os anjos celebraram com uma proclamação de paz na terra tornou-se o grande divisor da história humana.

Há poucos anos conheci dez cristãos, dez judeus e dez muçulmanos em New Orleans. O psiquiatra e escritor M. Scott Peck nos convidara para ver se podíamos transpor nossas diferenças o bastante para produzir algum tipo de comunidade. Cada fé realizou um culto de adoração — os muçulmanos na sexta-feira, os judeus no sábado, os cristãos no domingo — que os outros foram convidados a observar. Os cultos tinham semelhanças notáveis e nos fizeram lembrar quanto as três fés tinham em comum. Talvez a intensidade dos sentimentos entre as três tradições brote de uma herança comum: as brigas familiares são sempre as mais obstinadas, e as guerras civis, as mais sangrentas.

---

[7]   Mateus 11.3

[8]   Isaías 64.1

[9]   KLAUSNER, Joseph. **Jesus of Nazareth** cit., p. 27.

Aprendi uma palavra nova em New Orleans: *suplantacionismo*. Os judeus ressentiam-se da ideia de que a fé cristã havia sobrepujado o judaísmo. "Eu me sinto como uma curiosidade da história, como se a minha religião precisasse ser colocada em uma casa de repouso", disse um. "Irrita-me ouvir o termo 'Deus do Antigo Testamento' ou mesmo 'Antigo' Testamento, nesse assunto." Os cristãos também haviam tomado a palavra Messias, ou pelo menos o seu equivalente grego, "Cristo". Um rabino contou que crescera na única casa judia de uma pequena cidade da Virgínia. Todos os anos os cristãos pediam ao seu pai, respeitado membro da comunidade (e, como judeu, imparcial no julgamento), para apreciar a exibição de luzes do Natal e decidir que casas mereciam prêmios. Garoto que era, esse rabino passava de carro com o pai diante de cada casa da cidade, admirando-se com ansiedade e incompreensão diante da luminosa exibição das luzes do Natal de Cristo, ou seja, "luzes do Messias".

Eu não tinha percebido que os muçulmanos consideram ambas as fés uma atitude suplantacionista. Conforme o veem, exatamente como o cristianismo brotou do judaísmo e incorporou partes dele, o islamismo brotou de partes de ambas as religiões e as incorporou. Abraão foi um profeta, Jesus foi um profeta, mas Maomé foi O Profeta. O Antigo Testamento tem um lugar, como o Novo Testamento, mas o Corão é "a revelação definitiva". Ouvir a minha fé comentada nesses termos paternalistas deu-me uma visão de como os judeus se sentiam há dois milênios.

Também percebi, depois de ouvir as três fés comentarem suas diferenças, como é profunda a divisão que Jesus introduziu. O culto muçulmano consistia principalmente em orações reverentes ao Todo-Poderoso. O culto judeu incorporava leituras dos Salmos e da Tora e alguns cânticos apaixonados. Qualquer um daqueles elementos pode ser encontrado num culto cristão. O que nos separava dos outros era a celebração da Ceia do Senhor. "Isso é o meu corpo, que por vós é dado", nosso líder leu, antes de distribuir o pão — o corpo de Cristo, o ponto divergente.

Quando os muçulmanos conquistaram a Ásia Menor, converteram muitas igrejas em mesquitas, gravando esta severa inscrição para advertência de quaisquer cristãos remanescentes: "Deus não procria e não é gerado".[10] A mesma frase poderia ser pintada sobre as paredes das sinagogas. A grande linha divisória da

---

[10] MOLTMANN, Jürgen. **The crucified God**. New York: Harper & Row, 1974. p. 235.

história retrocede a Belém e a Jerusalém. Jesus era realmente o Messias, o Filho de Deus? Como os judeus em New Orleans explicaram, um Messias que morre aos 33 anos de idade, uma nação que declinou depois da morte do seu Salvador, um mundo que fica cada vez mais fraturado, não menos — esses fatos não parecem acrescentar nada aos membros da própria raça de Jesus.

Não obstante, apesar dos dois mil anos da grande divisão, apesar de tudo o que tem acontecido neste século de violento antissemitismo, o interesse em Jesus está ressurgindo entre os judeus. Em 1925, quando o hebraísta Joseph Klausner decidiu escrever um livro sobre Jesus, conseguiu encontrar apenas três exposições completas da vida de Jesus, escritas por mestres judeus contemporâneos. Agora há centenas, dentre as quais se acham alguns dos estudos mais iluminadores disponíveis. As crianças israelitas de hoje aprendem que Jesus foi um grande mestre, talvez o maior professor judeu, que foi depois "também aceito" pelos gentios.

É possível ler os evangelhos sem antolhos? Os judeus leem com suspeitas, preparados para se escandalizarem. Os cristãos leem usando as lentes refratárias da história da igreja. Ambos os grupos, creio, fariam bem se parassem para refletir sobre as primeiras palavras de Mateus: "Livro da genealogia de Jesus Cristo, filho de Davi, filho de Abraão". O filho de Davi fala da linhagem messiânica de Jesus, que os judeus não deveriam desprezar; "título que não podia negar para salvar a vida não podia ter sido sem significado para ele",[11] observa C. H. Dodd. O filho de Abraão fala da linhagem judaica de Jesus, que nós, cristãos, não nos atrevemos a desprezar também. Jaroslav Pelikan escreve:

> Teria havido tanto antissemitismo, teria havido tantos *pogroms*, teria havido um Auschwitz, se cada igreja e cada lar cristão tivesse focalizado sua devoção em imagens de Maria não apenas como a Mãe de Deus e a Rainha dos Céus, mas como a jovem judia e a nova Miriã, e em imagens de Cristo não apenas como um *Pantocrator*, mas como *Rabino Iesbua bar-José*, Rabino Jesus de Nazaré?[12]

Crescendo, não conheci um único judeu. Conheço agora. Conheço um pouco de sua cultura. Os laços apertados que mantêm vivos os feriados sacros até

---

[11] **The founder of Christianity**. Londres: Macmillan, 1970. p. 103.

[12] PELIKAN, Jaroslav. **Jesus through the centuries**. New Haven: Yale University Press, 1985. p. 20.

mesmo nas famílias que já não creem mais no seu significado. Os apaixonados argumentos que a princípio me intimidaram mas logo me atraíram como um estilo de compromisso pessoal. O respeito, até mesmo reverência, pelo legalismo no meio de uma sociedade que valoriza principalmente a autonomia. A tradição dos peritos que ajudou a manter a cultura apesar das tentativas incessantes dos outros para obliterá-la. A capacidade de dar o braço, e de dançar, e de cantar, e de rir mesmo quando o mundo oferece escassos motivos para celebração.

Essa foi a cultura em que Jesus cresceu, uma cultura judaica. Sim, ele a mudou, mas sempre do seu ponto de partida como judeu. Agora, quando me vejo imaginando como Jesus teria sido quando adolescente, penso nos garotos judeus que conheci em Chicago. E, quando o pensamento me faz vibrar, lembro-me de que no seu tempo Jesus recebeu reação contrária. Um adolescente judeu, certamente — mas o Filho de Deus?

Além de escolher a raça, também escolheu a hora e o lugar de nascer. A história se tornou, na frase de Dietrich Bonhoeffer, "o ventre do nascimento de Deus".[13] Por que aquela parte da história em particular? Às vezes fico imaginando por que Jesus não veio nos tempos modernos, quando se teria aproveitado da comunicação de massa. Ou no tempo de Isaías, quando as expectativas pelo Messias também estavam em alta e Israel ainda era uma nação independente. O que dizer do século I, não seria o momento certo para facilitar a entrada de Deus no mundo?

Cada era tem o seu jeito especial: a confiança ensolarada do século XIX, o caos violento do século XX. No tempo do nascimento de Jesus, no auge do Império Romano, a esperança e o otimismo dominavam. Como na União Soviética antes de sua queda ou o Império Britânico nos dias da rainha Vitória, Roma mantinha a paz na ponta de uma espada, mas até mesmo os povos conquistados cooperavam. Exceto a Palestina, é claro.

Havia grande anseio por "uma nova ordem dos tempos" na época do nascimento de Jesus. O poeta romano Virgílio cunhou essa expressão, como um profeta do Antigo Testamento, ao declarar que "uma nova raça humana está descendo das alturas dos céus", mudança que viria a se realizar por causa do "nascimento de uma criança, com quem a idade do ferro da humanidade acabará e a idade de ouro vai começar".[14] Virgílio escreveu essas palavras messiânicas não

---

[13] **Christ the center.** San Francisco: Harper & Row, 1978. p. 61.

[14] Apud PELIKAN, Jaroslav. **Jesus through the centuries**... cit., p. 35.

acerca de Jesus, mas de César Augusto, a "divindade presente", o "restaurador do mundo", que conseguiu reunir o Império depois da guerra civil inflamada pelo assassinato de Júlio César.

Aos leais súditos romanos, Augusto oferecia paz, segurança e entretenimento: em duas palavras, pão e circo. A Pax Romana garantia que os cidadãos tivessem a proteção contra os inimigos de fora e desfrutassem dos benefícios da justiça e do governo civil romano. Enquanto isso, uma alma grega enchia o corpo político romano. As pessoas por todo o Império se vestiam como os gregos, construíam seus prédios no estilo grego, jogavam os desportos gregos e falavam a língua grega. Exceto na Palestina.

A Palestina, o caroço que a anaconda não conseguia digerir, exasperava Roma até o fim. Contrariando a tolerância romana para com muitos deuses, os judeus apegavam-se tenazmente à noção de um Deus, o seu Deus, que lhes revelara uma cultura diferente de Povo Escolhido. William Barclay explica o que aconteceu quando essas duas sociedades colidiram. "É fato histórico que nos trinta anos de 67 a 37 a.C., antes do surgimento de Herodes, o Grande, nada menos que 150 mil homens pereceram na Palestina em levantes revolucionários. Não havia outro país mais explosivo e mais inflamado no mundo do que a Palestina".[15]

Os judeus resistiam à helenização (imposição da cultura grega) com tanto ardor quanto lutavam contra as legiões romanas. Os rabinos mantinham viva essa aversão lembrando os judeus das tentativas de um louco selêucida chamado Antíoco[16] de helenizar os judeus mais de um século antes. Antíoco obrigara meninos a passar por operações de reversão da circuncisão para poderem aparecer nus nos jogos atléticos gregos. Ele açoitou um idoso sacerdote até a morte por recusar-se a comer carne de porco e matou uma mãe e seus sete filhos por não se inclinarem diante de uma imagem. Em um ato hediondo que se tornou conhecido como a "abominação da desolação", invadiu o Lugar Santíssimo do templo, sacrificando um porco imundo sobre o altar em homenagem ao deus grego Zeus, e esparramou o seu sangue pelo santuário.

A campanha de Antíoco fracassou miseravelmente, levando os judeus à revolta franca liderada pelos macabeus. (Os judeus ainda celebram o Hanukah em comemoração a essa vitória.) Durante quase um século os macabeus realmente

---

[15]   Apud MUGGERIDGE, Malcolm. **Jesus: the man who lives** cit., p. 74.

[16]   KRAYBILL, Donald B. **The upside-down kingdom**. Scottsdale: Herald Press, 1990. p. 38.

mantiveram afastados os invasores estrangeiros, até que a crueldade romana chegou a Palestina. Demorou trinta anos para os exércitos romanos esmagarem todos os sinais de rebelião; então instalaram o homem forte local, Herodes, como o "Rei dos judeus" fantoche. Enquanto Herodes observava os romanos matar mulheres e crianças em suas casas, nos mercados e até mesmo no templo, ele perguntou a um general: "Será que os romanos vão acabar com todos os habitantes e com todas as propriedades da cidade e me deixarão como rei do deserto?".[17] Quase. Quando Herodes subiu ao trono, não apenas Jerusalém mas todo o país jazia em ruínas.

Herodes, o Grande, ainda reinava quando Jesus nasceu. Comparativamente, a Palestina permaneceu sossegada sob o seu braço de ferro, pois as longas guerras haviam drenado ambos, o espírito e os recursos dos judeus. Um terremoto em 31 a.C. matou 30 mil pessoas e muito gado, causando mais penúria. Os judeus chamavam tais tragédias de "aflições do Messias" e imploravam a Deus por um libertador.

É difícil encontrar um paralelo moderno, agora que o império soviético entrou em colapso, para a situação perigosa que os judeus enfrentaram sob o governo romano. O Tibete sob a China, talvez? Os negros da África do Sul antes de conseguirem a libertação do governo da minoria? A mais provocante sugestão vem dos que visitam a moderna nação de Israel, que não podem deixar de notar o sofrimento semelhante dos judeus galileus do tempo de Jesus e os palestinos nos dias de hoje. Ambos serviram aos interesses econômicos de seus ricos vizinhos. Ambos viveram em pequenas cabanas, ou campos de refugiados, no meio de uma cidade moderna e uma cultura estrangeira. Ambos ficaram sujeitos aos toques de recolher, aos assaltos, à discriminação.

Como Malcolm Muggeridge observou na década de 1970: "O papel dos legionários romanos foi assumido pelo exército israelita. Agora são os árabes que estão em posição de povo sujeitado; autorizados, como os judeus no tempo de Jesus, a frequentar suas mesquitas e a praticar sua religião, mas em outros aspectos tratados como cidadãos de segunda categoria".[18]

Ambos os grupos, os modernos palestinos e os judeus galileus, também partilham de uma susceptibilidade de cabeças-quentes que poderia levá-los à

---

[17] KLAUSNER, Joseph. **Jesus of Nazareth** cit., p. 144.
[18] MUGGERIDGE, Malcolm. **Jesus: the man who lives** cit., p. 13.

revolta armada. Pense no Oriente Médio da atualidade com toda a sua violência, intrigas e partidos que discutem. Em tal ambiente incendiário, nasceu Jesus.

A viagem da Judeia à Galileia na primavera é uma viagem do marrom para o verde, das terras áridas, rochosas, para os campos mais luxuriantes da bacia do Mediterrâneo. Frutas e vegetais cresciam em abundância, os pescadores trabalhavam no mar da Galileia e por trás das colinas ondulantes do oeste jaz o azul faiscante do próprio Mediterrâneo. Nazaré, a cidade de Jesus, tão obscura que não se encontra na lista das sessenta e três cidades galileias mencionadas no Talmude, encontra-se na encosta de uma montanha a 3900m acima do nível do mar. Olhando de uma cadeia de montanhas, pode-se observar um panorama de grande alcance desde o monte Carmelo, junto ao oceano, até o pico coberto de neve do monte Hermom, ao norte.

Com terra fértil, vistas lindas e clima moderado, a Galileia tem os seus atrativos, e certamente Jesus desfrutou de sua infância ali. As flores silvestres e o mato crescendo entre as plantações, o laborioso método de separar o trigo da palha, as figueiras e as videiras pontilhando as encostas, os campos brancos para a ceifa — tudo isso apareceria mais tarde em suas parábolas e máximas. Alguns aspectos óbvios da Galileia não aparecem. Cerca de 4,8 km ao norte, visível de Nazaré, encontrava-se a reluzente cidade de Séforis, na época passando por um processo de reconstrução. Os vizinhos de Jesus — talvez seu próprio pai — estavam empregados nos negócios da construção ali.

Na maior parte da vida de Jesus, os operários de construções trabalharam nessa bela metrópole greco-romana, que apresentava ruas com colunatas, um fórum, uma casa de banhos e um ginásio, luxuosas vilas, todas construídas em calcáreo branco e mármore colorido. Em um imponente teatro que abrigava quatro mil pessoas, os atores gregos, ou *hypocrités*, divertiam multidões multinacionais. (Jesus mais tarde tomaria emprestada a palavra que designava quem representava um papel falso em público.) Durante o período da vida de Jesus, Séforis servia de capital da Galileia, segunda em importância apenas quando comparada a Jerusalém, em toda a Palestina. Nem uma vez, entretanto, os evangelhos registram que Jesus tenha visitado ou mesmo mencionado a cidade. Não visitou também Tiberíades, a cidade do refúgio de inverno de Herodes, situada perto das praias do lago da Galileia. Ele se conservava à distância dos centros de riqueza e de poder político. Embora Herodes, o Grande, trabalhasse para transformar a Galileia na província mais próspera da Palestina, apenas alguns poucos colhiam os benefícios. Os camponeses sem terra serviam principalmente aos interesses dos ricos fazendeiros (outro fato que apareceria nas parábolas de Jesus). Uma enfermidade ou repetidas estações de mau tempo traziam infortúnios para muitas famílias. Sabemos que Jesus foi criado na pobreza: sua família não podia comprar um cordeiro para o sacrifício no templo e ofereceu por isso um casal de pombas ou duas rolinhas.

A Galileia tinha reputação de ser um solo criador de revolucionários. Em 4 a.C., lá pelo nascimento de Jesus, um rebelde arrombou o arsenal de Séforis e o saqueou para armar seus seguidores. As tropas romanas recapturaram as armas e queimaram a cidade — o que explica por que teve de ser reconstruída —, crucificando dois mil judeus que participaram do levante. Dez anos depois, outro rebelde, chamado Judas, incitou uma revolta, insistindo com os seus conterrâneos que não pagassem os impostos ao imperador pagão de Roma. Ele ajudou a fundar o partido dos zelotes, que atrapalharia Roma por seis décadas. Dois filhos de Judas foram crucificados depois da morte de Jesus, e seu último filho por fim tomou das mãos dos romanos a fortaleza de Massada, fazendo o voto de defendê-la até que o último judeu morresse. No final, 960 judeus entre homens, mulheres e crianças tiraram a própria vida para não caírem prisioneiros dos romanos. Os galileus amavam a liberdade do fundo do coração.

Por toda a sua prosperidade e ativismo político, a Galileia recebeu pouco respeito do restante do país. Era a província mais distante de Jerusalém e a mais retrógrada culturalmente. Os escritos rabínicos da época descrevem os galileus como caipiras, assunto para piadas étnicas. Os galileus que sabiam o hebraico tinham uma pronúncia tão grosseira que não eram chamados para ler a Tora nas outras sinagogas. Falar a linguagem comum, o aramaico, de maneira relaxada era sinal de raízes galileias (como Simão Pedro um dia descobriria, traído no pátio da corte pelo seu sotaque rural). As palavras aramaicas preservadas nos evangelhos mostram que Jesus também falava nesse dialeto do norte, sem dúvida estimulando o ceticismo a seu respeito. "Pode o Cristo vir da Galileia?"[19] "Pode vir alguma coisa boa de Nazaré?"[20]

Outros judeus consideravam a Galileia também relapsa em assuntos espirituais. Um fariseu, depois de dezoito infrutíferos anos ali, lamentou: "Galileia, Galileia,

---

[19]   João 7.41
[20]   João 1.46

tu odeias a Tora!".[21] Nicodemos, que defendeu Jesus, foi silenciado pela réplica: "És tu também da Galileia? Examina, e verás que da Galileia não surge profeta".[22] Os próprios irmãos de Jesus o incentivaram: "Sai daqui e vai para a Judeia".[23] Da perspectiva do poder religioso estabelecido em Jerusalém, a Galileia parecia um lugar pouco provável para o Messias surgir.

Quando leio os evangelhos, tento projetar-me naquele tempo passado. Como eu teria reagido à opressão? Lutaria para ser um cidadão-modelo e fugiria dos problemas, para viver e deixar viver? Seria tentado pelos inflamados insurrecionistas como os zelotes? Lutaria de maneira mais divergente, evitando pagar os impostos talvez? Ou lançaria minhas energias em um movimento religioso, desprezando as controvérsias políticas? Que tipo de judeu eu seria no século I?

Oito milhões de judeus viviam no Império Romano naquele tempo, apenas mais de um quarto deles na Palestina propriamente dita,[24] e às vezes forçavam a indulgência romana até o ponto da ruptura. Os romanos rotulavam os judeus de "ateus" por causa de sua recusa em honrar os deuses gregos e romanos, e os consideravam desajustados sociais por causa dos seus costumes estranhos: os judeus se recusavam a comer os alimentos "impuros" de seus vizinhos, esquivavam-se de todos os negócios nas tardes de sexta-feira e nos sábados e desprezavam os funcionários públicos. Não obstante, Roma garantiu ao judaísmo status legal.

De muitas maneiras o sofrimento dos líderes judeus se parecia com o das igrejas russas sob o governo de Stalin. Podiam cooperar, o que significava submeter-se à interferência do governo, ou podiam trilhar caminho próprio, o que significava aguda perseguição. Herodes, o Grande, encaixava-se bem no padrão de Stalin, mantendo a comunidade religiosa em estado de suspeita e terror por meio de sua rede de espiões. "Seus sumos sacerdotes ele mudava como mudava de roupa",[25] queixava-se um escritor judeu.

Em reação, os judeus separaram-se em partidos que seguiam por caminhos diferentes de colaboração e de separativismo. Esses eram os partidos que seguiam a Jesus, ouvindo-o, testando-o, avaliando-o.

---

[21] VERMES, Geza. **Jesus the Jew** cit., p. 53.

[22] João 7.52

[23] João 7.3

[24] Principalmente em razão do Holocausto, o número de judeus é aproximadamente o mesmo dezenove séculos depois, e a mesma proporção vive na Palestina.

[25] KLAUSNER, Joseph. **Jesus of Nazareth** cit., p. 151.

Os essênios eram os mais separados de todos. Pacifistas, não resistiam ativamente a Herodes ou aos romanos, mas antes se retiravam para comunidades monacais nas cavernas de um deserto estéril. Convencidos de que a invasão romana viera como castigo por seu fracasso em guardar a Lei, dedicavam-se à pureza. Os essênios tomavam banhos rituais todos os dias, mantinham uma dieta restrita, não defecavam no sábado, não usavam joias, não juravam e tinham todos os bens materiais em comum. Esperavam que a sua fidelidade incentivasse o advento do Messias.

Os zelotes, representantes de uma estratégia diferente de separativismo, advogavam a revolta armada para expulsar os estrangeiros impuros. Um ramo dos zelotes especializava-se em atos de terrorismo político contra os romanos, enquanto outro operava como uma espécie de "polícia moral" para manter os judeus na linha. Em uma primeira versão de purificação étnica, os zelotes declaravam que qualquer pessoa que se casasse com um indivíduo de outra raça seria linchado. Durante os anos do ministério de Jesus, observadores certamente notaram que em seu grupo de discípulos estava Simão, o Zelote. Por outro lado, os contatos sociais de Jesus com os gentios e com os estrangeiros, sem mencionar parábolas como a do bom samaritano, deveriam ter levado à fúria os zelotes extremados.

No outro extremo, os colaboracionistas tentavam operar dentro do sistema. Os romanos garantiram autoridade limitada a um concilio judeu chamado Sinédrio, e em troca de privilégios este cooperava com os romanos em repelir qualquer sinal de insurreição. Era do seu maior interesse prevenir os levantes e as duras represálias que certamente trariam.

O historiador judeu Josefo[26] conta de um camponês doente mental que gritava "Ai de Jerusalém!" no meio dos festivais populares, agitando as multidões. O Sinédrio tentou puni-lo, sem resultado, por isso o entregaram ao governo romano para que fosse devidamente açoitado. Ele foi descascado até os ossos, e a paz foi restaurada. Com o mesmo intuito, o Sinédrio enviou representantes para examinar João Batista e Jesus. Será que representavam uma verdadeira ameaça à paz? Nesse caso, deveriam ser enviados aos romanos? Caifás, o sumo sacerdote, captou perfeitamente a visão dos colaboracionistas: "Convém que um só homem morra pelo povo, e que não pereça toda a nação".[27]

---

[26] WILSON, A. N. **Jesus**. New York: Norton & Company, 1992. p. xii.

[27] João 11.50

Antecedentes: raízes e solo judeus

Os saduceus eram os colaboracionistas mais espalhafatosos. Foram antes helenizados sob os gregos, e depois cooperaram com os macabeus, com os romanos e agora com Herodes. Humanistas na teologia, os saduceus não criam na vida após a morte nem na intervenção divina aqui na terra. O que acontece, acontece, e, considerando-se que não há sistema futuro de recompensa e de castigo, uma pessoa poderia muito bem desfrutar do tempo limitado na terra. Pelos palácios e utensílios de prata e de ouro de suas cozinhas, que os arqueólogos descobriram, parece que os saduceus desfrutaram da vida realmente muito bem. De todos os partidos da Palestina, os mandarins saduceus eram os que mais tinham a perder diante de qualquer ameaça ao *status quo*.

Os fariseus, partido popular da classe média, muitas vezes se encontravam em cima do muro, vacilando entre o separatismo e o colaboracionismo. Mantinham altos padrões de pureza, sobretudo em questões como a guarda do sábado, a pureza ritual e o tempo exato dos dias festivos. Tratavam os judeus que não agiam assim como "gentios", excluindo-os dos conchos locais, boicotando seus negócios e banindo-os dos banquetes e dos acontecimentos sociais. Mas os fariseus já haviam sofrido o seu quinhão de perseguição: uma vez oitocentos fariseus foram crucificados em um só dia. Embora cressem apaixonadamente no Messias, hesitavam em seguir muito depressa a qualquer impostor ou operador de milagres que pudesse atrair desgraça para a nação.

Os fariseus escolhiam suas batalhas com cuidado, pondo a vida em perigo apenas quando necessário. Uma vez, Pôncio Pilatos desprezou um acordo com os judeus para as tropas romanas não entrarem em Jerusalém carregando estandartes que trouxessem uma imagem ("ícone") do imperador. Os fariseus consideravam isso um ato de idolatria. Em protesto, uma multidão de judeus, na maioria fariseus, cercou o palácio de Pilatos por cinco dias e cinco noites em uma espécie de greve branca, chorando e implorando que mudasse. Pilatos ordenou que fossem ao hipódromo, onde os soldados estavam à espreita, e ameaçou condenar à morte todo aquele que não parasse de implorar. Todos de uma vez, caíram com o rosto em terra, desnudaram os pescoços e anunciaram que estavam preparados para morrer a fim de não ver suas leis transgredidas. Pilatos voltou atrás.

Conforme examino cada um desses grupos, concluo que muito provavelmente eu acabaria no partido dos fariseus. Teria admirado seu método pragmático de lidar com o governo, equilibrado por sua prontidão em defender um princípio.

Gente ordeira, os fariseus produziram bons cidadãos.[28] Radicais como os essênios e os zelotes me deixariam nervoso; aos saduceus, eu teria desprezado como oportunistas. Assim, como simpatizante dos fariseus, eu teria permanecido à margem do auditório de Jesus, observando-o lidar com os assuntos inflamados do dia.

Jesus me teria conquistado? Por mais que eu queira, não consigo responder facilmente a essa pergunta. Às vezes Jesus conseguia confundir e afastar-se de cada um dos grupos principais da Palestina. Ele defendia outro caminho, nem a separação nem a colaboração, afastando radicalmente o enfoque de sobre o reino de Herodes ou de César para o reino de Deus.

Olhando para trás agora, pode parecer difícil escolher as nuanças que dividiam um partido do outro, ou entender por que a controvérsia girava em torno de aspectos menores dos ensinos de Jesus. Mas apesar de todas as suas diferenças, essênios, zelotes, fariseus e até mesmo saduceus partilhavam de um alvo: preservar o que era distintamente judeu, não importava o que fosse. Para esse alvo, Jesus representava uma ameaça, e estou certo de que eu perceberia essa ameaça.

Os judeus estavam, realmente, levantando uma cerca ao redor de sua cultura, na esperança de salvar sua pequenina nação dos elevados ideais pagãos que a rodeavam. Deus os libertaria de Roma como uma vez os libertara do Egito? Uma tradição prometia que, se todos os israelitas se arrependessem em um só dia, ou se Israel guardasse os sábados perfeitamente, então a redenção do Messias viria logo a seguir. Alguma espécie de reavivamento espiritual estava a caminho, incitada por um esplêndido templo novo. Construído sobre uma imensa plataforma, o templo se tornara o ponto de convergência do orgulho nacional e da esperança para o futuro.

Foi com esses antecedentes que eu, como outros judeus, teria julgado as declarações de Jesus sobre o legalismo, sobre a guarda do sábado e sobre o templo. De que forma poderia conciliar o meu respeito pelos valores da família com um comentário como este: "Se alguém vier a mim, e não aborrecer a seu pai, e mãe,

---

[28] Estudiosos têm debatido por que os evangelhos registraram tanto conflito entre Jesus e os fariseus, quando na verdade ele tinha mais em comum com eles do que com os saduceus, com os essênios ou com os zelotes. Uma explicação é que os evangelhos foram escritos diversas décadas depois da morte de Jesus. Então Jerusalém fora destruída, e os outros partidos tinham praticamente desaparecido. Compreende-se que os evangelistas focalizassem a única ameaça aos cristãos que sobrevivera, os fariseus.

e mulher, e filhos, e irmãos, e irmãs, e até mesmo a própria vida, não pode ser meu discípulo?"[29] O que Jesus teria desejado dizer? Semelhantemente, aos ouvidos de um membro do Sinédrio, a denúncia de um comentário como este: "Posso derrubar o templo de Deus, e reedificá-lo em três dias"[30] não era uma vanglória sem consequências, mas uma forma de blasfêmia e até mesmo de traição, atingindo exatamente aquilo que mantinha os judeus unidos. A oferta de Jesus de perdoar o pecado de uma pessoa parecia-lhes tão impropriamente bizarra quanto a oferta de uma pessoa física hoje de emitir um passaporte a alguém ou conceder-lhe autorização para construir um prédio. Quem ele pensava ser, ao querer substituir todo o sistema do templo?

Conforme se verificou, os temores judeus acerca do suicídio cultural provaram-se justificados. Não Jesus, mas outras figuras carismáticas liderariam revoltas que, por fim, no ano 70 d.C., provocaram Roma, levando-a a destruir o templo e a arrasar Jerusalém. A cidade seria mais tarde reconstruída como colônia romana, com um templo para o deus Júpiter ocupando o local do templo judeu demolido. Os judeus foram proibidos de entrar na cidade sob pena de morte. Roma proporcionou um exílio que não terminaria até a nossa geração, e isso mudou a face do judaísmo para sempre.

---

[29]   Lucas 14.26

[30]   Mateus 26.61

CAPÍTULO 4

A TENTAÇÃO: REVELAÇÕES NO DESERTO

*O amor dá consentimento a todos
e ordena apenas àqueles que consentem. O amor
é abdicação. Deus é abdicação.* — SIMONE WEIL

Os evangelhos afirmam que Jesus, o judeu que cresceu numa Galileia rural, não era ninguém menos que o Filho do próprio Deus, enviado do céu para lutar contra o mal. Com essa missão em mira, certas perguntas acerca das prioridades de Jesus vêm de imediato à mente. No topo da lista, as catástrofes naturais: se Jesus tinha o poder de curar enfermidades e de ressuscitar os mortos, por que não atacar alguns macroproblemas como os terremotos e os furacões, ou talvez todo o sinistro enxame de vírus mutantes que infestam a terra?

Os filósofos e os teólogos acusam muitas das doenças remanescentes da terra de serem consequências da liberdade humana, o que suscita um conjunto todo novo de perguntas. Será que gostamos mesmo de tanta liberdade? Temos a liberdade de prejudicar e de matar uns aos outros, de lutar em guerras mundiais, de dilapidar nosso planeta. Somos até mesmo livres para desafiar a Deus, para viver sem restrições, como se o outro mundo não existisse. Pelo menos, Jesus poderia ter projetado alguma prova irrefutável para silenciar os céticos, inclinando as vantagens decisivamente a favor de Deus. Como está, parece fácil negar ou desprezar a Deus.

O primeiro ato "oficial" de Jesus como adulto, quando foi para o deserto enfrentar o acusador face a face, deu-lhe oportunidade de resolver esses problemas.

O próprio Satanás tentou o Filho de Deus a mudar as regras e a atingir os seus alvos por um método fascinante, um atalho. Mais do que o caráter de Jesus estava em jogo nas planícies arenosas da Palestina; a história humana estava na balança.

Quando John Milton escreveu a continuação do seu épico *Paraíso perdido,* fez da tentação, não da crucificação, o acontecimento central no esforço de Jesus por recuperar o mundo. Num jardim, um homem e uma mulher caíram na promessa feita por Satanás de um caminho para sobrepujar o estado que lhes fora atribuído. Milênios depois, outro representante — o Segundo Adão, na expressão de Paulo — enfrentou teste semelhante, embora curiosamente inverso. *Você pode ser igual a Deus,* a serpente perguntou no Éden. *Você pode ser verdadeiramente humano?* perguntou o tentador no deserto.

Quando leio a história da tentação, ocorre-me que, na ausência de testemunhas oculares, todos os pormenores devem ter vindo do próprio Jesus. Pelo mesmo motivo, Jesus sentiu-se obrigado a revelar aos discípulos esse momento de luta e de fraqueza pessoal. Creio que a tentação foi um conflito genuíno, não um papel que Jesus representou com um resultado predeterminado. O mesmo tentador que encontrou um ponto fatal na vulnerabilidade de Adão e de Eva dirigiu o seu golpe contra Jesus com exatidão mortal.

Lucas prepara o cenário com um tom de drama ainda não revelado. "Jesus, cheio do Espírito Santo, voltou do Jordão e foi levado pelo Espírito ao deserto, onde por quarenta dias foi tentado pelo diabo. Naqueles dias não comeu coisa alguma, e, terminados eles, teve fome."[1] Como simples combatentes em uma guerra, dois gigantes do cosmo dirigiram-se para um cenário desolado. Um, apenas iniciando sua missão no território inimigo, chegou em estado de grave fraqueza. O outro, confiante em seu território, tomou a iniciativa.

Espanto-me diante de certas minúcias da tentação. Satanás pediu a Jesus que transformasse uma pedra em pão, ofereceu-lhe todos os reinos do mundo e insistiu com ele para que pulasse de um lugar elevado para testar a promessa de Deus de segurança física. Que havia de errado nesses pedidos? As três tentações parecem prerrogativas de Jesus, as qualidades próprias de um Messias. Jesus não multiplicaria pão para cinco mil, exibição muito mais impressionante? Também derrotaria a morte e ressuscitaria para se tornar o Rei dos reis. As três tentações não

---

[1]   Lucas 4.1-2

A tentação: revelações no deserto

parecem más em si mesmas — e no entanto alguma coisa claramente importante aconteceu no deserto.

O poeta britânico Gerard Manley Hopkins[2] apresenta a tentação como uma espécie de encontro para reconhecimento entre Jesus e Satanás. Nas trevas da encarnação, Satanás não sabia com certeza se Jesus era um homem comum, uma teofania ou talvez um anjo com poderes limitados como ele próprio. Ele desafiou Jesus a realizar milagres como forma de reconhecer os poderes do seu adversário. Martinho Lutero[3] vai mais longe, especulando que ao longo de toda a sua vida Jesus "comportou-se com tanta humildade e associou-se com homens e mulheres pecadores, e por consequência não foi grandemente estimado", devido ao que "o diabo fez vista grossa e não o reconheceu. Pois o diabo é míope; ele olha apenas para o que é grande e elevado e se apega a isso; não olha para o que está lá embaixo e abaixo dele".

Nas narrativas do evangelho, os guerreiros desse combate singular tratam-se com uma espécie de respeito cauteloso, como dois lutadores andando em círculos no ringue. Para Jesus a tensão maior era talvez acima de tudo manter-se firme diante da tentação. "Por que simplesmente não destruir o tentador, salvando a história humana do seu tormento maligno?", Jesus pensava.

De sua parte, Satanás ofereceu trocar o seu domínio sobre o mundo em troca da satisfação de prevalecer contra o Filho de Deus. Embora Satanás apresentasse os testes, no final ele é que foi reprovado. Em dois testes simplesmente pediu a Jesus que provasse quem era; no terceiro exigiu adoração, algo com que Deus jamais concordaria.

A tentação desmascarou Satanás, enquanto Deus permaneceu oculto. *Se você é Deus,* disse Satanás, *então me ofusque. Aja como Deus agiria.* Jesus replicou: *Apenas Deus toma essas decisões; portanto, não faço nada sob o teu comando.*

Nos excelentes filmes de Wim Wender acerca dos anjos *Wings of desire* [Asas do desejo] e *Faraway, so close* [Distante, mas tão perto], seres celestiais discutiam juntos, como crianças maravilhadas, como seria beber café e digerir alimento, experimentar o calor e a dor, sentir um esqueleto mover-se enquanto se caminha, sentir o toque de outro ser humano, dizer "Ah!" e "Oh!" porque nem tudo é conhecido com antecedência, viver minutos e horas e assim encontrar o agora em

---

[2]   **The sermons and devotional writings of Gerard Manley Hopkins**. Londres: Oxford University Press, 1959. p. 180-183.

[3]   Apud Church, Forrester. **Entertaining angels**. San Francisco: Harper & Row, 1987. p. 54.

vez de apenas o eterno. Aos trinta anos mais ou menos, quando Jesus pela primeira vez se posicionou contra Satanás no deserto, percebeu todas aquelas "vantagens" de ser humano. Vivia confortavelmente dentro de sua roupa de peles.

Quando torno a olhar para as três tentações, vejo que Satanás propôs uma melhoria atraente. Tentou Jesus na parte boa do ser humano, sem o mal: saborear o gosto do pão sem se sujeitar às regras fixas da fome e da agricultura, enfrentar riscos sem o perigo real, desfrutar da fama e do poder sem a perspectiva de rejeição dolorosa — em suma: usar uma coroa, mas não uma cruz. (A tentação a que Jesus resistiu, muitos de nós, seus discípulos, ainda a desejamos.)

Os evangelhos apócrifos, considerados fraudulentos pela igreja, sugerem o que poderia ter acontecido se Jesus sucumbisse às tentações de Satanás. Essas narrativas fantásticas apresentam o menino Jesus fazendo pombinhos de barro, aos quais podia dar vida assoprando neles, e jogando peixes secos à água para vê-los nadar milagrosamente. Ele transformava seus companheiros de brincadeira em cabras para dar-lhes uma lição e cegava as pessoas ou as deixava surdas apenas pelo encanto de curá-las. Os evangelhos apócrifos eram os correspondentes no século II das modernas revistinhas sobre o Superboy e a Batgirl. Seu valor encontra-se sobretudo no contraste que formam com os evangelhos reais, que revelam um Messias que não utilizou poderes miraculosos para se beneficiar. Começando com a tentação, Jesus mostrou relutância em torcer as regras da terra.

Malcolm Muggeridge, enquanto filmava um documentário em Israel, encontrou-se meditando sobre a tentação:

> Bastante curioso é que exatamente no momento de começar a filmagem, quando as sombras eram suficientemente extensas e a luz não fraca demais, comecei a perceber ali perto toda uma expansão de pedras, todas idênticas, e parecendo excepcionalmente com filões de um dourado pão assado. Como teria sido fácil para Jesus transformar aquelas pedras em pães comestíveis, da mesma forma que, mais tarde, ele transformaria água em vinho numa festa de casamento! E, afinal, por que não? As autoridades romanas distribuíam pão de graça para promover o reinado de César, e Jesus poderia fazer o mesmo para promover o seu [...].
>
> Jesus apenas teria de fazer um gesto de aquiescência e teria construído a cristandade, não sobre quatro frágeis evangelhos e um homem derrotado pregado sobre uma Cruz, mas com base em sadios princípios e planejamento socioeconômico [...]. Cada utopia se teria

realizado, e cada sonho se teria realizado. Que benfeitor, então, Jesus teria sido. Aclamado, igualmente, na Escola de Economia de Londres e na Escola de Administração de Harvard; uma estátua na praça do Parlamento, e uma ainda maior na colina do Capitólio e na praça Vermelha [...]. Em vez disso, recusou a oferta com base em que apenas Deus devia ser adorado.[4]

Na visão de Muggeridge, a tentação girava em torno da questão mais importante na mente dos conterrâneos de Jesus: como o Messias seria? Um Messias do povo que poderia transformar pedras em pão para alimentar multidões? Um Messias da Tora, de pé no elevado pináculo do templo? Um Messias Rei, governando não apenas Israel mas todos os reinos da terra? Em suma, Satanás estava oferecendo a Jesus a oportunidade de ser o Messias maravilhoso de quem pensamos precisar. Certamente, reconheço na descrição de Muggeridge o Messias que penso desejar.

Desejamos tudo menos um Messias Sofredor — e é o que Jesus também desejava, em certo nível. Satanás acertou mais perto do alvo com a sugestão de Jesus se jogar de um lugar elevado para testar a proteção de Deus. Essa tentação apareceria novamente. Uma vez, num relâmpejo de ira, Jesus repreendeu Pedro fortemente. "Para trás de mim, Satanás!",[5] ele disse. "Não compreendes as coisas que são de Deus, e, sim, as que são dos homens." Pedro recuou diante da predição de Jesus de sofrimento e morte — "Isso de modo nenhum te acontecerá!"[6] —, e essa reação instintivamente protetora acertou em cheio. Nas palavras de Pedro, Jesus ouviu de novo a sedução de Satanás, tentando-o para que tomasse o caminho mais fácil.

Pregado na cruz, Jesus ouviria a última tentação repetida como um motejo. Um criminoso zombou: "Se tu és o Cristo, salva-te a ti mesmo e a nós!".[7] Os espectadores retomaram o grito: "Desça agora da cruz, e creremos nele [...]. Livre-o agora, se de fato o ama".[8] Mas não houve livramento, nem milagre, nem alívio, nem um caminho sem dor. Para Jesus salvar os outros, bastante simples, não poderia salvar-se a si mesmo. Esse fato ele devia conhecer quando enfrentou Satanás no deserto.

* * *

---

[4]   MUGGERIDGE, Malcolm. **Jesus: the man who lives** cit., p. 52 ss.

[5]   Mateus 16.23

[6]   Mateus 16.22

[7]   Lucas 23.39

[8]   Mateus 27:42-43

Minhas próprias tentações tendem a envolver vícios comuns como a concupiscência e a ganância. Quando reflito nas tentações de Jesus, entretanto, percebo que se centralizavam no seu motivo de vir à terra, seu "estilo" de operação. Satanás estava, na realidade, balançando diante de Jesus uma maneira rápida de realizar a sua missão. Ele poderia conquistar as multidões criando alimento quando necessário e depois assumindo o controle dos reinos do mundo, o tempo todo protegendo-se do perigo. "Por que movimentar teus pés tão lentamente para o que é melhor?", Satanás escarnecia na versão de Milton.[9]

Descobri pela primeira vez essa perspectiva nas obras de Dostoievski, que fez da cena da tentação o tema principal de seu grande romance *Os irmãos Karamazov*.[10] O irmão agnóstico, Ivan Karamazov, escreve um poema intitulado *O Grande Inquisidor*, localizado na Sevilha do século XVI, no auge da Inquisição. No poema, um Jesus disfarçado visita a cidade num período em que os hereges eram diariamente queimados na fogueira. O Grande Inquisidor, um cardeal, "homem idoso, de quase noventa, alto e ereto, com um rosto murcho e olhos empapuçados", reconhece Jesus e o manda lançar na prisão. Ali, os dois se falam em uma cena intencionalmente remanescente da tentação no deserto.

O Inquisidor tem uma acusação para fazer: rejeitando as três tentações, Jesus perdeu o direito aos três grandes poderes que estavam à sua disposição, "milagre, mistério e autoridade". Deveria ter seguido o conselho de Satanás e realizado os milagres pedidos para aumentar a sua fama entre o povo. Devia ter recebido bem a oferta de autoridade e de poder. Será que Jesus não percebeu que o povo desejava mais do que tudo adorar o que está estabelecido inquestionavelmente? "Em vez de tomar posse da liberdade dos homens, aumentaste-a, e queimaste o reino espiritual da humanidade com seus sofrimentos eternos. Desejaste o amor livre do homem, que ele te seguisse livremente, atraído e cativo por ti."

Ao resistir às tentações de Satanás de suprimir a liberdade humana, o Inquisidor continua, Jesus tornou-se difícil demais de ser aceito. Sujeitou sua vantagem maior: o poder de compelir à fé. Felizmente, continua o astucioso Inquisidor, a igreja reconheceu o erro e o corrigiu, e tem-se apoiado no milagre, no mistério e na autoridade desde então. Por esse motivo, o Inquisidor devia executar Jesus mais uma vez, para que não impedisse a obra da igreja.

---

[9] Paradise regained. **The complete poems of John Milton**. New York: Washington Square Press, 1964. p. 393.

[10] DOSTOIEVSKI, Fiodor. **Os irmãos Karamazov**. Garden City: Nelson Doubleday, [s.d.]. p. 229-239.

A cena de *Os irmãos Karamazov* tem comoção acrescida porque, no tempo de sua composição, os revolucionários comunistas estavam organizando-se na Rússia. Como Dostoievski observou, também tomariam emprestadas técnicas da igreja. Prometiam transformar pedras em pão e garantiam segurança para todos os cidadãos em troca de uma coisa simples: sua liberdade. O comunismo se tornaria a nova igreja da Rússia, uma igreja igualmente estabelecida em milagre, mistério e autoridade.

Mais de um século depois que Dostoievski escreveu esse deprimente diálogo sobre poder e liberdade, tive oportunidade de visitar sua pátria e observar em pessoa os resultados de sete décadas de governo comunista. Fui em novembro de 1991, quando o Império Soviético estava desmoronando, Mikhail Gorbachev estava dando lugar a Boris Yeltsin, e toda a nação estava tentando redescobrir-se. A garra de ferro do poder afrouxara-se, e agora o povo deleitava-se na liberdade que sempre almejara.

Lembro-me claramente de uma reunião com os editores do *Pravda*, antes o porta-voz oficial do Partido Comunista. O *Pravda*, como qualquer instituição, tinha servilmente oferecido seus préstimos à "igreja" comunista. Agora, entretanto, a circulação do *Pravda* estava caindo de modo impressionante (de onze milhões para setecentos mil), de conformidade com a queda do comunismo. Os editores do *Pravda* pareciam sérios, sinceros, inquisitivos — e abalados até o íntimo. Tão abalados que estavam agora pedindo conselho aos emissários de uma religião que o seu fundador havia desclassificado como "o ópio do povo".

Os editores observavam pensativamente que o cristianismo e o comunismo tinham muitos ideais em comum: igualdade, participação, justiça e harmonia racial. Mas tinham de admitir que a busca marxista dessa visão produzira os piores pesadelos que o mundo já vira. Por quê?

"Não sabemos como motivar o povo a demonstrar compaixão", disse o editor-chefe. "Tentamos levantar dinheiro para as crianças de Chernobyl, mas o cidadão comum da Rússia prefere gastar o seu dinheiro em bebida. Como vocês reformam e motivam as pessoas? Como vocês as levam a ser boas?"

Setenta e quatro anos de comunismo haviam provado além de qualquer dúvida que a bondade não podia ser legislada do Kremlin e forçada na ponta de uma arma. Ironicamente, as tentativas de impor a moralidade tendiam a produzir sujeitos rebeldes e governadores tirânicos que perdiam o seu código moral. Voltei da Rússia com o forte sentimento de que nós, cristãos, faríamos bem se reaprendêssemos a lição básica da tentação. A bondade não pode ser imposta externamente, do alto para baixo; tem de crescer internamente, de baixo para cima.

A tentação no deserto revela uma profunda diferença entre o poder de Deus e o poder de Satanás. Satanás tem o poder de coagir, de estontear, de forçar a obediência, de destruir. Os seres humanos aprenderam muito desse poder, e os governos beberam fundo desse reservatório. Com um relho, ou um cassetete, ou um AK-47, os seres humanos podem forçar outros seres humanos a fazer quase qualquer coisa que desejem. O poder de Satanás é externo e coercivo.

O poder de Deus, em contrapartida, é interno e não é coercivo. "Não se pode escravizar o homem por meio de um milagre, e a fé necessária é gratuita, não fundamentada em milagre", disse o Inquisidor a Jesus no romance de Dostoievski. Tal poder pode parecer às vezes fraqueza. Em seu compromisso de transformar gentilmente de dentro para fora e em sua inexorável dependência da escolha humana, o poder de Deus parece uma espécie de abdicação. Como todo pai e todo amante sabe, o amor pode tornar-se impotente se a pessoa amada prefere desprezá-lo.

"Deus não é nazista", disse Thomas Merton. De fato, Deus não é. O Mestre do universo se tornaria sua vítima, indefeso diante de um pelotão de soldados num jardim. Deus se fez fraco com um propósito: deixar que os seres humanos livremente escolhessem por si sós o que fazer com ele.[11]

Soren Kierkegaard[12] escreveu sobre o leve toque de Deus: "A onipotência que pode colocar a sua mão fortemente sobre o mundo pode também tornar o seu toque tão leve que a criatura recebe independência". Às vezes, concordo, desejaria que Deus usasse um toque mais pesado. Minha fé sofre com liberdade em demasia, com demasiadas tentações para descrer. Às vezes desejo que Deus me esmague, para vencer minhas dúvidas com a certeza, para me dar provas finais de sua existência e de seu interesse.

---

[11]   Na peça de Dorothy Sayers, **The man born to be king** [O homem que nasceu para ser rei] (Grand Rapids: Eerdmans, [s.d.], p. 35), o rei Herodes diz aos magos: "Não se pode governar os homens com amor. Quando vocês encontrarem o seu rei, digam isso a ele. Apenas três reis governarão um povo — o medo, a ganância e a promessa de segurança". O Rei Herodes compreendeu os princípios de governo pelos quais Satanás opera, os mesmos que Jesus não aceitou no deserto.

[12]   Apud DAVIES, D. R. **On to orthodoxy**. Londres: Hodder and Stoughton, 1939. p. 162.

A tentação: revelações no deserto

Também quero que Deus desempenhe papel mais ativo nos negócios humanos. Se Deus tivesse apenas estendido a mão e retirado rapidamente Saddam Hussein do trono, quantas vidas teriam sido salvas na Guerra do Golfo? Se Deus tivesse feito o mesmo com Hitler, quantos judeus teriam sido poupados? Por que Deus tem de "sentar sobre suas mãos"?

Quero também que Deus assuma um papel mais ativo em minha história pessoal. Quero respostas rápidas e espetaculares às minhas orações, cura para minhas enfermidades, proteção e segurança para os meus queridos. Quero um Deus sem ambiguidade, um Deus ao qual eu possa recorrer por amor de meus amigos incrédulos.

Quando tenho esses pensamentos, reconheço em mim um eco tênue, abafado, do desafio que Satanás lançou a Jesus há dois mil anos. Deus resiste a essas tentações agora como Jesus resistiu àquelas na terra, estabelecendo um jeito mais lento, mais gentil. Nas palavras de George MacDonald:

> Em vez de esmagar o poder do mal pela força divina; em vez de compelir a justiça e destruir os perversos; em vez de estabelecer a paz sobre a terra por meio de um príncipe perfeito; em vez de reunir os filhos de Jerusalém sob Suas asas, quer queiram, quer não, e salvá-los dos horrores que angustiavam Sua alma profética — Ele deixa o mal operar à vontade enquanto existir; contentou-se com os métodos lentos e desencorajadores de ajuda essencial; tornando os homens bons; expulsando, não apenas controlando Satanás [...]. Amar a justiça é fazê-la crescer, não é vingá-la [...]. Ele resistiu a cada impulso de operar mais rapidamente para um bem inferior.[13]

"Jerusalém! Jerusalém!",[14] Jesus clamou, na cena à que MacDonald alude, "quantas vezes quis ajuntar os teus filhos, como a galinha ajunta os seus pintinhos debaixo das asas, e não quiseste!". Os discípulos propuseram que Jesus invocasse fogo do céu sobre as cidades que não se arrependeram; em contraposição, Jesus enunciou um grito de impotência, um assombroso "ah, se..." dos lábios do Filho de Deus. Ele não se imporia sobre aqueles que não o desejavam.

---

[13] MACDONALD, George. **Life essencial, the hope of the gospel**. Wheaton: Harold Shaw, 1974. p. 24-25.

[14] Mateus 23.37

Quanto mais conheço Jesus, mais impressionado fico com o que Ivan Karamazov chamou de "milagre da restrição". Os milagres que Satanás sugeriu, os sinais e as maravilhas que os fariseus exigiram, as provas irrefutáveis pelas quais anseio — nenhum deles ofereceria sério obstáculo a um Deus onipotente. Mais espantosa é a sua *recusa* de agir e de esmagar. A terrível insistência de Deus na liberdade humana é tão absoluta que ele nos garantiu o poder de viver como se ele não existisse, de cuspir na sua face, de crucificá-lo. Tudo isso Jesus devia saber quando enfrentou a tentação no deserto, focalizando seu imenso poder na energia da restrição.

Creio que Deus insiste em tal restrição porque nenhuma exibição pirotécnica de onipotência vai alcançar a reação que ele deseja. Embora o poder possa forçar a obediência, apenas o amor pode provocar a reação de amor, que e a única coisa que Deus deseja de nós, sendo a razão de nos ter criado. "Mas eu, quando for levantado da terra, atrairei todos a mim",[15] disse Jesus. No caso de não atinarmos com a questão principal, João acrescenta: "Ele dizia isso para mostrar o tipo de morte com que ia morrer". A natureza de Deus é autodoadora; ele fundamenta seu apelo sobre o amor sacrificial.

Lembro-me de uma tarde em Chicago quando estava sentado num restaurante ao ar livre ouvindo um homem quebrantado contar a história do seu filho pródigo. Jake, o filho, não conseguia parar no emprego. Desperdiçou todo o dinheiro em drogas e álcool. Raramente aparecia em casa, e dava pouca alegria e muita tristeza para os pais. O pai de Jake descreveu-me seus sentimentos de incapacidade em palavras parecidas com aquelas que Jesus utilizou acerca de Jerusalém: "Ah, se eu pudesse trazê-lo de volta, e abrigá-lo e mostrar-lhe quanto o amo", ele dizia. Ele fez uma pausa para controlar a voz e, depois, acrescentou: "O estranho é que, embora ele me rejeite, o amor de Jake significa mais para mim do que o de meus outros três filhos responsáveis. Esquisito, não é? O amor é assim".

Sinto nessa frase final de quatro palavras mais aprofundamento no mistério da restrição de Deus do que encontrei em qualquer livro de teodiceia. Por que Deus se contenta com a maneira lenta, desencorajadora de fazer a justiça crescer em vez de vingá-la? *O amor é assim.* O amor tem o seu poder, o único poder capaz de finalmente conquistar o coração humano.

* * *

---

[15]   João 12:32-33

A tentação: revelações no deserto

Embora repreendido em todas as três tentações, Satanás talvez tenha se afastado do confronto com um sorriso afetado. A recusa firme de Jesus de aceitar as regras de Satanás significava que o próprio Satanás poderia continuar jogando por aquelas regras. Ele ainda tem os reinos do mundo à disposição dele, afinal, e agora aprendeu uma lição acerca da restrição de Deus. A restrição de Deus cria oportunidade para os que se opõem a Deus.

Outros sorrisinhos viriam, naturalmente. Jesus podia expulsar demônios poderosamente, mas o Espírito com o qual os substituía era muito menos possessivo e dependia sempre da vontade da pessoa possuída. Ocasiões para maldades sobejaram: Jesus admitiu isso em sua analogia do reino de Deus crescendo no meio do mal, como trigo entre joio.

Da perspectiva de Satanás, a tentação ofereceu nova vida. Os meninos de *O senhor das moscas* podiam perambular pela ilha mais um pouco, aparentemente livres da autoridade dos adultos. Mais do que isso, Deus poderia ser acusado pelo que desse errado. Se Deus insistisse em sentar sobre suas mãos enquanto maldades como as Cruzadas e o Holocausto prosseguiam, por que não acusar o Pai, e não as crianças?

Ocorre-me que, desviando-se das tentações no deserto, Jesus pôs em risco a reputação do próprio Deus. Deus havia prometido restaurar a terra à sua perfeição um dia, mas que dizer do tempo intermediário? O atoleiro da história humana, a brutalidade até mesmo da história da igreja, o apocalipse por vir — tudo isso vale a restrição divina? Falando francamente, a liberdade humana vale o preço?

Ninguém que vive no meio do processo de restauração, não no seu final, pode responder a essa pergunta com honestidade. Tudo o que posso fazer é lembrar-me de que Jesus, simples guerreiro combatente a enfrentar o Mal cara a cara com o poder de destruí-lo, escolheu um caminho diferente. Para ele, preservar o livre arbítrio de uma espécie famigeradamente falida pareceu valer o preço. A escolha pode não ter sido fácil, pois acarretou o seu próprio sofrimento como também o de seus discípulos.

À medida que observo o restante da vida de Jesus, vejo que o padrão da restrição estabelecido no deserto persistiu até o fim. Nunca percebi Jesus torcendo o braço de alguém. Antes, declarava as consequências de uma escolha, depois jogava a decisão de volta para a pessoa. Respondeu à pergunta do homem rico com palavras inflexíveis e depois deixou que se fosse. Marcos acrescenta notadamente esse comentário: "Jesus, olhando para ele, o amou".[16] Jesus tinha uma visão realista de como o mundo reagiria a ele: "E, por se multiplicar a iniquidade, o amor de quase todos esfriará".[17]

Às vezes, utilizamos o termo "complexo de salvador" em referência a uma síndrome nada sadia de obsessão por curar os problemas alheios. O verdadeiro Salvador, entretanto, parecia notavelmente livre de tal complexo. Não teve a compulsão de converter todo o mundo enquanto viveu ou de curar as pessoas que não estivessem prontas para a cura. Nas palavras de Milton, Jesus "achava mais humano, mais celestial antes / Com palavras apropriadas conquistar os corações preparados, / E fazia que a persuasão substituísse a obra do medo".[18]

Em suma, Jesus demonstrou um incrível respeito pela liberdade humana. Quando Satanás pediu oportunidade de testar Pedro e joeirá-lo como trigo, mesmo então Jesus não recusou o pedido. Sua resposta: "Mas eu roguei por ti, para que a tua fé não desfaleça".[19] Quando as multidões se afastaram e muitos discípulos o abandonaram, Jesus disse aos Doze, quase com tristeza: "Não quereis também retirar-vos?".[20] Quando a sua vida se dirigia para o destino final em Jerusalém, denunciou a Judas, mas não tentou evitar o mal que ele ia fazer — essa, também, foi uma consequência da restrição.

"Tome a sua cruz e siga-me",[21] Jesus disse, com o convite menos manipulador que já se fez.

Essa qualidade de restrição em Jesus — alguém quase poderia chamá-la timidez divina — me tomou de surpresa. Percebi que, enquanto absorvia a história de Jesus nos evangelhos, esperava dele as mesmas qualidades que encontrara na igreja fundamentalista do sul, na minha infância. Ali, muitas vezes me sentia vítima de pressões emocionais. A doutrina era servida num estilo assim: "Creia e não faça perguntas!". Manejando o poder do milagre, do mistério e da autoridade, a igreja não deixava lugar para as dúvidas. Também aprendi técnicas manipuladoras para "ganhar almas", algumas das quais implicavam uma distorção de mim

---

[16] Marcos 10.21
[17] Mateus 24.12
[18] MILTON. Paradise regained... cit., p. 368.
[19] Lucas 22.32
[20] João 6.67
[21] Mateus 16.24

A tentação: revelações no deserto

mesmo para a pessoa com a qual eu falava. Mas agora não sou capaz de encontrar nenhuma dessas qualidades na vida de Jesus.

Se leio a história da igreja corretamente, muitos outros discípulos de Jesus entregaram-se exatamente àquelas tentações às quais ele resistiu. Dostoievski de maneira inteligente reviveu a cena da tentação na cela da tortura da Grande Inquisição. Como podia uma igreja fundada por aquele que resistiu à tentação realizar uma Inquisição de crença forçada que durou meio milênio? Enquanto isso, numa versão protestante mais branda, na cidade de Gênova, autoridades tornavam a frequência à igreja compulsória e a recusa em aceitar a eucaristia um crime. Os hereges, ali, também eram queimados na fogueira.

Para vergonha sua, a história cristã revela tentativas nada suaves de melhorar o método de Cristo. Às vezes a igreja alia-se ao governo que oferece um atalho para o poder. "A adoração do sucesso geralmente é a forma de adoração de ídolos que o diabo cultiva com mais assiduidade", escreveu Helmut Thielicke[22] sobre a paixão inicial da igreja germânica por Adolf Hitler. "Pudemos observar nos primeiros anos depois de 1933 a quase sugestiva compulsão que emanava dos grandes sucessos e como, sob a influência desses sucessos, os homens, até mesmo cristãos, pararam de perguntar em cujo nome e a que preço [...]".

Às vezes a igreja produz os seus próprios mini Hitlers, homens como Jim Jones e David Koresh, que entendem muito bem o poder representado pelo milagre, pelo mistério e pela autoridade. E às vezes a igreja simplesmente toma emprestadas as ferramentas da manipulação aperfeiçoadas pelos políticos, pelos vendedores e pelos redatores de propaganda.

Sou rápido em diagnosticar esses vícios. Mas, quando me afasto da história da igreja e me examino, descubro que também sou vulnerável à tentação. Tenho falta de força de vontade para resistir aos expedientes de solucionar as necessidades humanas. Não tenho paciência para permitir que Deus opere de maneira lenta, "cavalheiresca". Quero manter o meu controle, para compelir os outros a ajudar na realização de causas nas quais creio. Estou pronto a negociar certas liberdades para garantir a segurança e a proteção. Estou pronto a negociar até mais para ter oportunidade de realizar minhas ambições.

Quando sinto essas tentações surgirem dentro de mim, volto para a história de Jesus e Satanás no deserto. A resistência de Jesus contra as tentações de

---

[22] THIELICKE, Helmut. **Our beavenly Father**. Grand Rapids: Baker, 1974. p. 123.

Satanás preservou para mim a própria liberdade que exercito quando enfrento minhas próprias tentações. Oro pela mesma confiança e paciência que Jesus demonstrou. E me regozijo porque, como disse a carta aos hebreus: "não temos um sumo sacerdote que não possa compadecer-se das nossas fraquezas, porém um que, como nós, em tudo foi tentado, mas sem pecado [...]. Porque naquilo que ele mesmo, sendo tentado, padeceu, pode socorrer aos que são tentados".[23]

---

[23]   Hebreus 4.15, 2.18

CAPÍTULO 5

PERFIL:
O QUE EU DEVERIA
TER PERCEBIDO?

Tudo em Cristo me deixa perplexo. Seu espírito me intimida, e sua vontade me confunde. Entre ele e qualquer outra pessoa do mundo, não existe termo possível de comparação. Ele é verdadeiramente um ser por si mesmo [...]. Procuro em vão na história encontrar o semelhante a Jesus Cristo, ou qualquer coisa que se possa aproximar do evangelho. Nem a história, nem a humanidade, nem os séculos, nem a natureza me oferecem qualquer coisa com a qual possa compará-lo ou explicá-lo. Aqui tudo é extraordinário. — NAPOLEÃO

O Credo dos apóstolos forçou caminho através da vida de Jesus num único parágrafo, começando com o seu nascimento e passando imediatamente para a sua morte, descendo ao inferno e subindo ao céu. Espere um minuto — não está faltando alguma coisa? O que aconteceu no intervalo entre o seu nascimento da virgem Maria e o seu sofrimento sob Pôncio Pilatos? De certa maneira tudo o que Jesus disse e fez nos 33 anos na terra foi deixado de lado na pressa de interpretar a sua vida. Como ele passou o tempo aqui?

As lembranças da escola dominical realmente prejudicam meus esforços de imaginar a vida cotidiana de Jesus, pois ele foi apresentado em cenas de flanelógrafo sem vida. Aqui ele está ensinando. Ali é ele segurando um cordeiro. Num momento está falando com a mulher samaritana e, vejam, agora é outra conversa com um homem chamado Nicodemos. O que mais se aproximou da ação foi quando os discípulos em sua miniatura de barco balançaram-se através do mar azul do flanelógrafo. Lembro-me de uma cena de Jesus em pé no templo com um chicote na mão, mas isso não combinava com nada mais que eu tinha aprendido acerca dele. Certamente nunca o vi numa festa. Posso ter aprendido fatos acerca da vida de Jesus na escola dominical, mas como pessoa ele permaneceu remoto e bidimensional.

Os filmes acerca de Jesus ajudaram a trazê-lo à vida para mim. Alguns deles, como *Jesus de Nazaré*, de Zeffirelli, esmeraram-se em recriar os cenários fiéis à narrativa dos evangelhos. Diferente das cenas plácidas do flanelógrafo, os filmes mostram Jesus em ação, rodeado por espectadores inquietos que se acotovelam para vê-lo melhor e lhe apresentar seus pedidos.

Quando vejo esses filmes e, depois, retorno aos evangelhos, tento colocar-me no meu papel de jornalista, para mim conhecido, ou pelo menos no seu equivalente do século I. Fico à margem, ouvindo e tomando notas, ansioso em capturar alguma coisa de Jesus em minhas notas, enquanto ao mesmo tempo estou consciente de que ele tem um efeito pessoal sobre mim. Que vejo? O que me impressiona? O que me perturba? Como posso transmiti-lo a meus leitores?

Não posso começar por onde normalmente começo, falando sobre uma pessoa, descrevendo a aparência do indivíduo. Ninguém sabe. Os primeiros retratos semirrealistas de Jesus não apareceram antes do século V, e eram pura especulação; até então os gregos o retratavam como um jovem sem barba, parecido com o deus Apolo.

Em 1514 alguém forjou um documento sob o nome de Públio Lêntulo, o governador romano que sucedeu Pôncio Pilatos, com a seguinte descrição de Jesus:

> É um homem alto, de boa aparência e aspecto amistoso e venerável; a cor do cabelo não tem comparação, de cachos graciosos [...] repartidos no alto da cabeça, caindo para frente em cascata, à moda dos nazireus; tem a testa alta, grande e impressionante; as faces não têm mancha nem ruga, belas e coradas; o nariz e a boca são talhados com primorosa simetria; a barba, de cor igual à do cabelo, abaixo do queixo e repartida no meio como um garfo; os olhos, de um azul luminoso, claros e serenos [...].[1]

---

[1] Wirt, Sherwood. **Jesus, man of joy**. Nashville: Thomas Nelson, 1991. p. 28.

Reconheço esse Jesus nas pinturas a óleo penduradas nas paredes de concreto da igreja de minha infância. Contudo, quem o forjou traiu-se na próxima frase: "Ninguém o viu sorrir". Será que ele leu os mesmos evangelhos que eu leio, documentos que não dizem nenhuma palavra acerca da aparência física de Jesus, mas o descrevem realizando o seu primeiro milagre em um casamento, dando apelidos divertidos a seus discípulos e não sei como adquirindo a reputação de "comilão e bebedor de vinho"?[2] Quando pessoas piedosas criticaram seus discípulos, Jesus respondeu: "Podem os convidados para o casamento jejuar enquanto está com eles o noivo?".[3] De todas as imagens que poderia ter escolhido para si, Jesus optou pela do noivo, cuja alegria contamina a todos os convidados do casamento.

Uma vez mostrei a uma classe algumas dezenas de slides artísticos com o retrato de Jesus numa variedade de formas — africanas, coreanas, chinesas — e depois pedi à classe que descrevesse qual achavam ser a aparência de Jesus. Quase todos acreditavam que fosse alto (improvável para um judeu do século I), muitos disseram simpático e ninguém disse com excesso de peso. Mostrei um filme da BBC sobre a vida de Cristo que apresentava um ator rechonchudo no papel-título, e alguns da classe acharam aquilo ofensivo. Preferimos um Jesus alto, simpático e, acima de tudo, esguio.

Uma tradição que data do século II acreditava que Jesus fosse corcunda. Na idade Média, era difundida a crença entre os cristãos de que Jesus sofrera de lepra. Muitos cristãos atualmente achariam tais ideias repulsivas e talvez heréticas. Ele não foi um espécime perfeito da humanidade? Mas em toda a Bíblia encontro apenas uma descrição física de Jesus, onde a aparência exterior dele é caracterizada como destituída de qualquer beleza, uma profecia escrita centenas de anos antes do nascimento de Cristo. Eis o retrato de Isaías, no meio de uma passagem que o Novo Testamento aplica à vida de Jesus:

> Exatamente como muitos pasmaram à vista dele — o seu parecer estava tão desfigurado, mais do que o de outro qualquer, e a sua aparência mais do que a dos outros filhos dos homens [...]. Não tinha parecer nem formosura; e, olhando nós para ele, nenhuma beleza víamos, para que o desejássemos. Era desprezado, e o mais

---

[2]   Lucas 7.34
[3]   Marcos 2.19

indigno entre os homens, homem de dores, e experimentado no sofrimento. Como um de quem os homens escondiam o rosto, era desprezado, e não fizemos dele caso algum.[4]

Por causa do silêncio dos evangelhos, não podemos responder com certeza à pergunta sobre qual era a aparência de Jesus. Creio que isso é muito bom. Nossas representações glamourizadas de Jesus falam mais a nosso respeito do que a respeito dele. Ele não tinha nenhum brilho sobrenatural ao redor de si: João Batista admitiu que nunca o teria reconhecido não fosse uma revelação especial.[5] De acordo com Isaías, não podemos apontar para a sua beleza ou majestade ou qualquer outra coisa em sua aparência que explique seu poder de atração. O segredo se encontra em outro lugar.

* * *

Vou além da aparência física para considerar de que forma Jesus era como pessoa. Como ele teria sido classificado num teste de perfil de personalidade?

A personalidade que brota dos evangelhos difere radicalmente da imagem de Jesus com a qual cresci, imagem que agora reconheço em alguns dos filmes mais antigos de Hollywood sobre Jesus. Nesses filmes, Jesus recita suas mensagens monotonamente e sem emoção. Caminha pela vida como um indivíduo calmo entre um elenco de figurantes agitados. Nada o perturba. Distribui sabedoria em tons apáticos, comedidos. É, em suma, um Jesus prosaico.

Em contrapartida, os evangelhos apresentam um homem com tal carisma, que o povo ficava sentado por três dias sem intervalo, sem comer, apenas para ouvir suas palavras instigantes. Ele parece emocionado, impulsivamente "movido pela compaixão" ou "cheio de piedade". Os evangelhos revelam uma cadeia das reações emotivas de Jesus: súbita simpatia por uma pessoa leprosa, exuberância devido ao sucesso de seus discípulos, um rasgo de raiva diante dos legalistas frios, tristeza por causa de uma cidade não receptiva e depois aqueles gritos horríveis de angústia no Getsêmani e na cruz. Tinha uma paciência quase inexaurível com os indivíduos, mas não tinha paciência nenhuma com as instituições e com a injustiça.

---

[4]   Isaías 52.14; 53.2,3
[5]   João 1.33

Perfil: o que eu deveria ter percebido?

Uma vez estive num retiro para homens destinado a ajudá-los a "entrar em contato com suas emoções" e quebrar os estereótipos restritivos de masculinidade. Enquanto me encontrava sentado num pequeno grupo, ouvindo outros homens contar suas lutas para se expressarem e para experimentarem verdadeira intimidade, percebi que Jesus viveu um ideal de realização masculina que dezenove séculos mais tarde ainda escapa à maioria dos homens. Três vezes, pelo menos, ele chorou na frente dos seus discípulos. Não ocultou seus temores nem hesitou em pedir ajuda: "A minha alma está cheia de tristeza até a morte",[6] ele lhes disse no Getsêmani, "ficai aqui e velai comigo". Quantos líderes fortes de hoje se mostrariam tão vulneráveis?

Ao contrário da maior parte dos homens que conheço, Jesus também gostava de elogiar outras pessoas. Quando operava um milagre, não raro desviava o crédito de volta para o contemplado: "A tua fé te salvou".[7] Chamou Natanael "um verdadeiro israelita, em quem não há nada falso".[8] De João Batista, disse que não havia nenhum homem maior nascido de mulheres. Ao instável Pedro deu outro nome, "a rocha". Quando uma mulher assustada lhe ofereceu um extravagante ato de devoção, Jesus defendeu-a contra as críticas e disse que a história de sua generosidade seria lembrada sempre.

Os evangelhos mostram que Jesus rapidamente estabeleceu intimidade com as pessoas que conhecia. Quer falando com uma mulher junto a um poço, quer com um líder religioso no jardim, quer com um pescador no lago, chegava imediatamente ao âmago da questão, e depois de rápidas palavras de conversação essas pessoas revelavam a Jesus seus segredos mais íntimos. As pessoas do seu tempo inclinavam-se a manter os rabinos e os "homens santos" a uma distância respeitosa, mas Jesus extraía delas algo mais, uma fome tão profunda que as pessoas se aglomeravam ao redor dele apenas para lhe tocar as roupas.

A romancista Mary Gordon[9] menciona a sensibilidade de Jesus para com as mulheres e as crianças como uma das principais qualidades que a atraíram: "Certamente, é o único herói carinhoso da literatura. Quem pode imaginar um Odisseu, um Eneias carinhoso?". Ao aparte de Jesus às filhas de Jerusalém, "Ai das

---

[6]   Mateus 26.38

[7]   Mateus 9.22

[8]   João 1.47

[9]   In: CORN, Alfred (Org.). **Incarnation: contemporary writers on the New Testament**. New York: Viking Penguin, 1990. p. 21.

mulheres grávidas naqueles dias", Gordon responde: "Eu sabia que desejava filhos; senti que essas palavras eram para mim. Agora penso: quantos homens teriam consideração pelas dificuldades da gravidez e da amamentação?".

Jesus não seguiu mecanicamente uma lista de "Coisas para fazer hoje", e duvido que apreciasse a ênfase que damos hoje à pontualidade e ao planejamento preciso. Ele foi a festas de casamento que duravam dias. Deixava-se distrair por qualquer "joão-ninguém" que encontrasse, quer uma mulher com hemorragia que timidamente lhe tocou o manto, quer um mendigo cego que se tornou maçante. Dois de seus mais impressionantes milagres (a ressurreição de Lázaro e a da filha de Jairo) aconteceram porque ele chegou tarde demais para curar a pessoa doente.

Jesus foi "o homem dos outros", numa excelente frase de Bonhoeffer. Manteve-se livre — livre para os outros. Aceitava quase qualquer convite para jantar, e por conseguinte nenhuma figura pública tinha uma lista mais diversa de amigos, desde pessoas ricas, centuriões romanos e fariseus, até cobradores de impostos, prostitutas e vítimas da lepra. As pessoas *gostavam* de estar com Jesus; onde ele estava, havia alegria.

Contudo, devido a todas essas qualidades que remetem para o que os psicólogos gostam de chamar autorrealização, Jesus quebrou o protocolo. Como C. S. Lewis diz: "Ele não foi de maneira nenhuma o quadro que os psicólogos pintam de cidadão integrado, equilibrado, ajustado, feliz no casamento, bem-empregado, popular. Não podemos realmente estar 'bem-ajustados' ao nosso mundo se ele nos diz 'vá para o inferno' e nos acaba pregando nus a um poste de madeira".[10]

Como a maioria das pessoas da época de Jesus, sem dúvida eu teria torcido o nariz para a estranha combinação de reivindicações extravagantes vindas de um judeu de aparência tão comum. Ele reivindicava ser o Filho de Deus, contudo comia e bebia como outros homens e até ficava cansado e sentia-se solitário. Que tipo de criatura era?

Às vezes Jesus parecia sentir-se "à vontade" aqui, outras vezes sentia-se inequivocamente "pouco à vontade". Penso na cena singular preservada de sua adolescência, quando desapareceu em Jerusalém e foi repreendido pela mãe. O registro resumido da reação da mãe judia, "Filho, por que fizeste assim para

---

[10] Lewis, C. S. **The four loves**. Londres: Geoffrey Bles, 1960. p. 67.

Perfil: o que eu deveria ter percebido?

conosco?",[11] talvez não faça justiça à cena — seus pais o tinham afinal procurado por três dias. Jesus respondeu: "Por que é que me procuráveis? Não sabeis que me convém tratar dos negócios de meu Pai?". Uma rachadura, um conflito de lealdades já estava dividindo Jesus e sua família.

Vivendo num planeta de livre arbítrio e de rebeldia, Jesus não poucas vezes deve ter-se sentido "pouco à vontade". Nessas ocasiões se retirava e orava, como para respirar o ar puro de um sistema de apoio à vida que lhe daria forças para continuar vivendo num planeta poluído. Mas nem sempre recebia respostas formais às suas orações. Lucas registra que ele orou a noite inteira antes de escolher os doze discípulos — mesmo assim, o grupo incluía um traidor. No Getsêmani orou primeiro para que o cálice do sofrimento lhe fosse tirado, mas é claro que não foi. Essa cena no jardim mostra um homem desesperadamente "pouco à vontade", mas resistindo a todas as tentações de uma libertação sobrenatural.

Para mim, uma cena dos evangelhos reúne o "à vontade" e o "pouco à vontade" da natureza de Jesus. Uma tempestade se formou no mar da Galileia, quase emborcando o barco no qual Jesus dormia. Ele se levantou e gritou para o vento e para o mar: "Cala-te! Aquieta-te!".[12] Os discípulos encolheram-se de pavor. Que tipo de pessoa gritaria para o tempo como se disciplinasse uma criança malcriada?

A demonstração de poder no meio de uma tempestade ajudou a convencer os discípulos de que Jesus era diferente de todos os outros homens. Mas também revê-la as profundezas da encarnação. "Deus é vulnerável", disse o filósofo Jacques Maritain.[13] Jesus tinha, afinal, adormecido por pura fadiga. Mais que isso, o Filho de Deus seria, não fosse esse instante milagroso, uma de suas vítimas: o criador das nuvens de chuva estava sendo molhado pela chuva, o criador das estrelas estava com calor e suado sob o sol da Palestina. Jesus sujeitou-se às leis naturais mesmo quando, até certo nível, vinham de encontro aos seus desejos. ("Se possível, passa de mim esse cálice."[14]) Ele viveria e morreria pelas regras da terra.

* * *

---

[11]   Lucas 2.48,49

[12]   Marcos 4.39

[13]   Apud DUNNE, John S. **The church of the poor devil**. New York: Macmillan, 1982. p. 111.

[14]   Mateus 26.39

O JESUS QUE EU NUNCA CONHECI

> Ele chega ainda desconhecido a uma cabana da Baixa Galileia. É observado pelos olhos frios e duros de camponeses que já viveram bastante no nível da subsistência para saber exatamente onde a linha é traçada entre a pobreza e a miséria. Ele parece um mendigo, mas nos olhos não traz o servilismo próprio, a voz não tem o gemido adequado, o andar não tem o arrastar devido. Ele fala sobre a lei de Deus, e eles escutam mais por curiosidade que por outra razão. Sabem tudo sobre regras e poder, sobre reino e império, mas o sabem sob o aspecto de impostos e de dívidas, de desnutrição e de doenças, de opressão agrária e de possessão demoníaca. O que — gostariam mesmo de saber — pode esse reino de Deus fazer por uma criança aleijada, um pai cego, uma alma demente gritando no seu isolamento torturante entre as sepulturas que demarcam os limites da vila? — JOHN DOMINIC CROSSAN[15]

Os vizinhos de Jesus logo descobriram o que ele podia fazer por eles. Fez a criança aleijada andar e o pai cego ver, e expulsou os demônios do possesso que vivia entre as sepulturas. Quando Jesus inaugurou o seu ministério de cura e de ensino, seus vizinhos coçaram a cabeça e perguntaram, estupefatos: "Não é esse o filho do carpinteiro? e não se chama sua mãe Maria [...]. Donde veio a esse a sabedoria, e esses poderes miraculosos?".[16]

Inicialmente, por talvez um ano, Jesus teve grande sucesso. Tantas pessoas afluíam a ele que às vezes tinha de fugir para um barco e afastar-se da praia. Sem dúvida foram as curas físicas que logo o puseram em evidência. Os judeus, que acreditavam ser o diabo quem causava as enfermidades e, assim, os homens santos podiam ser canais da intervenção de Deus, tinham uma longa história de operadores de milagres. (Um, chamado Honi, viveu exatamente antes do tempo de Jesus e é mencionado pelo historiador Josefo.) Jesus aparentemente conhecia alguns rivais, pois conteve o impulso dos discípulos de condená-los.

Cerca de um terço das histórias de Jesus nos evangelhos compreende curas físicas, e por instinto jornalístico eu talvez investigaria essas histórias, procurando em registros médicos e entrevistando a família dos que proclamavam um milagre. As curas foram diversas e não se encaixavam num padrão real. Pelo menos uma pessoa Jesus curou à longa distância; algumas de modo instantâneo, e outras,

---

[15] **The historical Jesus** cit., p. xi.
[16] Mateus 13.54-55, parafraseado

Perfil: o que eu deveria ter percebido?

de forma gradual; em muitos casos, a pessoa curada devia seguir instruções específicas.

Eu teria notado em Jesus uma curiosa ambivalência acerca dos milagres. Por um lado, curava em reação espontânea à necessidade humana: via uma pessoa sofrendo diante dele, sentia compaixão e a curava. Nenhuma vez se esquivou de um pedido direto de ajuda. Por outro lado, certamente não fazia propaganda de seus poderes. Condenou a "geração má e adúltera"[17] que vociferava pedindo sinais e, exatamente como fez no deserto, resistiu a todas as tentações de dar espetáculos. Marcos registra sete ocasiões isoladas em que Jesus instruiu uma pessoa que havia curado: "Não conte a ninguém!". Em regiões em que as pessoas não tinham fé, não realizou milagres.

Talvez eu teria especulado o que um homem com tais poderes poderia realizar em Roma, em Atenas ou em Alexandria. Os irmãos de Jesus propuseram que pelo menos concentrasse seu trabalho em Jerusalém, a capital de Israel. O próprio Jesus, entretanto, preferia manter-se fora dos projetores. Não confiando nas multidões e na opinião pública, gastou a maior parte do tempo em cidades pequenas e sem importância.

Apesar de sua ambivalência, Jesus não hesitou em utilizar os milagres como prova de quem ele era: "Crede-me quando digo que estou no Pai, e o Pai está em mim; pelo menos crede por causa das mesmas obras",[18] ele disse aos seus discípulos. E, quando seu primo João Batista, definhando na prisão, abrigou dúvidas quanto a ser Jesus realmente o Messias, ele deu aos discípulos de João esta mensagem (conforme parafraseada por Frederick Buechner):

> Vão dizer a João o que viram por aqui. Digam-lhe que há pessoas que venderam seus cães-guias e estão observando pássaros. Digam-lhe que há pessoas que trocaram suas bengalas de alumínio por botas de andarilhos. Digam-lhe que os desanimados se transformaram em pessoas empreendedoras e uma porção de pessoas exaustas está vivendo pela primeira vez na vida.[19]

* * *

---

[17]   Mateus 12.39

[18]   João 14.11

[19]   BUECHNER, Frederick. **Peculiar treasures**. San Francisco: Harper & Row, 1979. p. 70.

Se eu procurasse uma palavra única para descrever Jesus para os de sua época, teria escolhido a palavra *rabino*, ou mestre. Nos Estados Unidos atualmente não conheço paralelo para a vida de Jesus. Certamente seu estilo tem pouco que ver com o dos modernos evangelistas de multidões, com suas tendas e estádios, suas equipes de reconhecimento, cartazes e campanhas de mala direta, suas apresentações realizadas eletronicamente. Seus pequenos bandos de seguidores, sem ter base permanente de operações, vagueavam de cidade em cidade sem uma estratégia muito discernível.

"As raposas têm covis, e as aves do céu têm ninhos, mas o Filho do homem não tem onde reclinar a cabeça",[20] disse Jesus. Se vivessem nos tempos atuais, com as dificuldades dos sem-teto, Jesus e seus discípulos talvez fossem incomodados pela polícia e forçados a seguir em frente. Os tempos antigos, entretanto, conheceram muitos desses mestres (havia uma escola de filósofos chamados peripatéticos, os quais se fundamentavam nesse estilo comum de partilhamento de sabedoria pelo caminho).

Na Índia tive oportunidade de observar em pessoa uma coisa parecida com a vida que Jesus levou. Ali, os evangelistas cristãos seguem os passos dos itinerantes "homens santos" hindus e budistas. Alguns acampam nas estações de trem, apresentando-se aos viajantes que esperam e perguntando se não gostariam de saber mais acerca de Deus. Alguns andam de cidade em cidade, acompanhados dos seus discípulos. Outros convidam os discípulos para se encontrarem com eles em *ashrams*, em que juntos adoram e estudam as Escrituras.

O grupo que Jesus liderava funcionava sem escritórios nem qualquer outra propriedade, e aparentemente sem diretoria, salvo um tesoureiro (Judas). Financeiramente, parece, mal tinham o que comer. A fim de arranjar dinheiro para pagar os impostos, Jesus enviou Pedro a pescar. Tomou emprestada uma moeda para ressaltar uma verdade acerca de César e teve de pedir emprestada uma jumenta na única vez em que optou por não viajar a pé. Quando seus discípulos caminhavam pelos campos, colhiam espigas dos grãos plantados para comer as sementes cruas, aproveitando-se das leis mosaicas que levavam em consideração os pobres. Quando Jesus se encontrava com pessoas influentes como Nicodemos ou o jovem advogado rico, parece que nunca lhe ocorria que uma pessoa com dinheiro e com influência pudesse ser de utilidade no futuro.

---

[20]   Mateus 8.20

Perfil: o que eu deveria ter percebido?

Como Jesus se sustentava? No Oriente Médio daquele tempo, os mestres viviam de ofertas dos ouvintes gratos. Lucas frisa que certas mulheres curadas por Jesus — mesmo a esposa do ministro das finanças de Herodes! — ajudavam a prover-lhe o sustento. É comovente — que algumas dessas mulheres fizessem a longa e perigosa jornada da Galileia até Jerusalém no tempo da Festa da Páscoa, ficando ao lado de Jesus na cruz, depois que seus mais íntimos discípulos haviam desertado dele.

Segundo a opinião geral, Jesus era mestre excepcional. Os discípulos eram atraídos pelo poder magnético de suas palavras, as quais, segundo a descrição do poeta John Berryman, eram "curtas, precisas, terríveis e cheias de refrigério".[21] Jesus apresentou suas mais duradouras lições inesperadamente, em resposta espontânea às perguntas. Uma mulher teve sete maridos sucessivos: mulher de quem ela será na vida além? É legítimo pagar impostos às autoridades pagãs? O que devo fazer para herdar a vida eterna? Quem é o maior no reino dos céus? Como pode um homem nascer quando já é idoso?

Jaroslav Pelikan[22] fala de um velho rabino que foi interrogado por seu aluno:

— Por que vocês, rabinos, com tanta frequência expressam seus ensinamentos em forma de pergunta?

O rabino retrucou:

— O que há de errado com uma pergunta?

Com muita frequência Jesus também devolveu a pergunta no estilo socrático, pressionando o indagador ao ponto crítico. Suas respostas penetravam o âmago da questão e o coração dos ouvintes. Duvido que deixaria qualquer encontro com Jesus sentindo-me convencido ou satisfeito.

Eu me teria maravilhado diante das parábolas de Jesus, forma que se lhe tornou marca registrada. Escritores desde então têm admirado sua habilidade na transmissão de verdades profundas por meio dessas histórias cotidianas. Uma mulher rabugenta acabando com a paciência de um juiz. Um rei que mergulha numa guerra mal-planejada. Um grupo de crianças brinca na rua. Um homem assaltado e deixado como morto pelos ladrões. Uma mulher solteira que perde um centavo e age como se tivesse perdido tudo. Não existem criaturas imaginárias

---

[21] BERRYMAN, John. Eleven addresses to the Lord. **Love & fame**. New York: Farrar, Strauss and Giroux, 1970. p. 92.

[22] PELIKAN, Jaroslav. **Jesus through the centuries** cit., p. 13.

e enredos tortuosos nas parábolas de Jesus; ele simplesmente conta a vida ao redor dele.

As parábolas serviam perfeitamente aos propósitos de Jesus. Todos gostam de uma boa história, e a destreza de Jesus para contar histórias prendia o interesse de uma sociedade de fazendeiros e de pescadores, na maioria iletrados. Uma vez que as histórias são mais fáceis de lembrar do que conceitos ou resumos, as parábolas também ajudavam a preservar sua mensagem: anos depois, quando as pessoas refletiam sobre o que ele havia ensinado, suas parábolas vinham à mente em vivas minúcias. Uma coisa é falar em termos abstratos acerca do infinito e ilimitado amor de Deus. Outra de todo diferente é falar de um homem que dá a vida por seus amigos, ou de um pai pesaroso que escrutina o horizonte todas as noites em busca de um sinal do filho obstinado.

Jesus veio ao mundo "cheio de graça e de verdade",[23] diz o evangelho de João, e essa expressão resume bem a sua mensagem. Primeiro, graça: em contraposição àqueles que tentavam complicar a fé e petrificá-la com o legalismo, Jesus pregava uma mensagem simples do amor de Deus. Sem nenhum motivo — certamente não é porque o mereçamos — Deus decidiu estender-nos o amor livre de ônus, sem condições, "oferta da casa".

Numa história rabínica da época, o proprietário de uma fazenda entrou na cidade para contratar trabalhadores temporários para a colheita. O dia se passou, e lá pela décima primeira hora ele recrutou um último grupo de trabalhadores, que só tinha uma hora ainda para provar o seu valor. Na versão conhecida da história, os atrasados recuperaram o tempo perdido trabalhando tanto que o capataz decidiu recompensá-los com todo o pagamento de um dia. A versão de Jesus, entretanto, nada diz acerca da diligência dos trabalhadores. Acentua, em vez disso, a generosidade do empregador — Deus — que derrama a sua graça sobre veteranos e recém-chegados igualmente. Ninguém é enganado, e todos são recompensados, muito além do que mereciam.

Apesar desse destaque sobre a graça, ninguém poderia acusar Jesus de diluir a santidade de Deus. Eu teria igualmente tropeçado sobre a verdade que Jesus proclamava, verdade muito mais intransigente do que a ensinada pelos escrupulosos rabinos do seu tempo. Os mestres contemporâneos lutaram para "não impor uma restrição à comunidade, a não ser que na maioria ela fosse capaz

---

[23] João 1.14

Perfil: o que eu deveria ter percebido?

de suportá-la".[24] Jesus não tinha tais reservas. Alargou o homicídio para incluir a ira, o adultério para incluir a concupiscência, o roubo para incluir a cobiça. "Sede vós, pois, perfeitos, como perfeito é o vosso Pai que está nos céus",[25] ele disse, estabelecendo um padrão ético que ninguém podia atingir.

Como Elton Trueblood[26] observou, todos os símbolos maiores que Jesus utilizou tinham uma qualidade severa, quase ofensiva: o jugo do fardo, o cálice do sofrimento, a toalha do servo e finalmente a cruz da execução. Era preciso "fazer as contas dos gastos",[27] disse Jesus, advertindo qualquer um que se atrevesse a segui-lo.

Um rabino moderno chamado Jacob Neusner, mestre mundialmente conhecido do judaísmo do começo da era cristã, dedicou um de seus quinhentos livros (*A rabbi talks with, Jesus* [Um rabi conversa com Jesus])[28] à questão de como ele teria reagido diante de Jesus. Neusner tinha grande respeito por Jesus e pelo cristianismo, e admite que ensinamentos como o sermão do monte o deixavam "impressionado — e comovido". Deveria ter despertado bastante interesse, ele diz, pois ele igualmente se teria juntado à multidão que seguia a Jesus de um lugar para outro, banqueteando-se com sua sabedoria.

Por fim, entretanto, Neusner conclui que se teria afastado do rabino de Nazaré. "Jesus deu um passo importante — na direção errada", ele diz, passando a ênfase do "nós" da comunidade judaica para o "eu". Neusner não poderia partilhar da passagem da Tora em referência ao próprio Jesus como autoridade central. "Em jogo está a figura de Jesus, de modo nenhum os ensinamentos [...]. No final, o mestre, Jesus, faz uma exigência que apenas Deus faz."

Respeitosamente, Neusner afasta-se, incapaz de dar esse salto de fé.

Neusner está certo de que o conteúdo de Jesus dificilmente se encaixa ao padrão dos outros rabinos, sem mencionar mestres peregrinos como Confúcio ou Sócrates. Ele não estava procurando a verdade, mas remetendo para ela, apontando para si mesmo. Nas palavras de Mateus, "ele as ensinava como quem

---

[24] Klausner, Joseph. **From Jesus to Paul**. Apud Harrison, Everett F. **A short life of Christ**. Grand Rapids: Eerdmans, 1968. p. 98.

[25] Mateus 5.48

[26] **The yoke of Christ and other sermons**. Waco: Word Books, 1958. p. 113.

[27] Lucas 14.28

[28] New York: Doubleday, 1992. p. 24, 29, 31, 53.

tem autoridade, e não como os escribas".[29] Os escribas esforçavam-se para não oferecer opiniões suas, antes fundamentavam suas observações nas Escrituras e nos comentários aprovados. Jesus tinha muitas opiniões suas, e usava as Escrituras como comentário. "Ouvistes que foi dito [...]. Eu, porém, vos digo [...]"[30] era o seu refrão impressivo. *Ele* era a fonte, e enquanto falava não fazia distinção entre suas palavras e as de Deus. Seus ouvintes entendiam a implicação claramente, mesmo quando a rejeitavam: "Ele blasfema!",[31] diziam.

Destemido, Jesus nunca retrocedeu num conflito. Enfrentava os intrometidos e os escarnecedores de toda sorte. Certa vez, impediu a intenção de uma turba de apedrejar uma mulher adúltera. Noutra ocasião, quando os guardas o iam prender, voltaram para o templo de mãos vazias: "Jamais alguém falou como esse homem",[32] disseram, estupefatos diante dele. Jesus até mesmo dava ordens diretas aos demônios: "Cala-te!";[33] "Espírito mudo e surdo, eu te ordeno: Sai dele, e nunca mais entres nele!".[34] (Interessante que os demônios nunca deixaram de reconhecê-lo como o "santo de Deus" ou como o "filho do Altíssimo"; eram os seres humanos que questionavam sua identidade.)

As declarações de Jesus sobre si mesmo (eu e o Pai somos um; tenho o poder de perdoar pecados; reconstruirei o templo em três dias) eram sem precedentes e lhe proporcionavam constantes problemas. Realmente, seus ensinamentos eram tão entretecidos com a sua pessoa que muitas de suas palavras não poderiam ter sobrevivido a ele; as grandes reivindicações morreram com ele na cruz. Os discípulos que o seguiram como um mestre retornaram para suas antigas casas, murmurando tristemente: "Ora, nós esperávamos que fosse ele quem redimisse a Israel".[35] Foi preciso a ressurreição para transformar o proclamador da verdade no proclamado.

Coloquei-me à margem da multidão nos dias de Jesus, como um sincero investigador cativado pelo rabi, mas relutante em se comprometer com ele. Se voltasse a atenção do próprio Jesus para a constelação de pessoas que o rodeiam, veria diversos grupos de observadores formando círculos concêntricos ao redor dele.

---

[29]   Mateus 7.29

[30]   Mateus 5.21 et al.

[31]   Mateus 9.3

[32]   João 7.46

[33]   Marcos 1.25

[34]   Marcos 9.25

[35]   Lucas 24.21

Perfil: o que eu deveria ter percebido?

Mais afastados, no círculo externo, estão os neutros, os curiosos e outros que, como eu, estão tentando entender Jesus. A própria presença dessa multidão serve para proteger Jesus: resmungando que "todo o mundo vai após ele",[36] seus inimigos hesitam em prendê-lo. Sobretudo nos primeiros dias, os patriotas judeus também apareciam, ansiosos por que Jesus anunciasse uma revolta contra Roma. Observo que Jesus nunca atende a esse grupo externo. Mas prega para eles, e isso o distingue dos essênios e de outras seitas, que reservam suas reuniões apenas para os iniciados.

Mais achegado, diviso um grupo de talvez uma centena de discípulos sinceros. Muitos desses companheiros de viagem, sei, juntaram-se depois da prisão de João Batista — os discípulos de João queixaram-se de que "todos" estavam passando para o lado de Jesus. Desprezando a popularidade, Jesus dirige a maior parte de seus comentários não às massas mas a esses sérios interessados. Constantemente os envolve num nível mais profundo de compromisso, com palavras fortes que de repente atraem alguém. Você não pode servir a dois senhores, ele diz. Abandone o amor ao dinheiro e os prazeres que o mundo oferece. Negue-se a si mesmo. Sirva aos outros. Tome a sua cruz.

Essa última frase não é uma metáfora vazia: ao longo das estradas da Palestina, os romanos regularmente crucificavam os piores assassinos como lição objetiva aos judeus. Que tipo de imagem essas palavras de "apelo" traziam à mente de seus discípulos? Será que ele ia liderar uma procissão de mártires? Aparentemente sim. Jesus repete uma frase mais do que qualquer outra: "Quem achar a sua vida perdê-la-á, e quem perder a sua vida por minha causa, achá-la-á".[37]

Ouvi o círculo mais íntimo dos discípulos, os Doze, vangloriando-se de que receberiam bem tal sacrifício. "Não sabeis o que pedis",[38] Jesus replicou. "Podeis vós beber o cálice que estou para beber?" "Podemos", insistem em sua ingenuidade.

Às vezes me pergunto se teria desejado juntar-me aos Doze. Não importa. Diferente dos outros rabis, Jesus escolheu seu círculo mais íntimo de discípulos, em vez de deixar que eles o escolhessem. Tal era o magnetismo de Jesus que eram necessárias apenas algumas frases para persuadi-los a deixar seus empregos e famílias para se juntarem a ele. Dois pares de irmãos — Tiago e João, Pedro e André — trabalhavam como sócios em barcos pesqueiros e, quando ele os chamou, abandonaram o negócio (ironicamente, depois que Jesus lhes deu o mais

---

[36]   João 12.19

[37]   Mateus 10.39

[38]   Mateus 20.22

bem-sucedido dia de pescaria). Todos, menos Judas Iscariotes, vieram da província natal de Jesus, a Galileia; Judas procedia da Judeia,, o que mostra como a reputação de Jesus se havia espalhado pelo país.

Eu ficaria aturdido com a estranha mistura representada pelos Doze. Simão, o Zelote, pertence ao partido violentamente oposicionista à Roma, enquanto Mateus, o coletor de impostos, tinha sido recentemente empregado pelo governador-fantoche de Roma. Nenhum mestre como Nicodemos ou rico patrocinador como José de Arimateia fez parte do grupo dos Doze. É preciso olhar muito para detectar alguma capacidade de liderança.

Em minha observação, na verdade, o predicado mais óbvio dos discípulos parece ser sua obtusidade. "Também vós não entendeis?",[39] Jesus pergunta, e novamente: "Até quando vos sofrerei?". Enquanto estava tentando ensinar-lhes a liderança de servo, discutiam sobre quem merecia a posição mais favorecida. A fé formal deles exaspera Jesus. Depois de cada milagre, impacientavam-se pelo próximo. Ele podia alimentar cinco mil — e quatro mil? A maior parte do tempo um nevoeiro de incompreensão separava os Doze de Jesus.

Por que Jesus investiu tanto nesses aparentes perdedores? Para responder, volto-me para a narrativa escrita de Marcos, que menciona os motivos de Jesus escolher os Doze: "Para que estivessem com ele, e os mandasse a pregar".[40]

Para que estivessem com ele. Jesus nunca tentou ocultar a sua solidão e a sua dependência das outras pessoas. Escolheu seus discípulos não como servos, mas como amigos. Partilhou momentos de alegria e de tristeza com eles, e orou por eles em momentos de necessidade. Eles se tornaram sua família, os substitutos da mãe, dos irmãos e das irmãs. Desistiram de tudo por ele, como ele desistiu de tudo por eles. Ele os amava, de maneira evidente e simples.

Para que pudesse enviá-los. Desde o seu primeiro convite aos Doze, Jesus tinha em mente o que transpiraria um dia no Calvário. Sabia que o seu tempo na terra era curto, e o sucesso final de sua missão dependia não do que ele realizaria em uns poucos anos, mas do que os Doze — depois onze, logo seriam milhares e, depois ainda, milhões — fariam depois que partisse.

Estranhamente, à medida que olho para trás, para os dias de Jesus da perspectiva presente, é a extrema simplicidade dos discípulos que me dá esperança. Jesus não

---

[39]   Marcos 7.18

[40]   Marcos 3.14

Perfil: o que eu deveria ter percebido?

parece escolher seus seguidores com base no talento inato, ou na perfeição, ou no potencial de excelência. Quando viveu na terra rodeou-se de pessoas comuns que não o entendiam direito, não exerciam muito poder espiritual e às vezes se comportavam como alunos mal-educados. Três discípulos em particular (os irmãos Tiago e João, e Pedro), Jesus escolheu para as repreensões mais fortes — mas dois deles se tornariam os líderes mais notáveis dos cristãos primitivos.

Não posso evitar a impressão de que Jesus prefere trabalhar com recrutas nada promissores. Uma vez, depois que enviou os setenta e dois discípulos em missão de treinamento, Jesus regozijou-se pelo sucesso que relataram na volta. Nenhuma passagem dos evangelhos o apresenta mais exuberante. "Naquela mesma hora alegrou-se Jesus no Espírito Santo, e disse: Graças te dou, ó Pai, Senhor do céu e da terra, que escondeste estas coisas aos sábios e inteligentes, e as revelaste às criancinhas. Assim é, ó Pai, porque assim te aprouve."[41] De tal bando de néscios Jesus organizou uma igreja que não parou de crescer em dezenove séculos.

---

[41]   Lucas 10.21

SEGUNDA PARTE

—

POR QUE ELE VEIO

—

CAPÍTULO 6

AS BEM-AVENTURANÇAS: FELIZES SÃO OS INFELIZES

Santo é aquele que exagera
o que o mundo negligencia.
— G. K CHESTERTON

O Sermão do Monte perturbou minha adolescência. Eu lia um livro como *Em seus passos o que faria Jesus,* de Charles Sheldon, e solenemente prometia agir "como Jesus agiria" e abria em Mateus 5-7 em busca de orientação. O que fazer com tais conselhos! Deveria me mutilar depois de uma poluição noturna? Oferecer o corpo para ser espancado pelos motociclistas encapuzados da escola? Arrancar a língua depois de responder asperamente ao meu irmão?

Uma vez, fiquei tão convencido de meu apego às coisas materiais que dei a um amigo minha estimada coleção de cartões de beisebol, incluindo um original de Jackie Robinson de 1947 e um de Mickey Mantle. Prevendo uma recompensa divina por essa renúncia, tive de suportar a monumental injustiça de assistir ao meu amigo leiloar toda a coleção com um imenso lucro. "Bem-aventurados os que sofrem perseguição por causa da justiça",[1] consolei-me.

Agora que sou adulto, a crise do Sermão do Monte ainda não passou. Embora tentasse às vezes descartá-lo como excesso de retórica, quanto mais estudo Jesus, mais percebo que as declarações contidas ali se encontram no âmago de sua mensagem. Se fracasso em entender esse ensinamento, fracasso em entendê-lo.

---

[1]   Todas as bem-aventuranças foram extraídas de Mateus 5.

Jesus pregou o famoso, sermão numa ocasião em que sua popularidade estava no auge. Multidões o seguiam por onde quer que fosse, obcecadas com uma pergunta: O *Messias chegou finalmente?* Nesta ocasião fora do comum Jesus deixou de lado as parábolas e garantiu ao auditório um sopro cheio de "filosofia de vida", assim como um candidato revelando uma nova plataforma política. E que plataforma.

Quando chegou o momento de ensinar as bem-aventuranças à minha classe na Igreja da rua LaSalle, em Chicago, segui minha rotina regular de apresentação dos filmes acerca de Jesus. Considerando que me utilizei de quinze diferentes filmes, a tarefa de localizar e de examinar todos os trechos adequados consumia diversas horas do meu tempo semanalmente, grande parte dele aguardando o videocassete avançar ou retroceder nas cenas cabíveis. Para aliviar o tédio enquanto o vídeo rodava e captava os determinados trechos, eu colocava a CNN exibindo o monitor da TV em primeiro plano. Conforme o aparelho rodava, digamos que para a marca de 8'20" do *Rei dos reis,* de Cecil B. DeMille, eu captava notícias ao redor do mundo. Então apertava o botão "play" e era transportado de volta para o primeiro século da Palestina.

Muita coisa estava acontecendo no mundo em 1991 na semana que ensinei as bem-aventuranças. Numa campanha terrestre que durou umas poucas cem horas, as forças aliadas conseguiram uma vitória assombrosa sobre o Iraque na Guerra do Golfo. Como a maioria dos americanos, eu mal podia acreditar que a guerra tão temida havia terminado tão rapidamente, com tão poucas baixas americanas. Enquanto o meu vídeo procurava no celuloide quadros de Jesus em segundo plano, vários comentaristas na tela ilustravam com cartazes e mapas exatamente o que se passava no Kuwait. Então veio o general Norman Schwarzkopf.

A CNN anunciava uma interrupção na programação planejada: passariam para a cobertura ao vivo da entrevista coletiva com o comandante das forças aliadas, na manhã após o incidente. Por um tempo tentei continuar preparando minha aula. Assistia a cinco minutos da versão de Pasolini de Jesus pregando as bem-aventuranças, depois' alguns minutos da versão do general Schwarzkopf, das tropas aliadas caindo sobre a cidade do Kuwait. Logo abandonei de todo o vídeo — o Norman esbravejante provou ser tremendamente cativante. Falou sobre o "cerco final" da Guarda Republicana de elite do Iraque, de uma invasão-armadilha pelo mar, da capacidade aliada de marchar todo o caminho até Bagdá sem oposição. Ele dava o crédito aos kuwaitianos, aos britânicos, aos sauditas e

As bem-aventuranças: felizes são os infelizes

a todos os outros participantes da força multinacional. General confiante em sua missão e imensamente orgulhoso dos soldados que comandava, Schwarzkopf deu um espetáculo de bravura. Lembro-me de pensar: *Essa é exatamente a pessoa que desejamos para liderar uma guerra.*

O noticiário terminou, a CNN passou para os comerciais, e eu retornei aos tapes do vídeo. Max von Sydow, um Jesus loiro, pálido, estava apresentando uma improvável versão do sermão do monte, em *The greatest story ever told* [A maior história já contada]. "Bem-aventurados... os... pobres... de espírito", ele entoava com um lento e forte sotaque escandinavo, "porque... deles... é... o... reino... dos... céus". Precisei ajustar-me ao lânguido compasso do filme, tão diferente do relatório do general Schwarzkopf, e levou alguns segundos para eu perceber a ironia: eu acabara de assistir às bem-aventuranças às avessas!

Bem-aventurados os fortes, foi a mensagem do general. Bem-aventurados os triunfantes. Bem-aventurados os exércitos bem ricos para possuírem bombas rápidas e mísseis Patriot. Bem-aventurados os libertadores, os soldados vitoriosos.

A bizarra justaposição dos dois discursos deu-me a sensação das ondas de choque que o sermão do monte deve ter provocado nos primeiros ouvintes, os judeus do século I na Palestina. Em vez do general Schwarzkopf, tinham Jesus, e, para um povo tiranizado anelando emancipar-se do governo romano, Jesus deu conselhos surpreendentes e mal-recebidos. Se um soldado inimigo o esbofetear, dê-lhe a outra face. Regozije-se na perseguição. Seja grato por sua pobreza.

"Felizes são os bombardeados e sem-teto", Jesus poderia bem ter dito. "Bem-aventurados os perdedores e os que choram os camaradas mortos. Bem-aventurados os curdos ainda sofrendo sob o governo iraquiano." Qualquer professor de grego vai dizer que a palavra "bem-aventurado" é muito menos grave e menos beatífica para transmitir a força percussiva que Jesus pretendia dar. A palavra grega transmite algo assim como um pequeno grito de alegria: "Ah, seu felizardo!".

"Como são felizardos os infelizes!", Jesus disse na realidade.

* * *

Alguns anos depois do episódio da Guerra do Golfo, recebi um convite da Casa Branca. O presidente Bill Clinton, alarmado com a sua baixa colocação entre os cristãos evangélicos, convocou doze de nós para um café da manhã particular a fim de ouvir nossas preocupações. Cada um de nós teria cinco minutos para dizer o que quisesse ao presidente e ao vice-presidente. A pergunta "O que diria

Jesus em tal circunstância?" passou por minha mente, e percebi com um susto que a única vez que Jesus se encontrou com poderosos líderes políticos tinha as mãos amarradas e as costas coalhadas de sangue. A igreja e o estado tiveram um relacionamento difícil desde então.

Voltei-me para as beatitudes e me descobri novamente assustado. E se eu traduzisse a mensagem delas em termos contemporâneos?

> Sr. Presidente, primeiro quero avisá-lo de que pare de se preocupar demais com a economia e com os empregos. Um PIB mais baixo na verdade é bom para o país. Não sabe que os pobres são os felizes? Quanto mais pobres tivermos nos Estados Unidos, mais bem-aventurados seremos. Deles é o reino dos céus.
>
> E não dedique tanto tempo para cuidar da saúde. Veja, sr. Presidente, os que choram também são bem-aventurados, porque serão consolados.
>
> Sei que deve ter ouvido o que os Direitos Religiosos dizem sobre a crescente secularização de nosso país. A oração já não é permitida nas escolas, e os protestos contra o aborto estão sujeitos a detenções. Relaxe, senhor. A opressão do governo dá aos cristãos a oportunidade de serem perseguidos, e portanto são bem-aventurados. Obrigado pelas oportunidades concedidas.

Não transmiti ao presidente Clinton tal discurso, escolhendo antes apresentar as preocupações imediatas dos cristãos americanos, mas me afastei da experiência desorientado de novo. Que significado podem as bem-aventuranças ter para uma sociedade que honra o agressivo, o confiante e o rico? Bem-aventurados são os felizes e os fortes, cremos. Bem-aventurados os que têm fome e sede de divertimentos, que procuram agradar o N° 1.

Alguns psicólogos e psiquiatras, seguindo a liderança de Freud, apontam para as bem-aventuranças como prova do desequilíbrio de Jesus. Um notável psicólogo britânico disse num discurso preparado para a Sociedade Real de Medicina:

> O espírito de autossacrifício que permeia o cristianismo e é tão altamente valorizado na vida religiosa cristã é masoquismo moderadamente consentido. Uma expressão muito mais forte dele se encontra nos ensinamentos de Cristo no sermão do monte.

> Esse abençoa os pobres, os mansos, os perseguidos; exorta-nos a
> não resistir ao mal, mas oferecer a outra face para ser esbofeteada;
> e a fazer o bem aos que nos odeiam, perdoando aos homens as
> transgressões. Tudo isso tem cheiro de masoquismo.[2]

O que é, masoquismo ou sabedoria profunda? Qualquer um que vier com uma resposta rápida e fácil talvez não tenha levado suficientemente a sério as bem-aventuranças.

Tratando francamente da questão, as bem-aventuranças são verdadeiras? Nesse caso, por que a igreja não incentiva a pobreza, e o choro, e a mansidão, e a perseguição em vez de lutar contra eles? Qual é o verdadeiro significado das bem-aventuranças, esse miolo ético e enigmático dos ensinamentos de Jesus?

Se eu estivesse sentado entre os ouvintes quando Jesus recitou pela primeira vez as bem-aventuranças, creio que teria saído dali confuso ou ultrajado, não consolado. Dezenove séculos depois, ainda luto para que façam sentido. Mas agora, especialmente quando relembro minha adolescência de legalismo arrebatado, posso ver que minha compreensão desenvolveu-se em estágios.

Não estou, e nunca estarei, pronto a declarar: "É isso que significam as bem-aventuranças". Mas gradualmente, quase por osmose, cheguei a reconhecê-las como verdades importantes. Para mim, aplicam-se em pelo menos três níveis.

Promessas pendentes

Em meu primeiro estágio de compreensão, considerei as bem-aventuranças um calmante que Jesus jogou para os infelizes: "Bem, considerando que vocês não são ricos, vou jogar-lhes algumas frases bonitas para que se sintam melhor". Mais tarde, quando o ceticismo se desfez e minha fé se fortaleceu, cheguei a vê-las como promessas centrais genuínas da mensagens de Jesus.

Diferentemente dos reis medievais que jogavam moedas ao povão (ou os políticos modernos que fazem promessas aos pobres exatamente antes das eleições), Jesus tinha a capacidade de oferecer ao seu auditório recompensas duradouras, até mesmo eternas. Único de todas as pessoas da terra, Jesus tinha realmente vivido "do outro lado", e aquele que desceu do céu sabia bem que os despojos do reino dos céus podem facilmente contrabalançar qualquer miséria que possamos encontrar nesta vida. Os que choram *serão* consolados; os mansos

---

[2] Apud HARDY, Alister. **The biology of God**. New York: Taplinger, 1975. p. 146.

herdarão a terra; os que têm fome serão *fartos;* os puros *verão a Deus.* Jesus podia fazer tais promessas com autoridade, pois viera para estabelecer o reino de Deus que governaria eternamente.

Certo verão me encontrei com um grupo dos "Wycliffe Bible Translators" [Associação Wycliffe de Tradutores da Bíblia] em seu austero escritório no deserto do Arizona. Muitos moravam em casas portáteis, e nos reunimos num edifício de blocos de concreto com telhado de metal. Fiquei impressionado com a dedicação desses linguistas profissionais que se estavam preparando para uma vida de pobreza e de dificuldades em localidades remotas. Gostavam de cantar especialmente um hino: "Eis que vos envio para um trabalho sem recompensa, para servirem sem pagamento, sem receber amor, sem ser procurados, desconhecidos [...]". Ouvindo-os, ocorreu-me o pensamento de que o hino estava um tanto errado: aqueles missionários não estavam planejando trabalhar sem recompensa. Antes, suportavam certas dificuldades com a perspectiva de outras recompensas em mente. Serviam a Deus, confiando por sua vez que Deus faria que valesse a pena — se não aqui, pelo menos na eternidade.

Nas manhãs, antes de o sol subir muito acima do topo das montanhas, eu ia caminhar pelas estradas cheias de poeira que serpeavam entre cercas eretas de cacto saguaro. Avisado de cascavéis e escorpiões, mantinha a maior parte do tempo a cabeça abaixada olhando para a estrada, mas, certa manhã, numa nova rota, olhei para cima e vi um maravilhoso local espreitando-me, quase como uma miragem. Aproximei-me e descobri duas piscinas olímpicas, salas de ginástica aeróbica, uma trilha de hulha para caminhar, jardins luxuriantes, um campo de beisebol, campos de futebol e estábulos para cavalos. As instalações, fiquei sabendo, pertenciam a um famoso clínico de desordens gástricas que trabalhava para atores de cinema e atletas. A clínica possui as mais modernas técnicas de programas de doze passos, uma equipe médica bem servida de ph.Ds e médicos, e cobra dos clientes 300 dólares por dia.

Caminhei lentamente de volta para a miscelânea de casas e prédios na sede Wycliffe, vivamente consciente do contraste com a reluzente arquitetura da clínica de desordens gástricas. Uma instituição empenhava-se em salvar almas, em preparar as pessoas para servir a Deus aqui e na eternidade; a outra empenhava-se em salvar corpos, em prepará-los para desfrutar desta vida. Parecia óbvio que instituição o mundo respeita.

As bem-aventuranças: felizes são os infelizes

Nas bem-aventuranças, Jesus honrou pessoas que não podem desfrutar de muitos privilégios nesta vida. Para os pobres, os que choram, os mansos, os famintos, os perseguidos, os puros de coração, oferecia a certeza de, que o seu trabalho não deixaria de ser reconhecido. Receberiam ampla recompensa. "Na realidade", escreveu C. S. Lewis, "se considerarmos as promessas pouco modestas de galardão e a espantosa natureza das recompensas prometidas nos evangelhos, diríamos que o nosso Senhor considera nossos desejos não demasiadamente grandes, mas demasiadamente pequenos. Somos criaturas divididas, correndo atrás de álcool, sexo e ambições, desprezando a alegria infinita que se nos oferece, como uma criança ignorante que prefere continuar fazendo seus bolinhos de areia numa favela, porque não consegue imaginar o que significa um convite para passar as férias na praia".[3]

Sei que para muitos cristãos uma ênfase das recompensas futuras saiu de moda. Meu antigo pastor Bill Leslie costumava observar: "Conforme as igrejas vão ficando mais ricas e têm mais sucesso, sua preferência por hinos muda de 'Aqui não é meu lar, um viajante sou' para 'Este é o mundo do meu Pai' ". Nos Estados Unidos, pelo menos, os cristãos têm tanto conforto que já não nos identificamos com as condições humildes a que Jesus se referiu nas bem-aventuranças — o que pode explicar por que elas parecem tão estranhas aos nossos ouvidos.

Mas, como C. S. Lewis nos faz lembrar, não nos atrevemos a menosprezar o valor das futuras recompensas. Só precisamos ouvir os hinos compostos pelos escravos americanos para perceber esse consolo da fé. "Balança-te lentamente, doce carruagem, que vem vindo a fim de me levar para o lar." "Quando eu chegar no céu, vou vestir meu manto, vou gritar pelo céu de Deus." "Logo estaremos livres, logo estaremos livres, quando o Senhor nos chamar para o céu." Se os senhores dos escravos tivessem escrito esses hinos para os escravos cantar, seriam uma obscenidade; mas não, brotaram da boca dos próprios escravos, gente que tinha poucas esperanças neste mundo, mas esperança permanente em um mundo por vir. Para eles, toda esperança se centralizava em Jesus. "Ninguém conhece o meu labutar, ninguém, somente Cristo." "Vou deitar todos os meus problemas nos ombros de Jesus."

Não vou mais zombar das recompensas eternas mencionadas nas bem-aventuranças como "uma torta lá no céu". Que bem há em esperar recompensas futuras?

---

[3]   Lewis, C. S. **Peso de glória**. São Paulo: Vida Nova, 1993. p. 11-12.

O JESUS QUE EU NUNCA CONHECI

Que bem havia para Terry Waite crer que não ia passar o restante da vida acorrentado a uma porta num nojento apartamento de Beirute, a não ser que uma palavra da família e dos amigos, misericórdia e amor, música, comida e bons livros estavam aguardando por ele se apenas tivesse forças para aguentar um pouco mais? Que bem havia para os escravos crer que Deus não estava satisfeito com um mundo que incluía trabalho extenuante e senhores armados com chicotes e cordas de linchamento? Crer nas futuras recompensas é crer que o braço longo do Senhor se inclina para a justiça, é crer que um dia os orgulhosos serão derrubados, os humildes, levantados e os famintos, satisfeitos com coisas boas.

A perspectiva das recompensas futuras de maneira nenhuma cancela nossa necessidade de lutar pela justiça agora, nesta vida. Mas é um fato claro da história que para os condenados do Gulag Soviético, para os escravos da América e para os cristãos nas masmorras romanas à espera de sua vez de ser lançados às feras, a promessa de recompensa era uma fonte não de vergonha, mas de esperança. Ela o mantém vivo. Permite que você creia num Deus justo, afinal. Como um sino tocando de outro mundo, a promessa de recompensa de Jesus proclama que, não importa a aparência das coisas, não há futuro no mal, apenas no bem.

Minha esposa, Janet, trabalhava com cidadãos idosos perto de um projeto de construção de casas de Chicago numa comunidade considerada a mais pobre dos Estados Unidos. Cerca da metade de seus clientes compunha-se de brancos, metade de negros. Todos tinham vivido tempos difíceis — duas guerras mundiais, a Grande Depressão, transformações sociais — e todos eles, em seus setenta ou oitenta anos, viviam conscientes da morte. Mas Janet notou uma diferença extraordinária na maneira como os brancos e os negros enfrentavam a morte. Havia exceções, naturalmente, mas a tendência era esta: muitos dos brancos ficavam cada vez mais temerosos e ansiosos. Queixavam-se da vida, da família e da saúde que se deteriorava. Os negros, de maneira diversa, mantinham um bom humor e um espírito de vitória mesmo que tivessem mais motivos aparentes para amargura e desespero.

O que causava a diferença de postura? Janet concluiu que a resposta era a esperança, uma esperança que vinha diretamente da crença alicerçada que os negros tinham no céu. Se você quiser ouvir imagens atuais do céu, assista a alguns funerais de negros. Com eloquência característica, os pregadores pintam figuras de linguagem de uma vida tão serena e aprazível que todos na congregação começam a ficar inquietos para ir embora. Os enlutados sentem tristeza, naturalmente, mas no seu devido lugar: como uma interrupção, um recuo temporário numa batalha cujo fim já foi determinado.

Estou convencido de que, para esses santos negligenciados, os quais aprenderam a antecipar e a desfrutar de Deus apesar das dificuldades da vida na terra, o céu parecerá mais com um retorno para o lar há muito aguardado do que uma visita a um novo lugar. Na vida deles, as bem-aventuranças tornaram-se reais. Para as pessoas que foram apanhadas pela dor, em lares desfeitos, no caos econômico, no ódio e no medo, na violência — para essas, Jesus oferece uma promessa de um tempo, mais longo e mais substancial do que este tempo na terra, de saúde e de inteireza, de prazer e de paz. Um tempo de recompensas.

A grande inversão

Com o tempo aprendi a respeitar e até a esperar as recompensas que Jesus prometeu. Mesmo assim, essas recompensas se encontram em algum lugar no futuro, e as promessas pendentes não satisfazem as necessidades imediatas. Ao longo do caminho, cheguei a crer que as bem-aventuranças referem-se ao presente também, além do futuro. Precisamente contrapõem o sucesso no reino do céu ao reino deste mundo.

J. B. Phillips[4] traduziu as bem-aventuranças que se aplicam ao reino deste mundo:

> Felizes os "intrometidos": pois subirão a postos elevados no mundo.
>
> Felizes os que têm pavio curto: pois nunca permitirão que a vida os machuque.
>
> Felizes os que se queixam: pois conseguem fazer o que querem no final.
>
> Felizes os *blasés*: pois nunca se preocupam com os seus pecados.
>
> Felizes os escravizadores: pois obterão resultados.
>
> Felizes os homens notáveis deste mundo: pois se aproveitam das circunstâncias.
>
> Felizes os perturbadores: pois são notados pelos outros.[5]

---

[4] PHILLIPS, J. B. **Good news**. Londres: Geoffrey Bles, 1964. p. 33-34.

[5] Realmente, parece que Jesus adaptou uma forma de provérbios comuns no seu tempo para destacar o oposto. De acordo com Walter Kasper (**Jesus the Christ** cit., p. 84), os escritos sapienciais gregos e judeus declaram bendito o homem que tem filhos obedientes, uma boa

A sociedade moderna vive por regras de sobrevivência dos mais capacitados. "Aquele que morre com mais brinquedos é o vencedor", diz a frase de um para-choque. Da mesma forma a nação com as melhores armas e com o maior PIB. O proprietário do Chicago Bulls apresentou um resumo compacto das regras que governam o mundo visível na ocasião da aposentadoria (temporária) de Michael Jordan. "Ele está vivendo o sonho americano", disse Jerry Reinsdorf. "O sonho americano é atingir um momento na vida em que não é preciso fazer nada que você não queira e em que pode fazer tudo o que quer."

Esse pode ser o sonho americano, mas sem dúvida não é o sonho de Jesus conforme revelado nas bem-aventuranças. As bem-aventuranças expressam com bastante clareza que Deus avalia este mundo por um conjunto de lentes. Deus parece preferir os pobres e os que choram à Loteria Federal e aos supermodelos que se divertem na praia. É estranho, Deus pode preferir a América Latina do Centro e do Sul à praia de Malibu, e Ruanda a Monte Carlo. Na verdade, seria possível colocar um subtítulo no sermão do monte, não a "sobrevivência dos mais aptos", mas o "triunfo das vítimas".

Diversas cenas nos evangelhos apresentam um bom quadro do tipo de pessoas que impressionou Jesus. Uma viúva que colocou seus últimos dois centavos como oferta. Um desonesto cobrador de impostos tão arrasado pela ansiedade que subiu em uma árvore para ter uma visão melhor de Jesus. Uma criança sem nome, sem descrição. Uma mulher com uma fileira de casamentos infelizes. Um mendigo cego. Uma adúltera. Um homem com lepra. A força, a boa aparência, as boas relações, e um instinto competitivo podem trazer o sucesso para uma pessoa em uma sociedade como a nossa, mas são exatamente aquelas qualidades que bloqueiam a entrada no reino do céu. A dependência, a tristeza, o arrependimento, um anseio de mudar   esses são os portões para o reino de Deus.

A "Bem-aventurados os pobres de espírito", disse Jesus. Um comentário traduz para "Bem-aventurados os desesperados". Não tendo a quem buscar, os desesperados se voltam para Jesus, o único que pode oferecer a libertação por que anseiam. Jesus realmente cria que uma pessoa pobre de espírito, ou chorosa, ou perseguida, ou faminta e sedenta da justiça tem uma "vantagem" especial sobre o restante de nós. Talvez, apenas talvez, a pessoa desesperada clame a Deus pedindo ajuda. Nesse caso, essa pessoa é verdadeiramente bem-aventurada.

---

esposa, amigos fiéis, sucesso e assim por diante. Jesus acrescentou uma interpretação contrária ao que o auditório esperava.

As bem-aventuranças: felizes são os infelizes

Os estudiosos católicos cunharam a expressão "a opção de Deus pelos pobres", em referência a um fenômeno que encontraram no Antigo e no Novo Testamento: a parcialidade de Deus para com os pobres e os prejudicados. *Por que Deus destacaria os pobres para atenção especial em detrimento de qualquer outro grupo?* eu ficava imaginando. O que faz os pobres merecerem a preocupação de Deus? Recebi ajuda nessa pergunta de uma escritora chamada Monika Hellwig,[6] que faz uma lista das seguintes "vantagens" de ser pobre:

1. Os pobres sabem que têm premente necessidade de redenção.

2. Os pobres reconhecem não apenas sua dependência de Deus e de gente poderosa como também sua interdependência uns dos outros.

3. Os pobres depositam a segurança não nas coisas, mas nas pessoas.

4. Os pobres não têm um senso exagerado de sua própria importância e nenhuma necessidade exagerada de privacidade.

5. Os pobres esperam pouco da competição e muito da cooperação.

6. Os pobres conseguem distinguir entre necessidade e luxo.

7. Os pobres podem esperar, porque adquiriram uma espécie de paciência obstinada nascida de uma dependência reconhecida.

8. Os temores dos pobres são mais realistas e menos exagerados, porque já sabem que a pessoa pode sobreviver a grandes sofrimentos e necessidades.

9. Quando os pobres ouvem a pregação do evangelho, ele soa como boas-novas e não como uma ameaça ou repreensão.

10. Os pobres podem reagir ao apelo do evangelho com certo abandono e com uma inteireza descomplicada porque têm tão pouco a perder e estão prontos para tudo.

Em suma, não por escolha própria — podem intensamente desejar o contrário —, as pessoas pobres encontram-se em uma postura que se encaixa na graça de Deus. Em sua condição de necessidade, de dependência e de insatisfação com a vida, podem dar boas-vindas ao livre dom do amor de Deus.

---

[6] HELLWIG, Monika. Good News to the Poor: Do They Understand It Better? In: HUG, Jamas E. (Org.). **Tracing the Spirit**. Mahwah: Paulist Press, 1983. p. 145.

Como exercício voltei à lista de Monika Hellwig, substituindo a palavra "pobres" pela palavra "ricos", e alterando cada frase para o seu inverso. "Os ricos não sabem que precisam prementemente de redenção [...]. Os ricos não depositam a confiança nas pessoas, mas nas coisas [...]" (Jesus fez uma coisa parecida na versão de Lucas das bem-aventuranças, mas essa parte recebe muito menos atenção: "Mas ai de vós, os ricos! Pois já tendes a vossa consolação [...]").

A seguir, tentei uma coisa ainda mais ameaçadora: substituí "ricos" pela palavra "eu". Revendo cada uma das dez declarações, perguntei-me se minhas próprias atitudes se pareciam mais com as dos pobres ou com as dos ricos. Reconheço facilmente minhas necessidades? Rapidamente dependo de Deus e das outras pessoas? Onde fica a minha segurança? Estou mais pronto a competir ou a cooperar? Posso distinguir entre necessidades e luxos? Sou paciente? As bem-aventuranças me parecem boas-novas ou uma espécie de repreensão?

Quando fiz esse exercício comecei a perceber por que tantos santos voluntariamente se submetem à disciplina da pobreza. A dependência, a humildade, a simplicidade, a cooperação e um senso de abandono são qualidades grandemente prezadas na vida espiritual, mas extremamente fugidias para as pessoas que vivem no conforto. Podem existir outros caminhos para Deus mas — ah! — são difíceis, tão difíceis como um camelo se espremendo pelo buraco de uma agulha. Na grande inversão do reino de Deus, os santos prósperos são muito raros.

Não creio que os pobres sejam mais virtuosos do que qualquer outra pessoa (embora tenha descoberto que são mais compassivos e com frequência mais generosos), mas são menos inclinados a fingir que são virtuosos. Não têm a arrogância da classe média, que pode habilmente disfarçar seus problemas sob uma fachada de justiça própria. São mutuamente mais dependentes, porque não têm escolha; precisam depender dos outros simplesmente para sobreviver.

Agora vejo as bem-aventuranças não como divisa protetora, mas como profundas perspectivas dentro do mistério da existência humana. O reino de Deus vira a mesa. Os pobres, os famintos, os que choram e os oprimidos de fato serão bem-aventurados. Não, naturalmente, por causa de seu estado de infortúnio — Jesus passou grande parte da vida tentando remediar esses infortúnios. Antes, são bem-aventurados por causa de uma vantagem inata que têm sobre os mais privilegiados e autossuficientes. As pessoas ricas, com sucesso e belas podem muito bem passar pela vida descansando em seus dotes naturais. As pessoas que têm falta de tais privilégios naturais, uma vez desqualificadas para o sucesso no reino deste mundo, têm simplesmente de se voltar para Deus no momento da necessidade.

Os seres humanos não admitem prontamente o desespero. Quando o fazem, o reino do céu se aproxima.

A realidade psicológica

Mais recentemente, passei a ver um terceiro nível nas bem-aventuranças. Além de Jesus oferecer um ideal para lutarmos por alcançar, com recompensas cabíveis em mira, além de virar a mesa de nossa sociedade viciada em sucesso, também estabeleceu uma fórmula simples de verdade psicológica, o nível mais profundo da verdade que conhecemos na terra.

As bem-aventuranças revelam que aquilo que sucede no reino do céu também nos beneficia mais nesta vida aqui e agora. Levei muitos anos para reconhecer esse fato, e apenas agora estou começando a entender as bem-aventuranças. Elas ainda me fazem tremer toda vez que as leio, mas assustam porque reconheço nelas uma riqueza que desmascara minha própria pobreza.

Bem-aventurados os pobres de espírito [...]. *Bem-aventurados os mansos.* Um livro como *Intellectuals (Os intelectuais),* de Paul Johnson, apresenta com minúcias convincentes tudo aquilo que sabemos ser verdadeiro: as pessoas que elogiamos, aquelas com as quais tentamos competir e as que apresentamos na capa das revistas populares não são as satisfeitas, as felizes, as equilibradas que possamos imaginar. Embora as personagens de Johnson (Ernest Hemingway, Bertrand Russell, Jean-Paul Sartre, Edmund Wilson, Bertoldt Brecht etc.) sejam consideradas vencedoras por qualquer padrão moderno, seria difícil reunir um grupo mais infeliz, mais egomaníaco e mais corrompido.

Minha carreira de jornalista me tem proporcionado oportunidades de entrevistar "astros", mesmo dos grandes times de futebol da Liga Americana de Futebol, atores do cinema, músicos, autores de *best-sellers*, políticos e personalidades da TV. Essas são as pessoas que dominam a mídia. Nós as bajulamos, vasculhando-lhes minuciosamente a vida: as roupas que usam, a comida que comem, as trilhas de corrida que seguem, as pessoas que amam, o dentifrício que usam. Mas posso dizer que, em minha limitada experiência, descobri que o princípio de Paul Johnson continua verdadeiro: nossos "ídolos" são o grupo de pessoas mais infelizes que já conheci. Muitos têm casamentos problemáticos ou desfeitos. Quase todos são incuravelmente dependentes da psicoterapia. Numa grande ironia, esses heróis maiores que a própria vida parecem atormentados pela dúvida acerca de si mesmos.

Também passei tempo com pessoas a que chamo "servos". Médicos e enfermeiras que trabalham entre os últimos párias, pacientes com lepra na índia rural. Um graduado de Princeton que dirige um abrigo para os sem-teto de Chicago. Trabalhadores da área médica que abandonaram empregos altamente remunerados para atuar em alguma cidadezinha do Mississippi. Assistentes sociais na Somália, no Sudão, na Etiópia, em Bangladesh e em outros depósitos do sofrimento humano. Os ph.Ds que conheci no Arizona, agora espalhados pelas selvas da América do Sul traduzindo a Bíblia para línguas obscuras.

Eu estava preparado para honrar e admirar esses servos, para considerá-los exemplos inspiradores. Não estava preparado para invejá-los. Mas agora, quando reflito sobre os dois grupos lado a lado, astros e servos, os servos claramente sobressaem como favorecidos e agraciados. Sem dúvida, preferiria gastar tempo entre os servos a gastá-lo entre os astros: possuem qualidades de profundidade e de riqueza e até mesmo alegria que não encontrei em nenhum outro lugar. Os servos trabalham por pouco pagamento, longas horas e sem aplausos, "desperdiçando" seus talentos e habilidades entre os pobres e iletrados. De alguma forma, entretanto, no processo de perder a vida, a encontram.

Os pobres de espírito e os mansos são realmente abençoados, creio agora. Deles é o reino dos céus, e são eles que herdarão a terra.

Bem-aventurados os puros de coração. Durante um período de minha vida em que lutava contra a tentação sexual, encontrei um artigo que me levou a um livrinho, *What I believe* [Em que creio], de um escritor católico francês, François Mauriac.[7] Surpreendeu-me que Mauriac, homem idoso, dedicasse considerável espaço para discutir sua própria concupiscência. Ele explicava: "A idade avançada arrisca-se a ser um período de redobrada tentação, porque a imaginação de um homem velho substitui de maneira horrível o que a natureza lhe recusa".

Eu sabia que Mauriac entendia de concupiscência. *Viper's tangle* [A teia da víbora] e *A kiss for the leper* [Um beijo no leproso], romances que o ajudaram a ganhar o prêmio Nobel de literatura, descrevem a concupiscência, a repressão e a angústia sexual tão bem como nada mais que tenha lido. Para Mauriac, a tentação sexual era um campo de batalha conhecido.

---

[7]   MAURIAC, François. **What I believe**. New York: Farrar, Stratus and Company, 1963. p. 47-56.

As bem-aventuranças: felizes são os infelizes

Mauriac descartou a maior parte dos argumentos a favor da pureza sexual que, aprendeu em sua educação católica. "O casamento vai curar a concupiscência": não no caso de Mauriac, como para muitos outros, porque a concupiscência implica a atração de criaturas desconhecidas e o gosto da aventura e dos encontros fortuitos. "Com a autodisciplina, consegue-se dominar a concupiscência": Mauriac descobriu que o desejo sexual é como uma maré enchente bastante poderosa para acabar com todas as melhores intenções. "A verdadeira satisfação só pode ser encontrada na monogamia": isso pode ser verdade, mas certamente não parece verdade para alguém que não encontra alívio da absoluta necessidade sexual mesmo na monogamia. Assim, ele avaliou os argumentos tradicionais a favor da pureza e descobriu que são incompletos.

Mauriac concluiu que a autodisciplina, a repressão e os argumentos racionais são armas inadequadas para lutar contra o impulso da impureza. No fim, ele encontraria apenas um motivo para ser puro, e é o que Jesus apresentou nas bem-aventuranças: "Bem-aventurados os puros de coração, pois eles verão a Deus". Nas palavras de Mauriac: "A impureza nos separa de Deus. A vida espiritual obedece a leis tão verificáveis quanto as do mundo físico [...]. A pureza é a condição para um amor mais elevado — para a posse acima de todas as outras posses: a de Deus. Sim, isso é o que está em jogo, e nada menos".

Ler as palavras de François Mauriac não acabou com minha luta contra a concupiscência. Mas posso dizer sem sombra de dúvida que achei sua análise verdadeira. O amor que Deus nos estende exige que nossas faculdades sejam limpas e purificadas antes de podermos receber um amor mais elevado, um amor que não pode ser obtido de nenhum outro meio. Esse é o motivo para permanecermos puros. Abrigando a concupiscência, limito minha própria intimidade com Deus.

Os puros de coração são verdadeiramente bem-aventurados, pois verão a Deus. É assim simples, e difícil.

Bem-aventurados os misericordiosos. Aprendi a verdade dessa beatitude com Henri Nouwen, sacerdote que ensinava na Universidade de Harvard. No auge da carreira, Nouwen mudou-se de Harvard para uma comunidade chamada Daybreak, perto de Toronto, a fim de assumir as tarefas exigidas por sua amizade com um homem chamado Adam. Nouwen agora serve não aos intelectuais, mas a um jovem considerado por muitos uma pessoa inútil que deveria ter sido abortada.

Nouwen descreve seu amigo:

> Adam é um homem de 25 anos de idade que não consegue falar, não consegue vestir-se, nem tirar a roupa, não pode andar sozinho, não pode comer sem ajuda. Ele não chora nem ri. Apenas às vezes faz contato com os olhos. As costas são deformadas. Os movimentos dos braços e das pernas são distorcidos. Ele sofre de severa epilepsia e, apesar de pesada medicação, raros dias se passam sem ataques do grande mal. Às vezes, quando fica subitamente rígido, emite um gemido imenso. Em algumas ocasiões já vi uma grande lágrima rolar por sua face.
>
> Leva cerca de hora e meia para acordar Adam, dar-lhe medicação, carregá-lo até seu banho, lavá-lo, barbeá-lo, escovar seus dentes, levá-lo à cozinha, dar-lhe o café da manhã, colocá-lo em sua cadeira de rodas e levá-lo até o lugar em que passa a maior parte do dia com exercícios terapêuticos.[8]

Em uma visita a Toronto, observei-o em sua rotina com Adam, e devo admitir que tive uma dúvida passageira quanto a ser aquele o melhor emprego da sua vida. Eu ouvira Henri Nouwen falar e lera muitos de seus livros. Ele tinha muita coisa a oferecer. Outra pessoa não poderia assumir a tarefa servil de cuidar de Adam? Quando cautelosamente mencionei o assunto com o próprio Nouwen, ele me informou que eu interpretara de todo erradamente o que estava acontecendo. "Não estou desistindo de nada", ele insistiu. "Sou eu, não Adam, quem recebe os principais benefícios de nossa amizade."

Então Nouwen começou a enumerar para mim todos os benefícios que obtivera. As horas passadas com Adam, disse, deram-lhe uma paz interior, tão satisfatória que fez com que a maioria de suas outras tarefas intelectuais parecessem enfadonhas e superficiais por contraste. No começo, quando se assentava com esse homem-criança desamparado, percebia como a busca do sucesso na academia e no ministério cristão era obsessiva e marcada pela rivalidade e pela competição. Adam lhe ensinara que "o que nos torna humanos não está em nossa mente mas em nosso coração, não a nossa capacidade de pensar, mas a nossa capacidade de amar". Da natureza simples de Adam, ele vislumbrara o "vazio" necessário para que uma pessoa possa ser enchida por Deus — o tipo de vazio que os monges do deserto alcançam apenas depois de muita busca e disciplina.

---

[8] Nowen, Henry. Adam's peace. **Word Vision Magazine**, p. 4-7, ago.-set. 1988.

As bem-aventuranças: felizes são os infelizes

Durante todo o restante de nossa entrevista, Henri Nouwen retornava para a minha pergunta, como se não acreditasse que eu pudesse fazer uma pergunta daquelas. Ele continuava pensando em outras maneiras com que fora beneficiado nesse relacionamento com Adam. Verdadeiramente, desfrutava de um novo tipo de paz espiritual, adquirido não dentro dos majestosos pátios de Harvard, mas junto à cama do incontinente Adam. Eu saí de Daybreak convencido de minha própria pobreza espiritual, eu, que tão cuidadosamente arranjo minha vida de escritor para torná-la eficiente e unifocalizada. Os misericordiosos são realmente bem-aventurados, aprendi, pois alcançarão misericórdia.

Bem-aventurados os pacificadores... Bem-aventurados os que sofrem perseguição por causa da justiça. Essa verdade se me revelou de uma maneira indireta. O grande romancista Leon Tolstoi tentou segui-la, mas o seu temperamento irascível insistia em sé colocar no caminho da pacificação. Contudo, Tolstoi escreveu eloquentemente sobre o sermão do monte, e meio século mais tarde um hindu asceta chamado Mohandas Gandhi leu *The kingdom of God is within you* [O reino de Deus está dentro de você], escrito por Tolstoi, e decidiu viver pelos princípios literais do sermão do monte.

O filme *Gandhi* contém uma excelente cena na qual Gandhi tenta explicar sua filosofia ao missionário presbiteriano Charlie Andrews. Caminhando juntos em uma cidade sul-africana, os dois subitamente descobriram que seu caminho estava bloqueado por jovens rufiões. O reverendo Andrew olha para os gangsters ameaçadores e decide fugir. Gandhi o faz parara "O Novo Testamento não ensina que, se um inimigo o ferir na face direita você deve lhe oferecer a esquerda?" Andrews murmura que acha que a frase foi utilizada metaforicamente. "Não tenho certeza", Gandhi replica. "Acho que significa que devemos ter coragem — estarmos prontos a levar um golpe, diversos golpes, mostrar que não vamos revidar nem nos desviar. E, quando você age assim, o ódio dele diminui e o respeito aumenta. Penso que Cristo entendeu isso e tenho visto que funciona."

Anos mais tarde um ministro americano, Martin Luther King, Jr., estudou as táticas de Gandhi e decidiu pô-las em prática nos Estados Unidos. Muitos negros abandonaram King por causa da questão da não violência e passaram para a retórica do "poder negro". Depois de receber um golpe na cabeça com o cassetete de um policial pela duodécima vez e ter recebido um empurrão com a arma do carcereiro, você começa a questionar a eficácia da não violência. Mas o próprio King nunca vacilou.

Conforme os tumultos explodiam em diversos lugares como Los Angeles, Chicago e Harlem, King viajava de cidade em cidade tentando acalmar os ânimos, vigorosamente lembrando aos detratores que a mudança moral não se realiza por meios imorais. Ele aprendera esse princípio no sermão do monte e de Gandhi, e quase todos os seus discursos reiteravam a mensagem. "O cristianismo", ele dizia, "sempre insistiu que a cruz que levamos precede a coroa que usamos. Para ser cristão é preciso tomar a sua cruz, com todas as suas dificuldades e seu conteúdo cheio de tensão e agonia, carregando-a até que essa mesma cruz deixe a sua marca em nós e nos redima para aquele caminho mais excelente que vem apenas por meio do sofrimento".[9]

Martin Luther King, Jr. teve algumas fraquezas, mas uma coisa ele fez certo. Contra todas as desvantagens, contra todos os instintos de autopreservação, permaneceu fiel ao princípio da pacificação. Não revidava. Quando outros gritavam pedindo vingança, ele clamava por amor. Os defensores dos direitos civis colocavam seus corpos alinhados diante de policiais com cassetetes, mangueiras de bombeiros e cães 'pastores alemães rosnando. Isso foi, de fato, o que lhes deu a vitória que há tanto buscavam. Os historiadores apontam para um acontecimento como o momento singular no qual o movimento recebeu um volume crucial de apoio público para a sua causa. Ocorreu em uma ponte fora de Selma, no Alabama, quando o xerife Jim Clark soltou os seus policiais contra os demonstradores negros desarmados. O público americano, horrorizado com a cena de violenta injustiça, finalmente deu consentimento para a passagem de uma lei de direitos civis.

Cresci em Atlanta, do outro lado da cidade de Martin Luther King, Jr., e confesso com alguma vergonha que, enquanto ele liderava passeatas em lugares como Selma, Montgomery e Memphis, eu estava do lado dos policiais brancos com os seus cassetetes e cães pastores. Fui rápido em apontar suas falhas morais e lento em reconhecer meu próprio pecado de cegueira. Mas, porque ele permaneceu fiel, oferecendo o seu corpo como alvo, nunca como arma, ele atravessou meus calos morais.

O alvo em si, King costumava dizer, não era derrotar o homem branco, mas "despertar um sentimento de vergonha dentro do opressor e desafiar o seu falso senso de superioridade [...]. O fim é a reconciliação; o fim é a redenção; o fim

---

[9] Martin Luther King Jr. Apud GARROW, David J. **Bearing the cross**. New York: William Morrow and Company, 1986. p. 532.

é a criação da comunidade bem-amada".[10] E foi o que Martin Luther King, Jr. finalmente conseguiu despertar, até mesmo em racistas como eu.

King, como Gandhi antes dele, morreu como mártir. Depois de sua morte, mais e mais pessoas começaram a adotar o princípio do protesto sem violência como meio de exigir justiça. Nas Filipinas, depois do martírio de Benigno Aquino, pessoas comuns derrubaram um governo reunindo-se nas ruas para orar; tanques armados foram interceptados por filipinos ajoelhados, como se fossem bloqueados por uma força invisível. Mais tarde, no notável ano de 1989, na Polônia, na Hungria, na Checoslováquia, na Alemanha Oriental, na Bulgária, na Iugoslávia, na Romênia, na Mongólia, na Albânia, na União Soviética, no Nepal e no Chile, mais de meio bilhão de pessoas descartaram-se do jugo da opressão por meios não violentos. Em muitos desses lugares; especialmente nas nações da Europa Oriental, a igreja lidero" o caminho. Os demonstradores marcharam pelas ruas carregando velas, cantando hinos e orando. Como nos dias de Josué, os muros desmoronaram.

Os pacificadores serão chamados filhos e filhas de Deus. Bem-aventurados são os perseguidos por causa da justiça, pois deles é o reino dos céus.

Bem-aventurados os que choram. Tendo escrito livros com títulos como *Deus sabe que sofremos* e *Decepcionado com Deus,* passei muito tempo entre os que choram. Eles me intimidavam no princípio. Eu tinha poucas respostas para as perguntas que faziam, e me sentia estranho no meio de sua tristeza. Lembro-me especialmente de um ano em que, a convite de um vizinho, integrei um grupo de terapia num hospital da vizinhança. Esse grupo, chamado "Faça o dia de hoje valer", se constituía de pessoas que estavam morrendo, e eu acompanhei meu vizinho em suas reuniões durante um ano.

Certamente não posso dizer que "gostei" das reuniões; seria a palavra errada. Mas as reuniões se tornaram para mim um dos acontecimentos mais significativos de cada mês. Ao contrário de uma festa, em que todos os participantes tentam impressionar-se mutuamente com sinais de status e de poder, nesse grupo ninguém tentava impressionar. Roupas, modas, móveis de apartamento, títulos profissionais, carros novos — o que essas coisas significam para quem está se preparando para morrer? Mais do que qualquer outra pessoa que eu havia conhecido, os membros

---

[10] Martin Luther King Jr. Apud GARROW, David J. **Bearing the cross**. New York: William Morrow and Company, 1986. p. 81.

do grupo "Faça o dia de hoje valer" concentravam-se nas últimas coisas. Descobri-me desejando que alguns dos meus amigos superficiais, hedonistas, assistissem a uma reunião.

Mais tarde, quando escrevi a respeito do que aprendi com pessoas tristes e sofredoras, comecei a ouvir depoimentos. Tenho três pastas, cada uma com várias polegadas de espessura, cheias dessas cartas. Estão entre minhas propriedades mais preciosas. Uma carta, de 26 páginas, foi escrita numa folha de papel para anotações com linhas azuis por uma mãe assentada numa cadeira preguiçosa, do lado de fora de uma sala onde cirurgiões estavam operando um tumor cerebral em sua filha de quatro anos de idade. Outra veio de um tetraplégico que "escreveu" assoprando em um tubo, o que um computador traduzia em letras em uma impressora.

Muitas das pessoas que me escreveram não têm finais felizes em suas histórias. Algumas ainda se sentem abandonadas por Deus. Poucas encontraram respostas para os "porquês". Mas já vi bastante sofrimento para obter fé na promessa de Jesus de que os que choram serão consolados.

Conheço dois ministérios de pequena escala, dirigidos em casas particulares, que se desenvolveram a partir de sofrimento. O primeiro veio a existir quando uma mulher na Califórnia descobriu que seu filho, a menina dos seus olhos, estava morrendo de aids. Ela obteve pouca simpatia e pouco apoio de sua igreja e comunidade por causa da homossexualidade do jovem. Ela se sentiu tão sozinha e necessitada que decidiu começar um boletim que agora reúne uma rede de pais de gays. Embora ofereça pouco auxílio profissional e não prometa curas mágicas, agora centenas de outros pais consideram esta corajosa mulher uma salva-vidas.

Outra mulher, no Wisconsin, perdeu o único filho num desastre de helicóptero do Corpo de Fuzileiros Navais. Havia anos não conseguia sair da nuvem negra da tristeza. Mantinha o quarto do filho intacto, exatamente como ele o deixou. Finalmente, começou a perceber com que frequência os desastres de helicópteros são noticiados. Continuava pensando nas outras famílias que enfrentavam tragédias como a dela, imaginando se não poderia fazer alguma coisa. Agora, sempre que um helicóptero militar explode, ela envia um pacote de cartas e material útil para um funcionário do Departamento da Defesa que encaminha o pacote à família afetada. Cerca de metade delas dá início a uma correspondência regular, e em sua aposentadoria essa mulher do Wisconsin dirige a sua própria "comunidade de sofredores". A atividade não resolveu a tristeza por

As bem-aventuranças: felizes são os infelizes

seu filho, naturalmente, mas lhe deu um senso de significado, e ela já não se sente desamparada por causa dessa tristeza.

Não existe nenhum remédio mais eficiente, descobri, do que aquilo que Henri Nouwen chama "um curador ferido". Bem-aventurados são os que choram, pois serão consolados.

Bem-aventurados os que têm fome e sede de justiça. Em certo sentido, cada pessoa que mencionei nessa litania das bem-aventuranças manifesta essa promessa final de Jesus. Os "servos" que investem suas vidas entre os pobres e necessitados, François Mauriac lutando para se manter puro, Henri Nouwen lavando e vestindo Adam, Martin Luther King, Jr. e os discípulos da não violência, mães de homens gays e pilotos da Marinha que estenderam a mão além da sua dor — todos esses estão reagindo aos golpes da fome e da sede de justiça. Todos receberam uma recompensa, não apenas na vida futura, mas também nesta vida.

Uma freira albanesa passou dezesseis anos num convento exclusivo, ensinando geografia para as filhas dos mais ricos bengalis e britânicos de Calcutá. Um dia, numa viagem de trem para o Himalaia, ela ouviu uma voz que a chamava para mudar de caminho e ministrar aos pobres mais pobres. Alguém poderia realmente duvidar que madre Teresa encontrou mais realização pessoal em sua ocupação final do que na primeira? Já vi esse princípio surgir nos santos e em pessoas comuns com tanta frequência que agora entendo com facilidade por que os evangelhos repetem aquelas palavras de Jesus mais do quaisquer outras: "Pois aquele que quiser salvar a sua vida, perdê-la-á, mas quem perder a sua vida por amor de mim, achá-la-á".[11]

Jesus veio, ele nos disse, não para destruir a vida, mas para que a tivéssemos mais abundantemente, "vida [...] em abundância".[12] Paradoxalmente, obtemos essa vida abundante de maneiras que não imaginávamos. Nós a obtemos investindo nos outros, assumindo posição corajosa pela justiça, ministrando aos fracos e necessitados, buscando a Deus e não ao eu. Não me atreveria a sentir piedade por qualquer uma das pessoas que acabei de mencionar, embora todas tivessem convivido com dificuldades. Apesar de todos os seus "sacrifícios", elas me parecem mais cheias de vida, não menos. Os que têm fome e sede de justiça acham a satisfação.

---

[11] Mateus 16.25 et al.

[12] João 10.10

Nas bem-aventuranças, nessas palavras estranhas que à primeira vista parecem absurdas, Jesus oferece uma chave paradoxal para a vida abundante. O reino do céu, ele disse em outro lugar, é como um tesouro de tal valor que qualquer investidor astuto vai "em sua alegria"[13] vender tudo o que tem a fim de comprá-lo. Representa valor muito mais real e permanente do que qualquer outra coisa que o mundo tenha a. oferecer, pois esse tesouro pagará dividendos aqui na terra e também na vida futura. Jesus coloca ênfase não no que abandonamos, mas no que recebemos. Não seria de nosso próprio interesse buscar tal tesouro?

Quando ouvi as bem-aventuranças pela primeira vez, pareceram-me ideais impossíveis apresentados por algum místico sonhador. Agora, entretanto, vejo-as como verdades proclamadas por um realista tão pragmático, em cada palavra, quanto o general Norman Schwarzkopf. Jesus sabia como a vida funciona no reino do céu e também no reino deste mundo. Em uma vida caracterizada pela pobreza, pelo luto, pela humildade, pela fome de justiça, pela misericórdia, pela pureza, pela pacificação e pela perseguição, o próprio Jesus encarnava as bem-aventuranças. Talvez ele até concebesse as bem-aventuranças como um sermão para si mesmo e para o restante de nós, pois ele teria muitas oportunidades de praticar essas duras verdades.

---

[13]   Mateus 13.44

CAPÍTULO 7

MENSAGEM: UM SERMÃO OFENSIVO

A prova de nossa obediência aos ensinamentos de Cristo é a conscientização de nosso fracasso em alcançar um ideal perfeito. O grau em que nos aproximamos dessa perfeição não pode ser visto; tudo o que podemos ver é a extensão do nosso afastamento. — LEON TOLSTOI

As bem-aventuranças representam apenas o primeiro passo para a compreensão do sermão do monte. Muito tempo depois de reconhecer as verdades duradouras das bem-aventuranças, eu ainda meditava sobre a severidade intransigente do restante do sermão de Jesus. Sua qualidade absoluta me deixava sem fôlego. "Sede vós, pois, perfeitos, como perfeito é o vosso Pai que está nos céus",[1] disse Jesus, colocando sua declaração casualmente entre ordens de amar os inimigos e desfazer-se do dinheiro. Ser perfeito como Deus? O que ele queria dizer?

Não posso facilmente esquecer-me desse extremismo, porque ele volta à tona por toda parte nos evangelhos. Quando um rico perguntou a Jesus o que deveria fazer para garantir a vida eterna, Jesus lhe disse que se desfizesse do seu dinheiro — não de 10 %, nem 18,5 %, ou mesmo 50 %, mas de todo ele. Quando um discípulo perguntou se devia perdoar o seu irmão sete vezes, Jesus replicou: "Não te digo que até sete vezes, mas até setenta vezes sete".[2] Outras religiões ensinavam variações da "Regra de Ouro", mas exposta de forma mais

---

[1] Mateus 5.48

[2] Mateus 18.22

limitada, uma forma negativa: "Não faça aos outros o que você não quer que eles lhe façam". Jesus expandiu a Regra em sua forma sem limites: "Portanto, tudo o que vós quereis que os homens vos façam, fazei-o vós, também a eles".[3]

Alguém já viveu alguma vez uma vida tão perfeita quanto Deus? Alguém já seguiu a Regra de Ouro? Como podemos pelo menos reagir a tais ideais impossíveis? Nós, seres humanos, preferimos o bom senso e o equilíbrio, alguma coisa como Meio Termo de Ouro de Aristóteles, mais do que a Regra de Ouro de Jesus.

* * *

Uma amiga minha chamada Virginia Stem Owens[4] deu o sermão do monte à sua classe de redação em Texas A&M University, pedindo aos alunos que escrevessem um pequeno ensaio. Ela esperava que tivessem um respeito básico pelo texto, uma vez que o Cinturão Bíblico se estende por todo o Texas, mas as reações de seus alunos logo a desiludiram e a fizeram mudar de ideia. "Em minha opinião a religião é uma grande peça", escreveu um. "Há um velho ditado que diz que não devemos crer em tudo o que lemos, e ele se aplica a esse caso", escreveu outro.

Virginia se lembrou quando ela mesma foi apresentada ao sermão do monte, na escola dominical, em que cartazes com ilustrações suavemente coloridas mostravam Jesus assentado numa encosta verdejante, rodeado de crianças coradas, impacientes. Nunca lhe ocorreu reagir com desprezo ou com antipatia. Seus alunos pensavam de maneira diferente:

> Essa droga que as igrejas pregam é extremamente severa e não dá lugar a quase nenhum divertimento sem pensar se é pecado ou não. Não gosto do ensaio "Sermão do monte". É difícil de ler e me fez sentir como se tivesse de ser perfeito, e ninguém é.
>
> As coisas exigidas nesse sermão são absurdas. Olhar para uma mulher é adultério. É a declaração mais extremista, mais estúpida, mais desumana que já ouvi.

"A essa altura", Virginia escreveu acerca experiência, "comecei a me sentir encorajada. Há alguma coisa estranhamente inocente em não perceber que não

---

[3]   Mateus 7.12

[4]   God and man at Texas A&M. **The Reformed Journal**, p. 3-4, nov. 1987.

deveríamos chamar Jesus de estúpido [...]. Essa era uma coisa real, uma reação pura ao evangelho, não filtrada através de dois milênios de neblina cultural [...]. Achei estranhamente animador que a Bíblia permanecesse ofensiva a ouvidos honestos, ignorantes, exatamente como foi no primeiro século. Para mim, isso de alguma forma validava o seu significado. Enquanto as Escrituras quase perderam o seu sabor caracteristicamente restritivo durante o século passado, o atual analfabetismo bíblico amplamente espalhado deveria lançar-nos em uma situação bastante mais próxima de seu auditório original, do primeiro século".

Ofensivo, restritivo — sim, essas são palavras bem achadas para aplicar ao sermão do monte. Quando assisti a quinze tratamentos cinematográficos da cena, apenas uma pareceu capturar algo como a repugnância ao sermão original. Uma produção barata da BBC intitulada *Son of Man [Filho do Homem]* coloca o Sermão do Monte contra um fundo de caos e de violência. Os soldados romanos acabaram de invadir uma vila da Galileia para executar vingança por causa de alguma transgressão contra o império. Haviam enforcado homens judeus na idade de lutar, jogaram suas mulheres histéricas ao chão, até mesmo espetaram seus bebês com lanças para "ensinar uma lição a esses judeus". Nessa tumultuada cena de sangue e de lágrimas, de lamentação fúnebre, Jesus caminha com os olhos flamejantes.

> Eu vos digo: Amai vossos inimigos e orai por aqueles que vos perseguem.
>
> Olho por olho, dente por dente, certo? Assim falavam nossos antepassados. Amai vosso próximo, odiai vossos inimigos, certo? Mas eu digo que é fácil amar o próprio irmão, amar aqueles que vos amam. Até os cobradores de impostos fazem isso! Vós quereis que eu vos congratule por amarem vossos próprios parentes? Não, amai vossos inimigos.
>
> Amai o homem que vos chuta e cospe em vós. Amai o soldado que enfia a espada em vosso ventre. Amai o salteador que vos rouba e vos tortura.
>
> Ouvi! Amai vossos inimigos! Se um soldado romano bater em vossa face direita, oferecei-lhe a esquerda. Se um homem com autoridade ordenar que andeis uma milha, caminhai com ele duas. Se um homem vos processar por vossa túnica, dai-lhe também a capa.
>
> Ouvi! Eu vos digo, é difícil me seguir. O que vos digo não foi dito desde que o mundo começou!

Você consegue imaginar a reação dos habitantes da cidade diante desse conselho indesejável. O sermão do monte não os deixava perplexos; ele os enfurecia.

Logo no começo do sermão do monte, Jesus respondeu a uma pergunta frontal que preocupava a maioria dos seus ouvintes: ele era um revolucionário ou um autêntico profeta judeu? Aqui está a descrição de seu relacionamento com a Tora feito pelo próprio Jesus:

> Não penseis que vim destruir a lei ou os profetas; não vim para destruí-los, mas para cumpri-los [...].
> Pois vos digo que, se a vossa justiça não exceder a dos escribas e fariseus, de modo nenhum entrareis no reino dos céus.[5]

Esta última declaração certamente fez a multidão se endireitar e prestar atenção. Os fariseus e os mestres da lei competiam entre si em matéria de severidade. Haviam pulverizado a lei de Deus em 613 regras — 248 mandamentos e 365 proibições — e escoravam essas regras com 1521 emendas. Para não transgredir o terceiro mandamento, "Não tomarás o nome do Senhor teu Deus em vão",[6] recusavam-se a pronunciar o nome de Deus totalmente. Para evitar a tentação sexual, tinham o costume de abaixar a cabeça e de nem mesmo olhar para mulheres (os mais escrupulosos eram conhecidos como "fariseus sangrentos",[7] por causa de frequentes colisões com muros e outros obstáculos). Para não conspurcar o sábado, excluíam 39 atividades que poderiam ser chamadas "trabalho". Como poderia a justiça de uma pessoa comum algum dia *ultrapassar* a desses homens santos profissionais?

O sermão do monte pormenoriza exatamente o que Jesus queria dizer, e essa explicação é que parecia tão absurda tanto aos alunos do século XX da Texas A&M como aos judeus do primeiro século na Palestina. Utilizando a Tora como ponto de partida, Jesus empurrou a lei na mesma direção, mais longe do que qualquer fariseu se atrevera a fazê-lo, mais longe do que qualquer monge do universo moral jamais se atrevera a vivê-la. O sermão do monte introduziu nova lua no universo que tem exercitado sua própria força de gravidade desde então.

---

[5]   Mateus 5.17,20

[6]   Êxodo 20.7

[7]   LEEUWEN, Mary Stewart van. Why Christians should take the men's movement seriously. **Radix**, v. 21, n. 3, p. 6.

Jesus tornou a lei impossível para qualquer um guardar e depois nos desafia a guardá-la. Considere alguns exemplos.

Toda sociedade humana na história teve a sua lei contra o homicídio. Há variações, naturalmente: os Estados Unidos permitem matar em defesa própria ou em circunstância fora do comum quando o cônjuge sofrer abuso. Mas nenhuma sociedade jamais apareceu com alguma coisa como a definição ampliada do homicídio de Jesus: "Eu, porém, vos digo que qualquer que, sem motivo, se encolerizar contra seu irmão, estará sujeito a julgamento [...]. Mas quem disser: Tolo! Estará sujeito ao fogo do inferno".[8] Tendo crescido junto com um irmão mais velho, eu me atormentava com esse versículo. Podem dois irmãos enfrentar as tempestades da adolescência sem utilizar palavras como "estúpido" e "bobo"?

Toda sociedade também tem tabus contra a promiscuidade sexual. Atualmente pelo menos um colégio exige que os estudantes do sexo masculino peçam permissão às estudantes para cada estágio de contato sexual. Enquanto isso, alguns grupos feministas estão tentando forjar um elo legal entre pornografia e crimes contra as mulheres. Mas nenhuma sociedade jamais propôs uma regra tão severa como Jesus: "Eu, porém, vos digo: Qualquer que olhar para uma mulher com intenção impura, no coração já cometeu adultério com ela. Portanto, se o teu olho direito te escandalizar, arranca-o e atira-o para longe de ti. É melhor que se perca um dos teus membros do que seja todo o teu corpo lançado no inferno".

Já ouvi pedidos de castração de estupradores em série, mas nunca ouvi uma proposta de mutilação facial por conta da concupiscência. Realmente, a concupiscência nos Estados Unidos é um passatempo nacional estabelecido, celebrado em propaganda de jeans e cerveja, na publicação anual de maiôs da *Sports Illustrated* e nos vinte milhões de exemplares de revistas pornográficas vendidas a cada mês. Quando o candidato a presidente Jimmy Carter tentou explicar esse versículo na entrevista da revista *Playboy*, a imprensa reagiu com o que John Updike descreveu como "nervosa hilariedade". "Como soa estranha aos ouvidos modernos", disse Updike,[9] "a ideia de que a concupiscência — desejo sexual que vem à tona tão involuntariamente como a saliva — é perversa em si mesma!".

Quanto ao divórcio, no tempo de Jesus os fariseus debatiam acaloradamente como interpretar as regras do Antigo Testamento. O conhecido rabino Hillel

---

[8] Todas essas declarações foram extraídas do sermão do monte, Mateus 5-7.

[9] UPDIKE, John. Even the Bible is soft on sex. **The New York Times Book Review**, p. 3, 20 jun. 1993.

ensinava que um homem podia divorciar se de sua mulher se ela fizesse qualquer coisa que fosse para desagradá-lo, mesmo uma coisa tão trivial como queimar a comida; o marido só tinha de pronunciar "eu me divorcio de você" três vezes para que o divórcio fosse válido. Jesus se opôs: "Eu, porém, vos digo que qualquer que repudiar sua mulher, a não ser por causa de infidelidade conjugal, faz que ela cometa adultério, e aquele que casar com a repudiada, comete adultério".

Finalmente, Jesus enunciou o princípio da não violência. Quem poderia pelo menos sobreviver com a regra que Jesus estipulou: "Não resistais ao homem mau. Se alguém te bater na face direita, oferece-lhe também a outra. E se alguém quiser demandar contigo e tirar-te a túnica deixa-lhe também a capa". Arregalo os olhos diante desses e de outros mandamentos severos do sermão do monte e pergunto-me como reagir. Será que Jesus realmente espera que eu dê esmola a qualquer mendigo que cruzar o meu caminho? Eu deveria abandonar toda a insistência sobre os direitos do consumidor? Cancelar minhas apólices de seguro e confiar a Deus o meu futuro? Jogar fora a televisão para evitar as tentações da concupiscência? Como posso traduzir tais ideais éticos em minha vida quotidiana?

* * *

Uma vez me entreguei a uma maratona de leitura procurando a "chave" para entender o sermão do monte, e recebi alguma consolação porque fiquei sabendo que eu não era o primeiro a atrapalhar-me com seus elevados ideais. Através da história da igreja, as pessoas têm procurado caminhos confortáveis para conciliar as exigências absolutas de Jesus com a realidade sinistra da delinquência humana.

Tomás de Aquino dividiu os ensinamentos de Jesus em Preceitos e Conselhos, que em linguagem mais moderna poderíamos rebatizar de Exigências e Sugestões. Os preceitos abrangem leis morais universais como os dez mandamentos. Mas, para as ordens mais idealistas como as declarações de Jesus acerca da ira e da concupiscência, Aquino aplicou um padrão diferente: embora possamos aceitá-las como um bom modelo e lutemos para segui-las, não têm a força moral dos Preceitos. A Igreja Católica Romana mais tarde modificou a diferenciação de Aquino em listas de pecados "mortais" e "veniais".

Martinho Lutero interpretou o sermão do monte à luz da fórmula de Jesus "Dai a César o que é de César, e a Deus o que é de Deus".[10] Os cristãos mantêm

---

[10]   Mateus 22.21

Mensagem: um sermão ofensivo

uma cidadania dupla, ele disse: uma no reino de Cristo e outra no reino do mundo. O extremismo do sermão do monte se aplica absolutamente ao reino de Cristo, não ao do mundo. Considere os mandamentos "Amar os inimigos" e "Não resistir a uma pessoa má"; naturalmente não se aplicam ao estado! A fim de evitar a anarquia, o governo deve resistir e repelir os inimigos. Portanto, um cristão deveria aprender a separar o ofício da pessoa: um soldado cristão, digamos, deve executar as ordens de lutar e de matar mesmo quando está seguindo a lei de Cristo de amar os inimigos em seu coração.

No tempo de Lutero, diversos movimentos anabatistas escolheram um método radicalmente diferente. Todas as tentativas de diluir as ordens diretas de Jesus são desencaminhantes, diziam. A igreja primitiva não citava a ordem de Cristo de "amar seus inimigos" com mais frequência do que quaisquer outras durante os quatro primeiros séculos? Leia simplesmente o sermão do monte. Jesus não diferenciou entre Preceitos e Conselhos, ou o ofício e a pessoa. Ele diz para não resistir à pessoa má, para não jurar, para dar aos necessitados, para amar os inimigos. Devemos seguir seus mandamentos da maneira mais literal possível. Por isso alguns grupos assumiam o voto de não possuir propriedades pessoais. Outros, como os quacres, recusavam-se a fazer juramentos ou a tirar o chapéu para uma autoridade e se opunham à existência do exército ou mesmo de uma força policial. Posteriormente, milhares de anabatistas foram mortos na Europa, na Inglaterra e na Rússia; muitos sobreviventes atravessaram o oceano e foram para a América, onde tentaram fundar colônias e comunidades com base nos princípios do sermão do monte.[11]

Nos Estados Unidos, no século XIX, surgiu um movimento teológico com uma nova interpretação do sermão do monte. Os dispensacionalistas explicaram tais ensinamentos como o último vestígio da dispensação da Lei, a ser logo substituídos pela dispensação da Graça, depois da morte e da ressurreição de Jesus. Por isso não precisamos seguir estritamente seus mandamentos. A popular Bíblia de Scofield explicou o sermão como "lei pura", mas com "bela aplicação moral para o cristão".

Ainda outra interpretação veio de Albert Schweitzer, que via o sermão do monte como um conjunto de ordens interinas para ocasiões fora do comum.

---

[11] Reagindo aos anabatistas, Lutero escreveu zombeteiramente acerca de um cristão que deixava os ratos mordiscá-lo porque não matava parasitas para não se arriscar a desobedecer ao mandamento "Não resistais ao homem mau".

Convencido de que o mundo logo acabaria no apocalipse, Jesus estava pondo em prática uma "lei marcial". Considerando que o mundo não acabou, devemos agora considerar suas instruções de maneira diferente.

Com regularidade estudei todos esses movimentos, tentando compreender o sermão do monte da perspectiva deles — e, tenho de admitir, tentando encontrar um jeito de me esquivar de suas severas exigências. Cada escola de pensamento contribuía com perspectivas importantes, mas cada uma delas também parecia ter um ponto cego. Tal como a maior parte das elucidações do médico, as categorias de Aquino de Preceitos e Conselhos faziam bom sentido, mas não foi uma diferenciação feita por Jesus. Parece que Jesus igualou o Preceito "Não cometerás adultério" com o Conselho "[...] Qualquer que olhar para uma mulher com intenção impura no coração já cometeu adultério com ela". A solução de Lutero parecia original e sábia, mas a Segunda Guerra Mundial demonstrou o abuso esquizofrênico a que pode dar lugar. Muitos cristãos luteranos serviram no exército de Hitler com a consciência limpa: "apenas seguindo ordens", executaram a obrigação para com o estado, mantendo fidelidade interior a Cristo.

Quanto aos anabatistas e outros literalistas, sua reação de não violência à perseguição permanece como um dos momentos reluzentes na história da igreja. Mas eles mesmos admitiram seu fracasso de cumprir literalmente cada mandamento no sermão do monte. Os quacres, por exemplo, encontraram um jeito de contornar as regras a fim de ajudar a causa da Revolução Americana. E o que dizer das declarações inflexíveis de Jesus contra a ira e a concupiscência? Orígenes tomou a advertência contra a concupiscência em seu extremo literal muitos séculos atrás, mas a igreja, horrorizada, baniu a sua solução de castração.

Os dispensacionalistas e apocalípticos encontraram meios inteligentes de esquivar-se às exigências mais duras do sermão de Jesus, mas me pareceram exatamente isso: meios de se esquivar. O próprio Jesus não deu indicação de que esses mandamentos se aplicavam apenas a um curto período ou em circunstâncias especiais. Ele os pronunciou com autoridade ("Eu, porém, vos digo [...]") e severidade ("Qualquer que violar um destes menores mandamentos, e assim ensinar aos homens, será chamado o menor no reino dos céus [...]").

Por mais que me esforçasse, não conseguia encontrar um jeito fácil de contornar ou atravessar o sermão do monte. Como um caso de depressão de primeiro grau, minha dissonância cognitiva das palavras de Jesus mantiveram-me em estado de inquietação espiritual. Se o sermão do monte estabelece o padrão de santidade de Deus, concluí, então eu também teria de resignar-me desde o começo. O sermão do monte não me ajudava a melhorar; simplesmente revelava tudo o que eu não tinha.

Finalmente encontrei uma chave para compreender o sermão do monte, não nas obras dos grandes teólogos, mas num lugar mais improvável: as obras de dois romancistas russos do século XIX. Deles extraí minha própria opinião sobre o sermão do monte e seu mosaico de lei e graça, constituído de metade de Tolstoi[12] e de metade de Dostoievski.[13]

Com Tolstoi aprendi a ter profundo respeito pelo Ideal de Deus inflexível, absoluto. Os ideais éticos que Tolstoi encontrou nos evangelhos atraíram-no como uma chama, embora o seu fracasso de viver segundo aqueles ideais finalmente o consumisse. Como os anabatistas, Tolstoi lutou para obedecer ao sermão do monte literalmente, e sua intensidade logo levou sua família a sentir-se como que vítima de sua busca pela santidade. Por exemplo, depois de ler a ordem de Jesus ao homem rico de desfazer-se de tudo, Tolstoi decidiu libertar os servos, doar seus direitos autorais e abrir mão do vasto patrimônio. Usava roupas de camponês, fazia os próprios calçados e começou a trabalhar nos campos. Sua esposa, Sonya, vendo que a segurança financeira da família ia vaporizar-se, protestou petulantemente até que ele fez algumas concessões.

Quando li os diários de Tolstoi, vi *flashbacks* de minhas próprias investidas para o perfeccionismo. Os diários registram muitas lutas entre Tolstoi e sua família, mas muito mais entre Tolstoi e ele mesmo. Na tentativa de alcançar a perfeição, ele continuava planejando novas listas de regras. Ele deixou de caçar, de fumar, de beber e de comer carne. Ele esboçou "Regras para desenvolvimento

---

[12]   V. Shirer, William L. **Love and hatred. The stormy marriage of Lev and Sonya Tolstoy**. New York: Simon & Schuster, 1994.

[13]   No começo da década de 1970, Malcolm Muggeridge foi surpreendido ao ouvir que membros da elite intelectual da União Soviética estavam passando por um reavivamento espiritual. Anatoli Kuznetsov, vivendo exilado na Inglaterra, contou-lhe que talvez não houvesse nem um só escritor, artista ou músico na URSS que não estivesse explorando assuntos espirituais. Muggeridge disse: "Perguntei a ele [Kuznetsov] como isso poderia acontecer, dada a enorme tarefa de lavagem cerebral antirreligiosa feita entre os cidadãos e a ausência total de escritos cristãos, inclusive dos evangelhos. Sua resposta foi memorável; as autoridades, ele disse, esqueceram-se de acabar com as obras de Tolstoi e de Dostoievski, a mais perfeita exposição da fé cristã dos tempos modernos (Muggeridge, Malcolm. "Books". **Esquire**, p. 39, abr. 1972).

da vontade emocional. Regras para desenvolvimento de sentimentos elevados e eliminação dos sentimentos baixos". Mas não conseguia nunca exercer a autodisciplina necessária para seguir as regras. Mais de uma vez, Tolstoi fez um voto público de castidade e pediu quartos separados. Não conseguia manter o voto por muito tempo, e, para grande vergonha sua, as dezesseis vezes que Sonya ficou grávida proclamaram ao mundo a sua incapacidade.

Às vezes Tolstoi conseguia realizar um grande bem. Por exemplo, depois de um longo hiato escreveu seu último romance, *Ressurreição*, com a idade de 71 anos, em apoio aos *doukhobors* — grupo anabatista perseguido pelo czar — doando todo o produto da venda do livro para financiar a emigração deles para o Canadá. E, conforme mencionei, a filosofia de Tolstoi de não violência, saída diretamente do sermão do monte, teve um impacto que sobreviveu a ele por muito tempo, em descendentes ideológicos como Gandhi e Martin Luther King, Jr.

Entretanto, para cada Gandhi suscitado por tais ideais elevados, há um crítico ou biógrafo repelido pelo fracasso miserável de Tolstoi em alcançar aqueles ideais. Francamente, não conseguiu praticar o que pregava. Sua esposa expressou muito bem (numa narrativa obviamente preconceituosa):

> Há tão pouca cordialidade nele; sua bondade não vem do seu coração, mas simplesmente dos seus princípios. Suas biografias vão contar como ele ajudou os trabalhadores a carregar baldes de água, mas ninguém nunca saberá que ele nunca deu à esposa um descanso e nunca deu — em todos esses 32 anos — a seu filho um gole de água ou passou cinco minutos ao lado de sua cama para me dar uma oportunidade de descansar um pouco de todos os meus labores.[14]

Os ardentes avanços de Tolstoi para a perfeição nunca resultaram em semelhança alguma de paz ou de serenidade. Até o momento de sua morte os diários e as cartas continuaram girando de volta ao deplorável tema do fracasso. Quando escrevia acerca de sua fé religiosa, ou tentava viver essa fé, o antagonismo entre a realidade e o ideal assediavam-no como um fantasma. Honesto demais para se enganar, ele não podia silenciar a consciência que o acusava porque sabia que sua consciência tinha razão.

---

[14] Do diário de Sonya Tolstoi, 26 jan. 1895.

Mensagem: um sermão ofensivo

Leon Tolstoi era um homem profundamente infeliz. Fulminava a corrupta Igreja Ortodoxa Russa do seu tempo e recebeu dela a sua excomunhão. Seus esquemas para melhorar afundaram todos. Precisou esconder todas as cordas de sua propriedade e desfazer-se de todas as armas a fim de resistir à tentação do suicídio. No final, Tolstoi fugiu de sua fama, de sua família, de sua propriedade, de sua identidade; morreu como um vagabundo em uma estação ferroviária rural.

O que, então, aprendi da vida trágica de Leon Tolstoi? Li muitas de suas obras religiosas, e sem exceção recebi inspiração de sua penetrante visão do Ideal de Deus. Aprendi que, ao contrário dos que dizem que o evangelho resolve nossos problemas, de muitas maneiras o evangelho na verdade aumenta os nossos fardos — nas questões de justiça, nas questões de dinheiro, nas questões de raça. Tolstoi viu isso, e nunca rebaixou os ideais do evangelho. Um homem desejoso de libertar seus servos e desfazer-se de suas propriedades em simples obediência à ordem de Cristo não é fácil de rejeitar. Se tão somente conseguisse viver segundo aqueles ideais — se tão somente eu conseguisse vivê-los.

A seus críticos Tolstoi respondeu: "Não julguem os santos ideais de Deus pela minha incapacidade de alcançá-los. Não julguem Cristo por aqueles de nós que imperfeitamente usam o seu nome". Uma passagem especialmente, extraída de uma carta pessoal, mostra como Tolstoi respondeu a tais críticas no final da vida. Ela permanece como um resumo de sua peregrinação espiritual, e ao mesmo tempo é uma afirmação gritante da verdade na qual ele cria de todo o coração e um apelo plangente pela graça que ele nunca entendeu inteiramente.

> "E você, Lev Nikolaievich, você prega muito bem, mas executa o que prega?" Essa é a mais natural das perguntas, que sempre me fazem; geralmente é feita de maneira vitoriosa, como se fosse um meio de fechar minha boca. "Você prega, mas como você vive?" E respondo que não prego, que não sou capaz de pregar, embora o deseje apaixonadamente. Só posso pregar pelas minhas ações, e minhas ações são vis [...]. E respondo que sou culpado, e vil, e digno de desprezo pelo meu fracasso em vivê-los.
>
> Ao mesmo tempo, não a fim de justificar, mas simplesmente a fim de explicar minha falta de coerência, digo: "Veja minha vida atual e depois minha vida anterior, e você verá que não tento vivê-los [os preceitos cristãos]. É verdade que não tenho cumprido a milésima parte deles, e tenho vergonha disso, mas deixei de cumpri-los não porque não quisesse, mas porque não fui capaz. Ensine-me

a escapar da rede das tentações que me rodeiam, ajude-me e os cumprirei; mesmo sem ajuda quero e espero cumpri-los.

"Ataque-me, eu mesmo o faço, mas ataque-me em vez de atacar o caminho que sigo e que aponto a qualquer um que me pergunta onde acho que ele se encontra. Se conheço o caminho para casa e estou andando por ele como um bêbado, ele não deixa de ser o caminho certo apenas porque estou cambaleando de um lado para outro! Se não é o caminho certo, então me mostre outro caminho; mas se cambaleio e perco o caminho, você deve ajudar-me, você deve manter-me no caminho verdadeiro, exatamente como estou pronto a apoiar você. Não me desencaminhe, não se alegre porque me perdi, não grite de alegria: `Vejam-no! Ele disse que está indo para casa, mas ali está ele rastejando em um atoleiro'. Não, não se regozije com o meu erro, mas me dê a sua ajuda e o seu apoio".[15]

Sinto-me triste lendo as obras religiosas de Tolstoi. A visão raio-X do coração humano que fez dele um grande romancista também fez dele um cristão torturado. Como um salmão na desova, ele lutou corrente acima a vida inteira, entrando em colapso no final de exaustão moral.

Mas também me sinto grato a Tolstoi, pois sua busca incansável de fé autêntica provocou uma impressão indelével sobre mim. Primeiro passei por seus romances durante um período quando eu estava sofrendo dos efeitos póstumos do "abuso infantil bíblico". As igrejas nas quais cresci continham fraudes demais, ou pelo menos é o que eu via na arrogância dos jovens. Quando observei o imenso precipício entre os ideais do evangelho e as falhas dos seus seguidores, senti-me penosamente tentado a abandonar esses ideais como desesperadamente inatingíveis.

Então descobri Tolstoi. Ele foi o primeiro autor que, para mim, realizou essa dificílima tarefa: tornou o Bem uma coisa tão crível e tão atraente quanto o Mal. Descobri em seus romances, fábulas e contos uma fonte vesuviana de poder moral. De maneira certa ele elevou minha visão.

A. N. Wilson,[16] biógrafo de Tolstoi, observa que Tolstoi sofria de uma "incapacidade teológica fundamental de entender a encarnação. Sua religião era

---

[15] Apud WILSON, A. N. **The lion and the honeycomb. The religious writings of Tolstoy**. San Francisco: Harper & Row. p. 147-148.

[16] WILSON, A. N. **The lion and the honeycomb**... cit., p. 17.

Mensagem: um sermão ofensivo

em última análise uma coisa de lei e não de graça, um esquema para melhorar o ser humano e não uma visão de Deus penetrando em um mundo caído". Com clareza cristalina, Tolstoi podia ver a sua própria incapacidade à luz do Ideal de Deus. Mas não podia dar um passo mais de confiança na graça de Deus para vencer essa incapacidade.

Logo depois de ler Tolstoi, descobri seu conterrâneo Fiodor Dostoievski.[17] Esses dois, os mais famosos e consumados de todos os escritores russos, viveram e trabalharam no mesmo período da história. Estranho é que nunca se conheceram, e talvez fosse bom — eram opostos em tudo. Enquanto Tolstoi escrevia romances animados e luminosos, Dostoievski escrevia histórias tenebrosas e taciturnas. Enquanto Tolstoi tratava de esquemas ascéticos para autoaperfeiçoamento, Dostoievski periodicamente esbanjava sua saúde e fortuna no álcool e no jogo. Dostoievski fez muitas coisas erradas, mas uma ele fez direito: seus romances comunicavam a graça e o perdão com uma força tolstoiana.

Cedo na vida, Dostoievski passou por uma quase ressurreição. Foi preso por pertencer a um grupo considerado traidor pelo czar Nicolau I, que, para impressionar o gabinete dos jovens radicais sobre os erros deles, condenou-os à morte e realizou uma execução simulada. Os conspiradores foram vestidos com brancas mortalhas e levados a uma praça pública, onde um esquadrão de atiradores os aguardava. Com vendas nos olhos, vestidos em mortalhas brancas, as mãos amarradas atrás, foram exibidos a uma multidão parva e depois amarrados a postes. No instante derradeiro, quando a ordem "Apontar!" foi ouvida e as armas foram engatilhadas e apontadas para o alto, um cavaleiro chegou a galope com uma mensagem do czar arranjada de antemão: ele misericordiosamente convertia as sentenças deles para trabalhos forçados.

Dostoievski jamais se recuperou dessa experiência. Ele havia espiado nas mandíbulas da morte, e daquele momento em diante a vida se tornou preciosa para ele além da imaginação. "Agora minha vida vai mudar", ele disse; "nascerei de novo de outra forma". Quando tomou o trem dos condenados para a Sibéria, um homem devoto entregou-lhe um Novo Testamento, o único livro permitido na prisão. Crendo que Deus havia concedido a ele uma segunda oportunidade para atender ao seu chamado, Dostoievski meditou sobre o Novo Testamento durante o seu confinamento. Depois de dez anos saiu do exílio com inabaláveis convicções

---

[17] V. FRANK, Joseph. **Dostoevsky, the years of ordeal, 1850-1859**. Princeton: Princeton University Press, 1983.

cristãs, conforme expresso em uma famosa passagem: "Se alguém me provasse que Cristo não estava na verdade [...] então eu preferiria permanecer com Cristo a permanecer com a verdade".

A prisão ofereceu a Dostoievski outra oportunidade também. Ela o forçou a conviver com ladrões, com homicidas e com camponeses beberrões. Sua vida partilhada com a vida dessa gente levou-o mais tarde a caracterizações inigualáveis em seus romances, tais como o assassino Raskolnikov em *Crime e castigo*. A visão liberal de Dostoievski da bondade inerente na humanidade entrou em choque com o mal granítico que ele encontrou em seus companheiros de cela. Mas com o passar do tempo ele também vislumbrou a imagem de Deus até mesmo no mais indigno prisioneiro. Veio a crer que apenas sendo amado um ser humano se torna capaz de amar; "Nós o amamos porque ele [Deus] nos amou primeiro",[18] como diz o apóstolo João.

Encontrei a graça nos romances de Dostoievski. *Crime e castigo* é um retrato de um ser humano desprezível que comete um crime desprezível. Mas a graça entra na vida de Raskolnikov também, pela pessoa da prostituta Sonia, convertida, que o segue até a Sibéria e o conduz à redenção. *Os irmãos Karamazov*, talvez o maior romance já escrito, traça um contraste entre Ivan, o brilhante agnóstico, e seu irmão devoto, Alyosha. Ivan pode criticar os fracassos da humanidade e cada sistema político idealizado para lidar com esses fracassos, mas não tem soluções para oferecer. Alyosha não tem soluções para os problemas intelectuais que Ivan suscita, mas tem uma solução para a humanidade: amor. "Não sei a resposta para o problema do mal", disse Alyosha, "mas conheço o amor". Finalmente, no mágico romance *O idiota*, Dostoievski apresenta a figura de Cristo na forma de um príncipe epiléptico. Sossegadamente, misteriosamente, o príncipe Myshkin se movimenta pelos círculos da classe alta da Rússia, denunciando suas hipocrisias enquanto também ilumina suas vidas com bondade e verdade.

Juntos, esses dois russos tornaram-se para mim, num momento crucial de minha peregrinação cristã, meus orientadores espirituais. Ajudaram-me a chegar a um acordo com o paradoxo central da vida cristã. Com Tolstoi aprendi a necessidade de olhar para dentro, para o reino de Deus que está em mim. Vi como falhara miseravelmente nos elevados ideais do evangelho. Mas com Dostoievski aprendi a total extensão da graça. Não é apenas o reino de Deus que está em

---

[18]   1João 4.19

mim; o próprio Cristo habita ali. "Mas onde o pecado abundou, superabundou a graça",[19] como disse Paulo em Romanos.

Existe apenas um meio para qualquer um de nós resolver a tensão entre os elevados ideais do evangelho e a triste realidade de nós mesmos: aceitar aquilo que nunca conseguiremos medir, mas que não precisamos medir. Somos julgados pela justiça de Cristo que vive em nós, não a nossa justiça. Tolstoi estava certo pela metade: qualquer coisa que me faça sentir à vontade com o padrão moral de Deus, qualquer coisa que me faça pensar "Finalmente consegui" é mentira cruel. Mas Dostoievski tem a outra metade certa: qualquer coisa que me faça sentir mal com o amor perdoador de Deus também é uma mentira cruel. "Portanto, agora nenhuma condenação há para os que estão em Cristo Jesus":[20] essa mensagem, Leon Tolstoi jamais captou plenamente.

Ideais absolutos e graça absoluta: depois de aprender a mensagem dual dos romancistas russos, voltei para Jesus e descobri que ela, essa mensagem, espalha os ensinamentos dele por todo o evangelho e especialmente no sermão do monte. Em sua resposta ao jovem e rico advogado, na parábola do bom samaritano, em seus comentários acerca do divórcio, do dinheiro ou de qualquer "outro assunto moral, Jesus nunca rebaixou o Ideal de Deus. "Sede vós, pois, perfeitos, como perfeito é o vosso Pai que está nos céus",[21] ele disse. "Amarás o Senhor teu Deus de todo o teu coração, de toda a tua alma e de todo o teu entendimento."[22] Nem Tolstoi, nem Francisco de Assis, nem a madre Teresa, nem ninguém cumpriu completamente esses mandamentos.

Mas esse mesmo Jesus ofereceu ternamente a graça absoluta. Jesus perdoou uma adúltera, um ladrão na cruz, um discípulo que negou que o conhecia. Ele preparou esse discípulo traidor, Pedro, para fundar a sua igreja e, para dar o próximo passo, voltou-se para um homem chamado Saulo, que se destacou perseguindo cristãos. A graça é absoluta, inflexível, abrangente. Ela se estende até mesmo às pessoas que pregaram Jesus na cruz: "Pai, perdoa-lhes, pois não sabem o que fazem"[23] foram algumas das últimas palavras de Jesus na terra.

Durante anos me sentia tão indigno diante dos ideais absolutos do sermão do monte que não percebi neles nenhuma noção da graça. Entretanto, quando

---

[19]   Romanos 5.20

[20]   Romanos 8.1

[21]   Mateus 5.48

[22]   Mateus 22.37

[23]   Lucas 23.34

entendi a mensagem dual, voltei e descobri que a mensagem da graça perpassa todo o sermão. Começa com as bem-aventuranças — bem-aventurados os pobres de espírito, aqueles que choram, os mansos; bem-aventurados são os desesperados — e vai até o pai-nosso: "Perdoa-nos as nossas dívidas [...] livra-nos do mal". Jesus começou esse grande sermão com palavras gentis para os necessitados e continuou com uma oração que foi modelo para todos os grupos que trabalham com desafios de doze passos. "Um dia de cada vez", dizem os alcoólatras dos AA; "O pão nosso de cada dia nos dá hoje", dizem os cristãos. A graça é para os desesperados, os necessitados, os quebrantados, os que não conseguem realizar nada por si mesmos. A graça é para todos nós.

Durante anos pensei que o sermão do monte fosse um modelo para o comportamento humano que ninguém conseguiria seguir. Lendo-o de novo, descobri que Jesus pronunciou essas palavras não para nos sobrecarregar, mas para nos dizer como *Deus* é. O caráter de Deus é a matriz do sermão do monte. Por que deveríamos amar os nossos inimigos? Porque o Pai clemente faz o seu sol nascer sobre maus e bons. Por que ser perfeito? Porque Deus é perfeito. Por que acumular tesouros no céu? Porque o Pai vive lá e vai nos recompensar prodigamente. Por que viver sem medo e sem preocupações? Porque o mesmo Deus que veste os lírios e a vegetação do campo prometeu cuidar de nós. Por que orar? Se um pai terrestre dá pão e peixe ao filho, quanto mais o Pai no céu dará boas dádivas àqueles que lhe pedirem.

Como poderia não ter percebido isso? Jesus não proclamou o sermão do monte para que nós, como Tolstoi, vincássemos a testa em desespero por não conseguirmos alcançar a perfeição. Ele o deu para nos transmitir o Ideal de Deus para o qual não devemos nunca parar de avançar, mas também para nos mostrar que nenhum de nós jamais atingirá esse Ideal. O sermão do monte nos força a reconhecer a grande distância entre Deus e nós, e qualquer tentativa de reduzir essa distância de alguma forma moderando suas exigências nos faz errar o alvo completamente.

A pior tragédia seria transformar o sermão do monte em outra forma de legalismo; ele deveria, antes, acabar com todo o legalismo. O legalismo, como os fariseus, vai sempre falhar, não porque seja severo demais, mas porque não é suficientemente severo. Trovejando, o sermão do monte prova indiscutivelmente que diante de Deus todos estão no mesmo nível: assassinos e "pavios-curtos", adúlteros e concupiscentes, ladrões e cobiçosos. Todos estamos desesperados, e esse é de fato o único estado apropriado para um ser humano que deseja conhecer a Deus. Tendo-se afastado do Ideal absoluto, não temos onde aterrissar, a não ser na segurança da graça absoluta.

CAPÍTULO 8

MISSÃO: UMA REVOLUÇÃO DA GRAÇA

A qualidade da misericórdia não está deformada.
Cai como a mansa chuva vinda do céu... E o poder da terra vai então se
mostrar como o de Deus, Quando a misericórdia tempera a justiça.
— SHAKESPEARE, *O mercador de Veneza*

Enquanto minha classe em Chicago lia os evangelhos e assistia a filmes sobre a vida de Jesus, notamos um padrão assombroso: quanto mais sem sabor as personagens, mais à vontade pareciam sentir-se ao redor de Jesus. Pessoas como essas achavam Jesus atraente: um pária social samaritano, um oficial militar do tirano Herodes, um cobrador de impostos traidor, uma recente hospedeira de sete demônios.

Em contrapartida, Jesus recebia uma reação gelada de tipos mais respeitáveis. Os piedosos fariseus achavam-no desajeitado e mundano, um rico e jovem advogado afastou-se sacudindo a cabeça e até mesmo o esclarecido Nicodemos procurou um encontro sob a cobertura das trevas.

Frisei para a classe como esse padrão parecia estranho, uma vez que a igreja agora atrai tipos respeitáveis que se parecem muito com as pessoas que mais suspeitavam de Jesus na terra. O que teria acontecido para inverter o padrão existente no tempo de Jesus? Por que os pecadores não gostam de ficar ao nosso redor?

Recontei uma história transmitida por um amigo que trabalha com os vagabundos de Chicago. Uma prostituta veio a ele em situação muito difícil, sem casa, a saúde falhando, sem dinheiro para comprar alimento para a filha de dois anos de idade. Com os olhos cheios de lágrimas, confessou que estivera alugando a filha — de dois anos! — para homens interessados em sexo exótico; para sustentar o seu próprio vício de drogas. Meu amigo mal aguentava ouvir os sórdidos pormenores daquela história. Ele ficou em silêncio, não sabendo o que dizer. Finalmente perguntou se ela já pensara em ir a uma igreja pedir ajuda. "Nunca esquecerei o olhar de puro espanto que se estampou em seu rosto", ele me contou.

"Igreja!", ela exclamou. "Por que iria a uma igreja? Eles apenas fariam que me sentisse ainda pior do que já me sinto!"

De alguma forma criamos uma comunidade respeitável na igreja, eu disse à minha classe. Os miseráveis, que se reuniam ao redor de Jesus quando ele vivia na terra, já não se sentem bem vindos. Como Jesus, que era a única pessoa perfeita na história, conseguia atrair os sabidamente imperfeitos? E o que nos impede de seguir seus passos hoje?

Alguém na classe disse que o legalismo na igreja criara uma barreira de regras severas que fazia os não cristãos se sentirem mal. A discussão da classe deu abruptamente uma guinada em nova direção, quando os sobreviventes de faculdades cristãs e de igrejas fundamentalistas começaram a trocar histórias de conflitos. Contei minha própria confusão quando, no começo da década de 1970, o infalível "Moody Bible Institute", localizado a apenas quatro quarteirões da nossa igreja, estava banindo todas as barbas, bigodes e cabelos abaixo das orelhas dos estudantes do sexo masculino — embora os estudantes passassem diante de uma grande pintura de Dwight L. Moody, transgressor hirsuto de todas as três regras.

Todos riram. Todos exceto Greg, que ficou nervoso em sua cadeira e ressentiu-se. Pude ver seu rosto ficar vermelho, e depois branco de raiva. Finalmente Greg levantou a mão, deixando extravasar a raiva e a indignação. Quase gaguejava: "Tenho vontade de sair daqui", disse, e de repente a sala ficou em silêncio. "Vocês criticam os outros por serem fariseus. Eu vou lhes dizer quem são os verdadeiros fariseus. São você [ele apontou para mim] e os demais desta classe. Vocês pensam que são tão elevados, e poderosos, e maduros. Tornei-me cristão por influência da Igreja Moody. Vocês encontraram um grupo para desprezar, para se sentirem mais

Missão: uma revolução da graça

espirituais, e falam mal deles pelas costas. É isso que um fariseu faz. Vocês todos são fariseus."

Todos os olhos se voltaram para mim esperando uma resposta, mas eu não tinha nenhuma para oferecer. Greg nos pegou em flagrante. Com um gesto de arrogância espiritual, estávamos agora olhando de cima para baixo para pessoas que considerávamos fariseus. Olhei para o relógio, esperando um adiamento temporário. Nada! Faltavam quinze minutos para terminar a aula. Esperei um raio de inspiração, mas não recebi nenhum. O silêncio foi crescendo. Senti-me embaraçado e pego na armadilha.

Então Bob levantou a mão. Bob era novo na classe, e até o dia de minha morte me sentirei sempre grato a ele por me salvar. Ele começou mansamente, conciliatoriamente: "Estou feliz porque você não saiu, Greg. Precisamos de você. Estou feliz com a sua presença, e gostaria de lhe contar por que vim a esta igreja.

"Francamente, identifico-me com a prostituta de Chicago que Philip mencionou. Eu era viciado em drogas, e nem que vivesse um milhão de anos me ocorreria procurar ajuda em uma igreja. Toda terça-feira, entretanto, esta igreja acolhe um grupo de Alcoólatras Anônimos no porão, exatamente onde estamos agora. Comecei frequentando esse grupo, e depois de um tempo cheguei à conclusão de que uma igreja que acolhe um grupo de AA — catadores de tocos de cigarro, bebedores de restos de café, e outros — não podia ser tão má assim, por isso resolvi visitar um culto.

"Eu tinha de contar a vocês, as pessoas do andar de cima, que no princípio me metiam medo. Parecia que vocês estavam inteiros enquanto eu mal me aguentava em pé. As pessoas aqui se vestem simplesmente, eu acho, mas as melhores roupas que já possuí eram jeans e camisetas. Consegui engolir meu orgulho e comecei a frequentar os cultos de domingo de manhã, além das terças à noite. As pessoas não me evitavam. Estendiam-me a mão. Foi aqui que encontrei Jesus."

Como se alguém tivesse aberto um respiradouro, toda tensão se dissipou no ambiente durante o discurso simples e eloquente de Bob. Greg relaxou, resmunguei um pedido de desculpas pelo meu próprio farisaísmo, e a aula terminou com uma nota de união. Bob nos trouxera de volta ao solo comum, como pecadores igualmente desesperados em nossa necessidade de Deus.

O que seria preciso, perguntei encerrando, para que a igreja se tornasse um lugar onde prostitutas, cobradores de impostos e até mesmo fariseus cheios de culpa pudessem se reunir alegremente?

Jesus foi o amigo dos pecadores. Eles gostavam de ficar ao redor dele e ansiavam por sua companhia. Enquanto isso, os legalistas o achavam chocante, até mesmo revoltante. Qual era o segredo de Jesus que perdemos?

"Dize-me com quem andas e eu te direi quem és", diz o provérbio. Imagine a consternação das pessoas do primeiro século na Palestina que tentaram aplicar esse princípio a Jesus de Nazaré. Os evangelhos mencionam oito ocasiões em que Jesus aceitou um convite para jantar. Três delas (o casamento em Caná, a hospitalidade de Maria e de Marta e a refeição interrompida em Emaús após a ressurreição) foram ocasiões sociais normais entre amigos. As outras cinco, entretanto, desafiaram as regras do decoro social.

Uma vez, Jesus jantou com Simão, o leproso. Por causa de meu trabalho com o dr. Paul Brand, especialista em lepra, também já jantei com pacientes leprosos, e posso dizer a você que dois mil anos de progresso médico pouco fizeram para diminuir o estigma social dessa enfermidade. Um homem fino e educado da Índia me contou sobre o dia em que se sentou chorando no carro do lado de fora da igreja enquanto a sua filha se casava lá dentro. Ele não se atrevia a mostrar o rosto desfigurado, até que todos os convivas saíssem. Nem podia hospedar o tradicional banquete de casamento, pois quem entraria na casa de um leproso?

Na Palestina, leis severas reforçavam o estigma contra a lepra: os doentes tinha de viver fora dos muros da cidade e gritar "Impuro!" quando se aproximassem de alguém. Mas Jesus desconsiderou essas regras e reclinou-se à mesa de um homem que utilizava esse estigma como parte do nome. Para piorar a situação, no decorrer da refeição, uma mulher de má reputação derramou um perfume caro sobre a cabeça de Jesus. De acordo com Marcos, Judas Iscariotes abandonou a refeição desgostoso e foi diretamente aos principais sacerdotes para trair Jesus.

Num cenário diferente, com alguns notáveis paralelos, Jesus partilhou uma refeição com outro homem chamado Simão, e aqui também uma mulher o ungiu com perfume, enxugando-lhe os pés com o cabelo e as lágrimas. Esse Simão, entretanto, sendo fariseu rematado, estremeceu diante dessa atitude. Jesus deu uma resposta cauterizante que ajuda a explicar por que ele preferia a companhia dos "pecadores e cobradores de impostos" à de cidadãos notáveis como Simão:

> Vês tu esta mulher? Entrei em tua casa, e não me deste água para os pés, esta, porém, regou com lágrimas os meus pés, e os enxugou com os seus cabelos. Não me deste ósculo, mas ela, desde que entrou, não cessou de me beijar os pés. Não me ungiste a cabeça

Missão: uma revolução da graça

com óleo, mas esta ungiu-me os pés com unguento. Por isso te digo que os seus muitos pecados lhe são perdoados, pois muito amou. Mas aquele a quem pouco é perdoado, pouco ama.[1]

Pelo menos outra vez Jesus aceitou a hospitalidade de um fariseu. Como agentes duplos, os líderes religiosos o seguiam por toda parte e o convidavam às refeições enquanto espreitavam cada movimento seu. Provocativamente, apesar de ser sábado, Jesus curou um homem que sofria de hidropisia, e depois traçou um paralelo incisivo entre os banquetes dos fariseus, que desejavam subir socialmente, e o banquete de Deus, estendido "aos pobres, os aleijados, os cegos e os mancos".[2] Os evangelhos não registram outras refeições com cidadãos proeminentes, e posso facilmente entender por quê: Jesus dificilmente servia de convidado só para fazer número no jantar.[3]

As duas últimas refeições sabemos terem acontecido em lares de "publicanos", ou cobradores de impostos, categoria de pessoas pouco populares em qualquer época, mas especialmente nos dias de Jesus. Eles cobravam os impostos em uma base de comissão, embolsando quaisquer lucros que pudessem extrair dos cidadãos locais, e a maioria dos judeus os considerava traidores a serviço do Império Romano. A palavra *publicano* tornou-se sinônimo de ladrão, bandido, homicida e réprobo. Os tribunais judeus consideravam inválido o testemunho dos cobradores de impostos, e o seu dinheiro não podia ser aceito como esmola para os pobres nem utilizado em troco, uma vez que adquirido por meios tão desprezíveis.

Notadamente, Jesus convidou-se aos lares de dois cobradores de impostos. Quando percebeu o excluído Zaqueu, tão baixinho que precisou subir em uma árvore para vê-lo, mandou que descesse e pediu para ficar em sua casa. A multidão murmurou uma desaprovação, mas Jesus não aceitou suas queixas: "Pois o Filho do homem veio buscar e salvar o que se havia perdido".[4] Outro réprobo desses, Levi, Jesus encontrou numa barraca no próprio ato de cobrar os odiosos impostos.

---

[1] Lucas 7.44-47

[2] Lucas 14.21

[3] Os fariseus consideravam sua mesa de jantar um tipo de "pequeno templo", o que explica por que se recusavam a jantar com gentios ou pecadores. Talvez Jesus também considerasse a sua mesa de jantar como um pequeno templo, o que explica por que comia com tal variedade de companheiros. O grande banquete, ele proclamou, está agora aberto a todos, não simplesmente aos que passaram pela devida purificação.

[4] Lucas 19.10

"Não necessitam de médico os sãos, mas, sim, os doentes",[5] ele disse à multidão naquela ocasião.

Lendo acerca dos diversos companheiros de jantar de Jesus, busco um indício que pudesse explicar por que Jesus fez um grupo (o dos pecadores) se sentir tão à vontade e o outro grupo (o dos piedosos) se sentir tão desconfortável. Encontro essa pista em outra cena dos evangelhos que reúne os fariseus e uma pecadora flagrante simultaneamente. Os fariseus tinham apanhado uma mulher no próprio ato de adultério, crime que exigia a pena de morte. O que Jesus achava que deviam fazer? perguntaram, esperando apanhá-lo em um conflito entre moral e misericórdia.

Jesus fez uma pausa, escreveu no chão por alguns minutos e, depois, disse aos acusadores: "Aquele que dentre vós está sem pecado, seja o primeiro a lhe atirar uma pedra".[6] Quando todos se retiraram, Jesus voltou-se para a mulher encolhida. "Mulher, onde estão eles? Ninguém te condenou?", ele pergunta. "Nem eu também te condeno. Vai, e não peques mais".

Essa cena revela um princípio claro da vida de Jesus: ele traz à tona o pecado reprimido, mas perdoa todo pecado francamente reconhecido. A adúltera foi embora perdoada, com uma nova perspectiva de vida; os -fariseus se esgueiraram, apunhalados no coração.

Talvez as prostitutas, os cobradores de impostos e outros pecadores conhecidos reagissem tão prontamente a Jesus porque em determinado nível soubessem que estavam errados e para eles o perdão de Deus parecesse muito atraente. Como C. S. Lewis disse: "As prostitutas não estão em perigo de descobrir que sua vida atual é tão satisfatória que não podem voltar-se para Deus: os orgulhosos, os avarentos, os de justiça própria, estão nesse perigo".[7]

A mensagem de Jesus deparou com uma reação mista entre os judeus do primeiro século, muitos dos quais preferiam o estilo de João Batista, com o seu regime de insetos e sua mensagem severa de julgamento e de ira, à mensagem de graça de Jesus e um banquete estendido a todos. Posso entender essa estranha preferência pela lei por causa do ambiente legalista em que fui criado. A graça era fugidia, evanescente, difícil de conquistar minha mente. O pecado era concreto, visível, alvo fácil para atacar. Sob a lei, eu sempre sabia onde marchava.

---

[5] Mateus 9.12

[6] João 8.7-11

[7] **Lewis, C. S. O problema do sofrimento. São Paulo: Vida, 2006.**

Missão: uma revolução da graça

Wendy Kaminer,[8] judeu moderno tentando compreender o cristianismo, confessa que "como artigo de fé, essa doutrina da salvação somente pela graça é pouco atraente para mim. Ela tem, segundo me parece, notável desprezo pela justiça e idealiza um Deus que valoriza a fé mais que a ação. Prefiro o Deus que olha para nós (num gracejo muito antigo) e diz: "Eu gostaria de que eles parassem de se preocupar sobre se eu existo ou não existo e começassem a obedecer aos meus mandamentos".

Na verdade, nós, os cristãos, também podemos achar mais fácil seguir a um Deus que simplesmente declara: "Comecem a obedecer aos meus mandamentos".

Os judeus do tempo de Jesus viam uma escada subindo mais e mais em direção a Deus, uma hierarquia expressa na própria arquitetura do templo. Os gentios e os "mestiços" como os samaritanos tinham permissão de entrar apenas no Pátio dos Gentios; uma parede os separava da próxima divisão, que apenas admitia as mulheres judias. Os homens judeus podiam avançar um estágio, mas apenas os sacerdotes podiam entrar nas áreas sagradas. Finalmente, apenas um sacerdote, o sumo sacerdote, podia entrar no Lugar Santíssimo, e isso apenas uma vez por ano e no dia do Yom Kippur.

A sociedade era, realmente, um sistema de castas religiosas com base em degraus para a santidade, e a escrupulosidade dos fariseus reforçava o sistema diariamente. Todas as suas regras de lavar as mãos e de evitar contaminações eram uma tentativa de torná-los aceitáveis a Deus. Deus não estabelecera listas de animais desejáveis (puros) e indesejáveis (manchados, impuros) para o sacrifício? Deus não havia banido do templo os pecadores, as mulheres menstruadas, os fisicamente deformados e outros "indesejáveis"? A comunidade de Qumran dos essênios adotou uma regra dura: "Nenhum louco, lunático, ignorante, bobo, cego, aleijado, manco, surdo e menor de idade entrará na Comunidade".[9]

No meio desse sistema de castas religiosas, apareceu Jesus. Para desespero dos fariseus, ele não tinha escrúpulos quanto à socialização com crianças ou pecadores ou até mesmo samaritanos. Ele tocava, ou deixava-se tocar, pelos "impuros": os que tinham lepra, os deformados, uma mulher com hemorragia, o lunático e o endemoninhado. Embora as leis levíticas prescrevessem um dia de purificação depois de tocar num doente, Jesus realizava curas em massa, nas quais tocava em

---

8   KAMINER, Wendy. By the book: America's self-help habit. Apud Saving therapy: exploring the religious self-help literature. **Theology Today**, p. 301, out. 1991.

9   KÜNG, Hans. **On being a Christian**. Garden City: Doubleday & Company, 1976. p. 235.

dezenas de pessoas enfermas; nunca se preocupou com as regras da contaminação depois do contato com os doentes e até mesmo com os mortos.

Utilizando-se de apenas um exemplo das alterações revolucionárias a que Jesus deu início, pense sobre a atitude de Jesus para com as mulheres. Naquele tempo, em cada culto da sinagoga os homens judeus oravam: "Bendito és tu, ó Senhor, que não me fizeste mulher".[10] As mulheres assentavam-se à parte, não eram consideradas nos quóruns, e raramente aprendiam a Tora. Na vida social, poucas mulheres podiam conversar com os homens fora do ambiente familiar, e uma mulher não podia tocar em nenhum homem além do seu esposo. Mas Jesus associava-se livremente com as mulheres e ensinava a algumas como a seus discípulos. Com uma mulher samaritana que tivera cinco maridos, Jesus travou conhecimento para dar início a um reavivamento espiritual (notavelmente, começou a conversa pedindo ajuda a ela). A unção de uma prostituta, ele aceitou com. gratidão. As mulheres viajavam com seu bando de discípulos, sem dúvida incitando muitos comentários. As mulheres povoaram as parábolas e as ilustrações de Jesus, e ele muitas vezes fez milagres em benefício delas. De acordo com o biblicista Walter Wink,[11] Jesus transgrediu os hábitos do seu tempo em cada simples encontro com mulheres registrado nos quatro evangelhos. De fato, como Paulo diria mais tarde, em Cristo "não há judeu nem grego, não há servo nem livre, não há macho nem fêmea [...]".[12, 13]

---

[10]   BORG, Marcus J. **Jesus, a new vision**. San Francisco: Harper & Row, 1987. p. 133-134.

[11]   WINK. **Engaging the powers**... cit., p. 129.

[12]   Gálatas 3.28

[13]   Dorothy Sayers desenvolve a questão: "Talvez não seja tão admirável assim que as mulheres estivessem primeiro no Berço e por último na Cruz. Elas jamais conheceram um homem como esse Homem — nunca houve outro igual. Um profeta e mestre que jamais as aborreceu, que jamais as adulou, nem as importunou, nem as tratou com desdém; que jamais fez as costumeiras brincadeiras acerca delas, jamais as tratou com atitude de 'Mulheres, Deus nos livre!' ou 'Senhoras, Deus as abençõe!'; que repreendia sem lamúrias e elogiava sem ares de superioridade; que levava a sério suas perguntas e seus argumentos, que jamais estabelecia limites para elas, que nunca insistia em que fossem femininas nem zombava delas por ser mulheres; que não tinha nenhum interesse pessoal nelas e nenhuma dignidade masculina incômoda para defender; que as aceitava como eram e permanecia completamente desinibido.

"Não há nenhum ato, nenhum sermão, nenhuma parábola em todo Evangelho que tome emprestada sua pungência à perversidade feminina; ninguém poderia imaginar das palavras de Jesus de que havia alguma coisa `engraçada' acerca da natureza feminina.

Missão: uma revolução da graça

Realmente, para as mulheres e outras pessoas oprimidas, Jesus virou de cabeça para baixo a sabedoria aceita na época. Os fariseus criam que tocar em uma pessoa impura poluía quem a tocava. Mas, quando Jesus tocava numa pessoa com lepra, ele não se contaminava — o leproso se tornava puro. Quando uma mulher imoral lavou os pés de Jesus, *ela* se afastou perdoada e transformada. Quando ele desafiou os costumes entrando na casa de um pagão, o servo do pagão foi curado. Em palavras e atos Jesus estava proclamando um evangelho radicalmente novo da graça: para tornar pura uma pessoa não era preciso ir até Jerusalém, oferecer sacrifícios e passar pelos rituais da purificação. Tudo o que uma pessoa tinha a fazer era seguir Jesus. Como Walter Wink destaca: "O contágio da santidade sobrepuja o contágio da impureza".[14]

Em suma, Jesus transferiu a ênfase da santidade de Deus (excludente) para a misericórdia de Deus (inclusiva). Em vez da mensagem "Os indesejáveis não têm permissão", proclamou que "No reino de Deus não há indesejáveis". Para se dar ao trabalho de conhecer os gentios, comer com os pecadores e tocar os doentes, ele ampliou o reino da misericórdia de Deus. Para os líderes judeus, os atos de Jesus prejudicavam a própria existência de seu sistema de castas religiosas — por isso os evangelhos mencionam mais de vinte ocasiões em que eles conspiraram contra Jesus.

Uma das histórias de Jesus, contrapondo um piedoso fariseu a um cobrador de impostos cheio de remorsos, captou o evangelho inclusivo da graça em poucas palavras. O fariseu, que jejuava duas vezes por semana e dava o dízimo por ato mecânico, piamente agradecia a Deus por estar acima dos ladrões, dos malfeitores e dos adúlteros — e muito acima do cobrador de impostos que estava ao lado dele. O cobrador de impostos, humilhado demais até mesmo para levantar os olhos para o céu, fez a oração mais simples possível: "Ó Deus, tem misericórdia de mim, pecador".[15] Jesus fez a conclusão: "Digo-vos que este desceu justificado para sua casa, e não aquele".

Podemos inferir da história de Jesus que o comportamento não importa, que não há diferença moral entre um legalista disciplinado e um ladrão, malfeitor e

---

"Mas podemos facilmente deduzi-lo de Seus contemporâneos, e dos Seus profetas antes dele, e de Sua igreja até o dia de hoje" (SAYERS, Dorothy L. **Are women human**. Downers Grove: Intervarsity, 1971. p. 47).

[14] WINK. **Engaging the powers**... cit., p. 130.

[15] Lucas 18.13,14

adúltero. Naturalmente, não é isso. O comportamento importa de muitas maneiras; simplesmente não é a maneira de sermos aceitos por Deus. O cético A. N. Wilson comenta a parábola de Jesus sobre o fariseu e o cobrador de impostos: "É uma história chocante, moralmente anárquica. Tudo o que importa na história parece ser a capacidade de Deus de perdoar".[16] Exatamente.

Em seus próprios relacionamentos sociais, Jesus estava pondo em prática "a grande revogação" anunciada nas beatitudes. Normalmente neste mundo olhamos para os ricos, os belos, os que têm sucesso. A graça, entretanto, introduz um mundo de nova lógica. Uma vez que Deus ama os pobres, os sofredores, os perseguidos, também devemos amá-los. Uma vez que Deus não considera ninguém indesejável, também não devemos considerar. Por seu próprio exemplo, Jesus nos desafiou a olhar para o mundo com o que Ireneu chamaria "olhos curados pela graça".

As parábolas de Jesus destacaram essa missão, pois muitas vezes ele fez dos pobres e oprimidos os heróis de suas histórias. Uma dessas histórias apresentou um homem pobre, Lázaro — a única pessoa chamada pelo nome nas parábolas de Jesus -, explorado por um rico. No início o homem rico desfrutava de roupas e de alimentos suntuosos, enquanto o mendigo Lázaro, coberto de chagas, jazia do lado de fora dos seus portões junto aos cães. A morte, entretanto, inverteu excepcionalmente seus destinos. O homem rico ouviu de Abraão: "Filho, lembra-te de que recebeste os teus bens em tua vida, ao passo que Lázaro somente males, mas agora ele é consolado é tu atormentado".[17]

Essa incisiva história penetrou profundamente a consciência dos cristãos primitivos, muitos dos quais pertenciam às classes econômicas mais baixas. Os cristãos ricos e pobres fizeram uma troca: os ricos concordaram em criar fundos de caridade em troca das orações dos pobres por suas almas. Certamente Deus estava mais inclinado a ouvir as orações dos pobres, raciocinavam. (Até o dia de hoje os monges beneditinos oram nos funerais para que "Lázaro reconheça" seu colega falecido, seguindo a tradição de que Lázaro, não Pedro, guarda a entrada do céu.)

Durante algum tempo, a igreja trabalhou duro para seguir essa nova lógica, e, por consequência, os cristãos primitivos eram reconhecidos dentro do Império Romano pelo apoio aos pobres e aos sofredores. Os cristãos, não como seus vizinhos pagãos, rapidamente resgatavam seus amigos dos captores

---

[16] WILSON, A. N. **Jesus**... cit., p. 30.

[17] Lucas 16.25

bárbaros, e, quando havia epidemias, os cristãos cuidavam dos que sofriam enquanto os pagãos abandonavam os doentes nos primeiros sintomas. Durante os primeiros séculos, pelo menos, a igreja obedecia literalmente à ordem de Cristo de receber os estrangeiros, vestir os nus, alimentar os famintos e visitar os que estavam na prisão.[18]

Quando leio as histórias de Jesus e estudo a história da igreja primitiva, sinto-me inspirado e ao mesmo tempo perturbado. A primeira questão que levantei com minha classe em Chicago retorna para me condenar. À vista do claro exemplo de Jesus, por que a igreja se tornou uma comunidade de respeitabilidade, em que os pobres e excluídos já não se sentem bem-vindos?

Atualmente vivo no Colorado, onde frequento uma igreja na qual a maioria das pessoas vem da mesma raça (branca) e da mesma classe social (média). Fico perplexo quando abro o Novo Testamento e vejo em que solo misturado a igreja primitiva se enraizou. A igreja da classe média que muitos de nós conhecem atualmente tem pouca semelhança com o grupo diferente de rejeitados sociais descrito nos evangelhos e no livro de Atos.

Projetando-me de volta ao tempo de Jesus, tento ver o cenário. Os pobres, os doentes, os cobradores de impostos, os pecadores e as prostitutas se aglomeravam ao redor de Jesus, incentivados por sua mensagem de cura e de perdão. Os ricos e os poderosos ficavam de lado, testando-o, espionando, tentando apanhá-lo em armadilhas. Conheço esses fatos sobre o tempo de Jesus, e, ainda assim, no conforto de uma igreja da classe média, num país rico como os Estados Unidos, facilmente perco de vista o âmago radical da mensagem de Jesus.

Para ajudar a corrigir minha visão, tenho lido sermões que saíram das comunidades eclesiais de base do Terceiro Mundo.[19] O evangelho pelo ângulo do Terceiro Mundo parece muito diferente do evangelho pregado em muitas igrejas dos Estados Unidos. Os pobres e os incultos não podem sempre identificar a declaração da missão de Jesus ("[...] o Senhor me ungiu para pregar as boas-novas

---

[18] De acordo com os historiadores da igreja, essas boas obras continuaram até o triunfo de Constantino, que legalizou a fé e estabeleceu uma igreja imperial oficial. Dessa perspectiva a igreja tendia a espiritualizar a pobreza e deixar a "caridade" com o imperador. Com o tempo a própria igreja tornou-se parte da riqueza institucionalizada (V.: Fox, Robin Lane. **Pagans and Christians**. New York: Alfred A. Knopf, 1989).

[19] V. Brown, Robert McAfee. **Unexpected news: reading the Bible with third world eyes**. Philadelphia: Westminster Press, 1984.

aos pobres [...] a proclamar liberdade aos cativos, e abertura de prisão aos presos [...]"[20]) como uma citação de Isaías, mas a ouvem como realmente uma boa nova. Entendem a grande revogação não como uma abstração, mas como promessa de Deus de esperança desafiadora e de desafio de Jesus aos seus seguidores. Não importa como o mundo os trate, os pobres e os doentes têm a garantia, por causa de Jesus, de que Deus não faz acepção dos indesejáveis.

Foi preciso a obra de um romancista japonês chamado Shusaku Endo[21] para me impressionar com o fato de que o fenômeno da revogação reside no próprio âmago da missão de Jesus.

Num país em que a igreja representa menos de 1% da população, Endo foi criado por uma devota mãe cristã e batizado com a idade de onze anos. Criado como cristão no Japão antes da guerra, sentia um constante senso de alienação e era às vezes maltratado pelos colegas da escola por causa de sua associação com uma religião "ocidental". Depois do fim da Segunda Guerra Mundial, ele viajou para a França, dessa vez por conta da raça, não da religião. Como um dos primeiros estudantes japoneses em um dos países aliados, Endo foi alvo de preconceito racial. "Bobalhão de olhos puxados", alguns o chamavam.

Rejeitado em sua terra natal, rejeitado em sua terra espiritual, Endo passou por uma séria crise de fé. Começou visitando a Palestina para pesquisar a vida de Jesus, e enquanto esteve lá fez uma descoberta transformadora: Jesus também conheceu a rejeição. Mais, a vida de Jesus foi *definida* pela rejeição. Seus vizinhos riam dele, sua família questionou sua sanidade mental, seus amigos mais íntimos o traíram e seus compatriotas trocaram a sua vida pela de um terrorista. Em seu ministério, Jesus gravitou entre os pobres e rejeitados, a ralé.

Essa nova visão de Jesus atingiu Endo com a força de uma revelação. Do seu distante ponto de observação no Japão ele vira o triunfante, a fé constantiniana. Ele estudara o Sacro Império Romano e as brilhantes Cruzadas, admirara fotos das grandes catedrais da Europa, sonhara em viver em uma nação onde as pessoas pudessem ser cristãs sem sofrer. Agora, quando estudava a Bíblia, viu que o próprio Cristo não conseguira evitar a "desgraça". Jesus foi o Servo Sofredor, conforme descrito por Isaías: "Era desprezado e o mais indigno entre os homens, homem de dores e experimentado no sofrimento. Como um de quem os homens escondiam

---

[20]   Isaías 61.1

[21]   V. ENDO, Shusaku. **A Life of Jesus**. New York: Paulist Press, 1973.

o rosto [...]". Endo sentiu que certamente esse Jesus, mais do que ninguém, podia entender a rejeição que ele próprio estava sofrendo.

Como Shusaku Endo o vê, Jesus trouxe a mensagem do amor-mãe para contrabalançar o amor-pai do Antigo Testamento.[22] Naturalmente a misericórdia aparece também no Antigo Testamento, mas facilmente se perde no meio da ênfase avassaladora do juízo e da lei. Dirigindo-se a uma cultura criada sobre aquelas severas exigências da Tora, Jesus falou de um Deus que prefere os rogos de um pecador comum às súplicas de um profissional religioso. Ele comparou Deus a um pastor que deixa 99 ovelhas dentro do cercado e vai procurar freneticamente aquela que se perdeu; a um pai que não consegue deixar de pensar no filho rebelde e ingrato, embora tenha outro que é respeitoso e obediente; a um anfitrião que abre as portas do salão dos banquetes a uma estranha procissão de mendigos e vagabundos.

Jesus era muitas vezes "movido pela compaixão", e no período do Novo Testamento essa mesma palavra foi utilizada maternalmente para expressar o que uma mãe sente pelo seu filho que ainda está no ventre. Jesus se deu ao trabalho de abraçar os que não eram amados e eram indignos, as pessoas que não importavam nada ao restante da sociedade — eles nos atrapalham, gostaríamos de que fossem embora — para provar que até mesmo pelo "joão-ninguém" Deus está infinitamente interessado. Uma mulher impura, muito tímida e envergonhada demais para se aproximar de Jesus face a face, agarrou seu manto, esperando que ele não percebesse. Mas ele percebeu. Ela ficou sabendo, como tantos outros "zeros à esquerda", que não se pode escapar facilmente ao olhar atento de Jesus.

Jesus provou pessoalmente que Deus ama as pessoas não como raça ou espécimes, mas como indivíduos. *Importamos* para Deus. "Amando os que não são dignos de amor", disse Agostinho, "tu me fizeste digno de amor".

Às vezes, não acho fácil crer no amor de Deus. Não vivo na pobreza, como os cristãos do Terceiro Mundo. Nem experimentei uma vida de rejeição, como Shusaku Endo. Mas tive minha parcela de sofrimento, um fato da vida que atravessa todas as fronteiras raciais e econômicas. As pessoas sofredoras também precisam de olhos curados pela graça.

---

[22] O terapeuta Erich Fromm afirma que o filho de uma família equilibrada recebe dois tipos de amor. O amor-mãe tende a ser incondicional, aceitando a criança a todo custo, independentemente do comportamento. O amor-pai tende a ser mais providencial, dando aprovação quando a criança alcança certos padrões de comportamento. Idealmente, afirma Fromm, a criança deve receber e internalizar ambos os tipos de amor. De acordo com Endo, o Japão, nação de pais autoritários, entendeu o amor-pai de Deus, mas não o amor-mãe.

Numa terrível semana duas pessoas me telefonaram em dois dias sucessivos para falar acerca de um dos meus livros. A primeira, um pastor de jovens no Colorado, acabara de ficar sabendo que sua esposa e filhinha estavam morrendo de aids. "Como poderia falar ao meu grupo de jovens acerca de um Deus amoroso depois do que me aconteceu?", ele perguntou. No dia seguinte ouvi de um homem cego que, alguns meses antes, convidara um viciado em recuperação para a sua casa como um ato de misericórdia. Fazia pouco descobrira que o viciado em recuperação estava tendo um caso com sua esposa, sob o seu próprio teto. "Por que Deus está-me castigando por tentar servi-lo?", ele perguntou. Ele largou o telefone, que ficou mudo, e nunca mais ouvi falar do homem novamente.

Aprendi a nem mesmo tentar responder ao "Por quê?". Por que a esposa do pastor de jovens pegou aquela gota de sangue contaminado? Por que algumas boas pessoas são perseguidas pelos seus atos enquanto algumas pessoas más vivem com saúde até idade avançada? Por que tão poucas das milhares das orações por cura física são atendidas? Não sei.

Uma pergunta, entretanto, já não me atormenta como antes, uma pergunta, creio, que nos espreita na maior parte dos problemas com Deus. "Deus se importa?" Sei de apenas um jeito de responder a essa pergunta, e essa resposta veio no meu estudo acerca da vida de Jesus. Em Jesus, Deus nos mostrou um rosto, e posso ver diretamente nesse rosto como Deus se sente acerca das pessoas como o pastor de jovens e o homem cego que nunca me deu o seu nome. De maneira nenhuma Jesus eliminou todo o sofrimento — ele curou apenas alguns poucos num pequeno pedaço da terra — mas deu significado à resposta da pergunta se Deus se importa.

Três vezes, ao que sabemos, o sofrimento levou Jesus às lágrimas. Ele chorou quando o seu amigo Lázaro morreu. Lembro-me de um ano horrível em que três amigos meus morreram em rápida sucessão. A tristeza, descobri, não é uma coisa à qual você se acostuma. Minha experiência das duas primeiras mortes nada fez para me preparar para a Jesus. A tristeza me atingiu como um trem de carga, deixando-me arrasado. Ela me deixou sem ar, e eu não podia fazer nada mais que chorar. De certa forma, achei consolador que Jesus sentisse algo semelhante quando o seu amigo Lázaro morreu. Isso dá uma pista surpreendente de como Deus deve ter se sentido acerca dos meus três amigos, os quais ele também amava.

Em outra ocasião, lágrimas vieram aos olhos de Jesus quando ele olhou para Jerusalém e percebeu o destino que aguardava aquela cidade lendária. Ele deixou

Missão: uma revolução da graça

sair um grito do que Shusaku Endo chamou amor-mãe: "Jerusalém, Jerusalém! que matas os profetas e apedrejas os que te são enviados! quantas vezes quis eu ajuntar os teus filhos, como a galinha ajunta os seus pintinhos debaixo das asas, e tu não quiseste!".[23] Sinto nesse espasmo de sofrimento emocional algo parecido ao que um pai ou mãe sentem quando um filho ou filha se desvia, pavoneando-se na liberdade, rejeitando tudo aquilo em que ele ou ela foram criados para crer. Ou o sofrimento de um homem ou mulher que acabou de saber que o cônjuge o deixou — a dor de um amante recusado. É uma dor que não tem remédio, esmagadora, fútil, e fico impressionado em saber que o próprio Filho de Deus emitiu um grito de desamparo diante da liberdade humana. Nem mesmo Deus, com todo o seu poder, pode forçar um ser humano a amar.

Finalmente, Hebreus nos diz que Jesus ofereceu, "com grande clamor e lágrimas, orações e súplicas ao que o podia livrar da morte".[24] Mas naturalmente ele não foi salvo da morte. É demais dizer que o próprio Jesus fez a pergunta que me assola, que assola a maioria de nós de vez em quando: Deus se importa? Que outra coisa poderia significar a citação desse salmo sombrio: "Deus meu, Deus meu, por que me desamparaste?".[25, 26]

Ainda, acho estranhamente confortador saber que, quando Jesus enfrentou o sofrimento, reagiu como eu. Ele não orou no jardim: "Ah, Senhor, sinto-me tão grato por me teres escolhido para sofrer por ti. Regozijo-me nesse privilégio!". Não, ele experimentou tristeza, medo, abandono e algo parecido até mesmo com o desespero. Contudo, ele suportou porque sabia que no centro do universo vivia o seu Pai, um Deus de amor no qual ele podia confiar, apesar de como as coisas parecessem na ocasião.

A reação de Jesus diante das pessoas sofredoras e dos "zeros à esquerda" fornece um relance do coração de Deus. Deus não é o Absoluto imóvel, mas antes o Amoroso que se aproxima. Deus olha para mim em toda a minha fraqueza, creio, como Jesus olhou para a viúva junto do féretro de seu filho, e para Simão, o Leproso, e para outro Simão, Pedro, que o amaldiçoou e mesmo assim foi comissionado para fundar e liderar a sua igreja, comunidade que precisa sempre encontrar lugar para os rejeitados.

---

[23] Mateus 23.37

[24] Hebreus 5.7

[25] Mateus 27.46

[26] Mateus 27.46

CAPÍTULO 9

MILAGRES: INSTANTÂNEOS DO SOBRENATURAL

O verdadeiro realista, se incrédulo, vai sempre encontrar força
e capacidade para descrer do milagroso, e se for confrontado
com um milagre como fato irrefutável vai de preferência descrer
de seus próprios sentidos em vez de admitir o fato. A fé não [...]
brota do milagre, mas o milagre da fé. — FIODOR DOSTOIEVSKI

A atmosfera em que fui criado estava repleta de milagres. Muitos domingos em nossa igreja as pessoas davam testemunho sobre maravilhosas respostas às orações que receberam na semana precedente. Deus encontrava locais de estacionamento para mães que levavam seus filhos ao médico. Canetas-tinteiro reapareciam misteriosamente. Tumores encolhiam no dia anterior ao marcado para a cirurgia.

Naqueles dias eu considerava Jesus o Grande Mágico e, de acordo com isso, a história dele andando sobre as águas me impressionava de maneira especial. Se tão somente eu pudesse realizar tal proeza em minha escola, apenas uma vez! Como eu adoraria voar pela sala de aula como um anjo, silenciando com a minha levitação todos os que zombavam de mim e de outros tipos religiosos. Como eu adoraria andar incólume no meio dos zombadores no ponto do ônibus, como Jesus andou pela multidão enfurecida em sua cidade natal.

Contudo, nunca consegui voar pela sala de aula, e os zombadores continuaram atormentando-me por mais que eu orasse. Até mesmo as "respostas às orações" me confundiam. Às vezes, afinal, as vagas do estacionamento não apareciam, e as canetas-tinteiro continuavam perdidas. Às vezes as pessoas na igreja perdiam os seus empregos. Às vezes morriam. Uma grande sombra obscurecia minha própria vida: meu pai morrera de pólio exatamente depois do meu primeiro aniversário, apesar de uma vigília de oração de 24 horas com centenas de cristãos dedicados. Onde estava Deus naquela ocasião?

Gastei grande parte de minha vida adulta resolvendo as questões que surgiram durante a minha juventude. A oração, descobri, não funciona como uma máquina de vender: insira o pedido, receba a resposta. Os milagres são exatamente isso, *milagres*, não "coisas comuns" na experiência diária. Minha visão de Jesus também mudou. Conforme agora reflito sobre sua vida, os milagres desempenham um papel menos proeminente do que eu imaginava quando criança. Ele não era o Super-Homem.

Sim, Jesus realizou milagres — cerca de três dúzias, dependendo de como os contemos —, mas os evangelhos na realidade não os destacam. Com frequência Jesus pedia aos que vissem um milagre que não o contassem a ninguém mais. Alguns milagres, como a transfiguração ou a ressurreição da menina de doze anos de idade, ele permitiu que apenas os discípulos mais íntimos presenciassem, com ordens estritas para que não os divulgassem. Embora ele nunca se negasse a alguém que pedia cura física, sempre se recusou a atender pedidos de demonstração para maravilhar as multidões e impressionar pessoas importantes. Jesus reconheceu logo que a empolgação gerada pelos milagres não se convertia rapidamente em fé transformadora de vida.

Alguns céticos, naturalmente, não dão lugar aos milagres, e para eles qualquer narrativa de um acontecimento sobrenatural deve ser descartada por definição. O museu smithsoniano em Washington exibe um livro com capa de couro no qual Thomas Jefferson colou todas as passagens dos evangelhos que não contivessem um elemento milagroso. Era a Bíblia que ele lia todos os dias quando se aproximava o fim de sua vida, um evangelho mais agradável de Jesus, o mestre, mas não o operador de milagres.

O método de Thomas Jefferson é um eco histórico do que acontecia nos dias de Jesus. Então também os racionalistas meditavam sobre os ensinamentos de Jesus, mas investigavam seus milagres. Às vezes negavam a evidência clara diante deles e

Milagres: instantâneos do sobrenatural

às vezes buscavam explicações alternativas (mágica, poder do diabo). Raramente as pessoas acham fácil acreditar em milagres; eles pareciam tão peculiares no primeiro século quanto pareceriam se fossem realizados hoje. Então, como agora, os milagres despertavam suspeitas, desprezo e apenas esporadicamente a fé.

Uma vez que aceito a Jesus como o Filho de Deus, que veio ao mundo "trilhando nuvens de glória", aceito os milagres que ele realizou como complemento natural de sua obra. Mesmo assim, os milagres apresentam grandes questões para mim. Por que foram tão poucos? Por que foram realizados? Por que aqueles em particular e não outros? Sou jornalista, não teólogo, por isso em minha busca de dicas olho para os milagres não em categorias sistemáticas, mas, antes, como cenas individuais, instantâneos impressionistas da vida de Jesus.

O primeiro milagre de Jesus talvez fosse o mais estranho de todos. Ele nunca repetiu nada como aquilo, e o milagre pareceu tomar Jesus de surpresa mais do que qualquer outro.

Com a idade de trinta anos mais ou menos, Jesus apareceu num casamento com o seu recém-formado bando de discípulos.[1] Sua mãe também foi, talvez acompanhada de outros membros da família. Na vida de uma vila da Galileia, um casamento dava lugar à celebração numa existência costumeiramente sem graça. O noivo e seus amigos faziam uma procissão solene pelas ruas para encontrar os convidados da noiva com tochas; depois todos corriam para a casa do noivo para uma festa digna da realeza. Pense nas cenas de alegria de *Um violinista no telhado*: famílias camponesas judias dançando no quintal com suas roupas bordadas mais finas, música e risos, mesas de banquetes cheias de bandejas de cerâmica com alimentos e jarros de vinho. A festa podia durar até uma semana, enquanto a comida, o vinho e o bom humor durassem. Realmente um casamento era um período de grande alegria.

Os discípulos de Jesus deviam ter pestanejado incrédulos diante de cena tão rude, sobretudo os que passaram para o lado dele vindos de João Batista com a sua dieta do deserto e roupas de peles de animais. Será que esses ascetas dançaram com as moças judias e se deliciaram com as maravilhas culinárias? As pessoas da cidade os interrogaram acerca do Batista, a coisa mais aproximada de um profeta que Israel vira em quatrocentos anos? O evangelho de João não diz. Apenas nos conta que, em um momento de crise, quase toda festa teve de parar. Acabou o vinho.

---

[1]   João 2.1-11

No que se refere a emergências, essa se encaixa bem na lista. Provocou constrangimento, para dizer a verdade, mas um Messias que viera para curar os enfermos e libertar os cativos precisava preocupar-se com uma gafe social? "Minha cara senhora, por que você está-me envolvendo nisso?", Jesus respondeu quando a mãe mencionou o problema. "Ainda não chegou a minha hora."

Só podemos imaginar o que passou pela mente de Jesus naqueles próximos segundos em que avaliava o pedido de Maria. Se agisse, significaria que a sua hora havia chegado, e desse momento em diante a vida mudaria. Se a notícia de seus poderes vazasse, logo ouviria pedidos de gente necessitada de Tiro a Jerusalém. As multidões afluiriam: epiléticos, paralíticos, surdos-mudos, endemoninhados, sem mencionar qualquer mendigo de rua que desejasse um copo de vinho grátis. Investigadores seriam despachados da capital. Um relógio começaria a funcionar e só pararia no Calvário.

Então Jesus, a mesma pessoa que, jejuando no deserto fazia pouco, havia rejeitado o desafio de Satanás de transformar pedras em pão, chegou a uma decisão. Pela primeira vez e certamente não pela última em sua vida pública, mudou os planos para harmonizar-se a outra pessoa. "Enchei de água essas talhas", disse aos servos. A água foi colocada, e o vinho — o melhor vinho, o vinho de primeira qualidade, geralmente servido primeiro, quando os paladares são mais discriminadores e os convidados mais impressionáveis — milagrosamente fluiu. A festa engrenou novamente, os convidados relaxaram, a cerimônia do casamento retornou à celebração.

João não mostra nenhum indício de que os convidados ou mesmo o anfitrião soubessem dó pequeno drama por trás dos panos. Maria sabia, naturalmente, assim como os servos. E os discípulos de Jesus sabiam: "Assim revelou a sua glória, e seus discípulos creram nele".

O que podemos aprender com esse estranho episódio? Os escritores George MacDonald e C. S. Lewis[2] veem nele um lembrete da graça comum de Deus, focalizada nesse exemplo em um pequeno raio, como um raio de sol através de uma lente de aumento. Os milagres de Jesus, observam, geralmente não contradizem a lei natural, antes repetem a atividade normal da criação a uma velocidade diferente e em escala menor. "Alguns dos milagres fizeram localmente o que Deus já tinha feito universalmente", escreve Lewis. "Deus criou a videira

---

[2] LEWIS, C. S. Miracles. **God in the dock**... cit., p. 29.

e ensinou-lhe a captar a água por meio de suas raízes e, com o auxílio do sol, transformar essa água em suco que fermenta e recebe certas qualidades. Assim, todos os anos, desde o tempo de Noé até hoje, Deus transforma água em vinho." Semelhantemente, os anticorpos e antígenos realizam milagres de cura em nossos organismos todos os dias, mas de maneira mais lenta, menos sensacional do que as curas que Jesus realiza.

Sim, mas como explicar o significado subjacente? O que esse estranho primeiro milagre significa? De maneira diferente da costumeira, João deixou de interpretar para nós o milagroso "sinal", que para ele quase sempre encerra um símbolo, um tipo de parábola simulada. Alguns comentaristas veem nele uma pré-estreia da última ceia, quando Jesus transformou não água em vinho, mas, por simbolismo, vinho em sangue, o seu sangue, derramado por toda a humanidade. Talvez seja.

Prefiro uma interpretação mais extravagante. João observa vigorosamente que o vinho veio de jarros imensos (de oitenta a cento e dez litros) que ficavam cheios de água na frente da casa, vasos utilizados pelos judeus conservadores para cumprir as regras das lavagens cerimoniais. Mesmo uma festa de casamento tinha de honrar os cansativos rituais de purificação. Jesus, talvez com um brilho no olhar, transformou aqueles jarros, símbolos pesados da dispensação antiga, em odres de vinho, precursores da nova. Da água purificadora dos fariseus veio o novo vinho de primeira qualidade de toda uma nova era. O tempo da purificação ritual havia passado; o período da celebração havia chegado.

Profetas como João Batista pregaram julgamento, e realmente muitos milagres do Antigo Testamento expressaram esse senso de severo julgamento. O primeiro milagre de Jesus, entretanto, foi de terna misericórdia. A lição não ficou perdida para os discípulos que se juntaram a ele no casamento naquela noite em Caná — sobretudo para os recrutas recentes que vieram do Batista.

O milagre de transformar a água em vinho, acontecimento único, aconteceu fora dos holofotes, numa obscura cidade sobre cuja localização os arqueólogos não conseguem nem mesmo concordar entre si. Dentro de pouco tempo, entretanto, Jesus estava exercendo poderes milagrosos à plena luz do dia diante de multidões entusiasmadas. Conforme se verifica hoje, os milagres de cura física captavam mais a atenção, e João 9 conta um desses milagres em Jerusalém, capital e centro da oposição a Jesus. João dedica um capítulo inteiro à história, esboçando um retrato clássico do que acontece quando Jesus perturba a ordem estabelecida.

A história inicia-se quando muitos doentes começaram fazendo a pergunta da causa. *Por que eu? O que Deus está tentando me dizer?* No tempo de Jesus as pessoas acreditavam que a tragédia atingia as pessoas que a mereciam.[3] "Não há morte sem pecado, e não há sofrimento sem iniquidade",[4] ensinavam os fariseus, que viam a mão do castigo nos desastres naturais, nos defeitos de nascença e nas doenças crônicas como cegueira e paralisia. É aí que "o homem cego de nascença" entra em cena. Embebidos em boa tradição judaica, os discípulos de Jesus debatiam o que explicaria tal defeito de nascença. Será que o homem de alguma forma pecara *in útero? Ou* estaria sofrendo as consequências do pecado dos pais — uma perspectiva mais fácil de imaginar, mas patentemente injusta.

Jesus respondeu derrubando as crenças comuns sobre como Deus vê pessoas doentes e incapacitadas. Ele negou que a cegueira do homem viesse de algum pecado, exatamente como desfez a opinião comum de que as tragédias acontecem a quem as merece (ver Lc 13.1-5). Jesus queria que os enfermos soubessem que são especialmente amados, não amaldiçoados, por Deus. Cada um dos seus milagres de cura, aliás, rebateu a tradição rabínica de "Você mereceu".

Os discípulos estavam olhando para trás, para descobrir "por quê?" Jesus redirecionou sua atenção para frente, respondendo a uma pergunta diferente: "Com que finalidade?". Sua resposta: "Nem ele pecou nem seus pais, mas isto aconteceu para que se manifestem nele as obras de Deus".

O que se iniciou como história trágica da cegueira de um homem acaba como história surrealista sobre a cegueira de todos. Os vizinhos do homem fizeram-no comprovar sua identidade, os fariseus o sujeitaram a interrogatórios formais e seus próprios pais (que foram suficientemente duros para deixar que levasse uma vida

---

[3] Tenho percebido uma notável mudança desde os tempos de Jesus em como as pessoas pensam acerca da calamidade. Hoje em dia temos a tendência de acusar a Deus, tanto pelos cataclismos (que as agências de seguros chamam "atos de Deus") quanto pelo trivial. Nas Olimpíadas do Inverno de 1994, quando o patinador Dan Janssen arranhou o gelo e perdeu a corrida de 500 m pela segunda vez, sua esposa, Robin, gritou instintivamente: "Por que, Deus, novamente? Deus não pode ser assim tão cruel!". Alguns meses depois uma jovem escreveu ao dr. James Dobson esta carta: "Há quatro anos, namorava um homem e fiquei grávida. Fiquei arrasada! Perguntei a Deus: Por que tu permitiste que isso acontecesse comigo?". Exatamente que papel, não posso deixar de imaginar, Deus desempenhou na perda de controle de um patinador numa curva e na de um jovem casal descontrolado num encontro?

[4] Nota de rodapé de João 9.2 na **The NIV Study Bible**, Grand Rapids: Zondervan, 1985, p. 1614.

Milagres: instantâneos do sobrenatural

de mendicância, afinal) fraquejaram sob toda aquela pressão. Quanto ao homem antes cego, tinha pouco tempo para tais conjecturas teóricas: "Se é pecador, não sei", ele dá testemunho de Jesus. "Uma coisa sei: Eu era cego, e agora vejo!"[5]

Em Jerusalém, onde Jesus fora censurado como herético, um milagre explícito, especialmente realizado no sábado, criou uma grave ameaça para a doutrina oficial. Embora os fariseus não pudessem desacreditar o milagre — um mendigo cego estava agora olhando dentro dos olhos deles e os ridicularizando em pleno tribunal — no fim eles se apegaram às suas teorias desgastadas de castigo. "Tu és nascido todo em pecado, e nos ensinas a nós?", retrucaram ao homem. Os tapa olhos teológicos não caem com facilidade.

A reação a esse milagre, como a muitos outros registrados nos evangelhos, contém um notável princípio de fé: embora a fé possa produzir milagres, milagres não produzem necessariamente a fé.

Podemos considerar a enfermidade uma falência mecânica das células físicas, ou podemos considerá-la, em sentido mais amplo, um estado de disfunção envolvendo corpo, mente e alma. Aprendi isso com os pacientes do dr. Paul Brand, o especialista em lepra de cujos livros fui coautor. Exceto em estágios muito precoces, o paciente de lepra não sente dor física. Esse, aliás, é o problema: depois que os bacilos da lepra matam as células nervosas, os pacientes não ficam mais alertas para o perigo que continua a prejudicar seu corpo. Um paciente de lepra pode andar o dia inteiro sobre um cortante parafuso de metal, ou utilizar um martelo áspero, ou coçar um local infeccionado no globo ocular. Cada um desses atos destrói tecidos e pode finalmente levar à perda do membro ou da visão, mas de modo algum o paciente de lepra sente *dor*.

Embora possam não sentir dor, os pacientes da lepra certamente *sofrem*, mais do qualquer outra pessoa que eu conheça. Quase toda dor que sentem vem de fora, a dor da rejeição imposta sobre eles pela comunidade que os cerca. O dr. Brand me contou acerca de um brilhante jovem que estava tratando-se na índia. No decorrer do exame Brand colocou a mão sobre o ombro do paciente e o informou por meio de uma tradutora a respeito do tratamento que devia ser feito. Para surpresa sua o homem começou a ser sacudido por soluços abafados. "Eu disse alguma coisa errada?", Brand perguntou à tradutora. Ela inquiriu o paciente num jorro de palavras em tâmil e respondeu: "Não, doutor. Ele diz que está chorando porque o

---

[5]   João 9.1-41

senhor colocou a sua mão sobre os seus ombros. Até chegar aqui ninguém o toca há muitos anos".

Nos países modernos ocidentais, onde a lepra é rara, uma nova doença tem assumido grande parte de seu estigma moral e social. "A aids é a lepra moderna", diz o ex-cirurgião geral C. Everett Koop.[6] "Há pessoas que têm a mesma atitude para com os pacientes da aids nos dias de hoje que muitas pessoas tinham para com os pacientes da lepra há cem anos." Conheço um paciente de aids que viajou dezessete mil quilômetros para estar com a família em Michigan no jantar de Ação de Graças. Ele não os via fazia sete anos. Os pais o receberam cautelosamente, e quando o jantar foi servido todos receberam uma farta porção de peru e todas as guarnições nos melhores pratos de porcelana Wedgewood — exceto o filho, o paciente de aids, que foi servido em utensílios descartáveis, de plástico.

Jesus conhecia tudo sobre o estigma social que acompanha enfermidades como a aids ou a lepra. As leis levíticas decretavam que uma pessoa com lepra devia morar fora da cidade, manter uma distância de seis passos das outras pessoas e usar roupas de acompanhante de enterro. Posso facilmente imaginar a indignação que encrespou a multidão e, sem dúvida, esta abriu logo um largo espaço, quando um desses párias passou no meio dela e jogou-se aos pés de Jesus. "Senhor, se quiseres, podes tornar-me limpo", ele disse.

Mateus, Marcos e Lucas apresentam variantes das narrativas da cena, mas os três incluem a mesma frase explosiva: "Jesus estendeu a mão, e o tocou". A multidão deve ter ficado sem respiração — a lei de Moisés não havia proibido tal ato? A vítima de lepra devia ter-se encolhido.[7] Há quantos meses ou anos fora privada da sensação do contato quente da carne humana? Esse toque de Jesus acabou com o seu estado de disfunção. A shalom foi restaurada.

A reação de Jesus à disfunção estabeleceu um padrão para a igreja que se formou ao redor dele, e os cristãos continuaram imitando o seu exemplo cuidando dos enfermos, dos pobres e dos párias. No caso da lepra, embora a igreja às vezes aumentasse a miséria com sua mensagem de "maldição de Deus", ao mesmo tempo indivíduos se levantaram para abrir caminho para o tratamento. Ordens religiosas dedicaram-se ao cuidado da lepra, e pesquisas científicas da enfermidade costumavam vir dos missionários porque eram os únicos prontos a trabalhar com os

---

[6]   Entrevista.

[7]   Mateus 8.1-4; Marcos 1.40-44; Lucas 5.12-14

Milagres: instantâneos do sobrenatural

pacientes leprosos.[8] Semelhantemente os cristãos estão agora envolvidos em ministérios com pacientes de aids e em asilos, movimento moderno dedicado aos que têm pouca esperança de cura física, mas muita necessidade de amor e de cuidados.

Madre Teresa, cujas irmãs em Calcutá dirigem um asilo e uma clínica para pacientes leprosos, disse certa vez: "Temos remédios para pessoas com doenças como a lepra. Mas esses remédios não tratam o problema principal, a doença de serem *indesejáveis*. É o que as minhas irmãs tentam prover".[9] Os doentes e os pobres, ela disse, sofrem ainda mais da rejeição do que da necessidade material. "Um alcoólatra na Austrália me contou que quando está andando pela rua percebe que os passos de todos os que vêm ao encontro dele, ou passam por ele, se tornam mais rápidos. A solidão e o sentimento de não ser desejado é a pobreza mais terrível." Ninguém precisa ser médico ou operador de milagres para atender a essa necessidade.

Uma história deliciosa que vem logo após a cura da lepra nos evangelhos mostra a diferença que os amigos podem fazer para uma pessoa aflita. Um homem paralítico, que por necessidade tinha de depender dos outros para obter alimento, para tomar banho e até mesmo em suas necessidades sanitárias, precisou de ajuda para colocar a sua fé em ação.[10]

Lembro-me de meus impulsos destrutivos, despertados na primeira vez em que ouvi a história na escola dominical. Esse paralítico queria tão desesperadamente encontrar-se com Jesus que disse a seus quatro amigos que abrissem um buraco no teto para fazê-lo passar por ali! O homem que passara sua vida horizontalmente teria um momento de fama vertical. Os comentaristas bíblicos se esforçam para dizer que os tetos e os telhados de pedras da Palestina eram muito mais fáceis

---

[8] Uma crença estranha na Idade Média incitava o esforço da igreja junto aos pacientes da lepra. Dado um erro de tradução de Jerônimo, os líderes da igreja criam que a descrição de Isaías do Servo Sofredor como "aflito", ou "acostumado com o sofrimento", significasse que fora realmente atacado pela lepra. Assim, nos séculos XII e XIII as pessoas chegaram à conclusão de que Jesus devia ter sido leproso. Essa crença levou a uma completa inversão de como a lepra era considerada: não mais uma maldição de Deus, era agora uma "Enfermidade Santa". Os cruzados que voltavam para casa com lepra eram tratados com grande reverência, e os "lazaretos" para tratamento da enfermidade (chamados assim por causa de Lázaro, o mendigo) surgiram por toda parte, cerca de dois mil só na França. Esse movimento histórico permanece como exemplo insólito da igreja seguindo literalmente a ordem de Jesus de tratar "o menor destes meus irmãos" como se tratasse o próprio Cristo (FEENY, Patrick. **The fight against leprosy**. New York: American Leprosy Mission, 1964. p. 15, 32).

[9] Entrevista na televisão.

[10] Mateus 9.1-8; Marcos 1.1-12; Lucas 5.17-26

de desmanchar e consertar do que os telhados que adornam nossas casas hoje. Eles não compreenderam: um buraco no teto dificilmente é o jeito normal de entrar numa casa. Mais ainda, não importa a fragilidade do teto, fazer um buraco nele vai certamente interromper o que está acontecendo embaixo. A poeira voa, pedaços de palha e barro caem em cima dos convidados, o barulho e o caos interrompem a reunião.[11]

A própria multidão cuja presença criou o problema de acessibilidade teve dois choques rudes. Primeiro foi a maneira atrapalhada pela qual os amigos do paralítico o resolveram. Depois veio a reação totalmente inesperada de Jesus. Quando Jesus viu a fé *deles* — no plural, enfatizando o papel dos quatro amigos na cura — ele disse: "Filho, tem bom ânimo; os teus pecados estão perdoados".

Aparentemente, Jesus gostou da interrupção. Fé admirável nunca deixou de impressioná-lo, e certamente a equipe de demolição dos quatro homens demonstrou isso. Mas a sua reação desconcertou os observadores. Quem falou algo sobre pecados? E quem era Jesus para perdoá-los? De maneira típica, os peritos em religião começaram a versar sobre os direitos de Jesus de perdoar pecados, todo o tempo desprezando o homem incapacitado que jazia no entulho.

Jesus silenciou o debate com palavras enigmáticas que parecem resumir sua atitude em geral para com a cura física: "Qual é mais fácil? dizer: Os teus pecados estão perdoados, ou dizer: Levanta-te e anda?". Embora deixasse a questão suspensa no momento, todo o seu ministério fornece uma resposta. A cura física era muito mais fácil, sem dúvida. Como se quisesse provar isso, Jesus simplesmente enunciou uma palavra e o homem paralítico levantou-se, enrolou a sua maca, e andou — ou talvez escapuliu-se — a caminho de sua casa.

Jesus nunca encontrou enfermidade que não pudesse curar, defeito de nascença que não pudesse reverter, demônio que não pudesse exorcizar. Mas encontrou céticos que não pôde convencer e pecadores que não pôde converter. O perdão de pecados exige um ato de vontade da parte de quem recebe, e alguns

---

[11] Um sacerdote chamado Donald Senior fez uma observação acerca dessa história que eu nunca havia notado antes, referente à questão da acessibilidade para os incapacitados. Senior escreve: "Qualquer pessoa incapacitada pode fornecer uma porção de histórias como essa — ao entrar numa igreja pela sacristia (ou, pior, tendo de ser carregada pela escadaria da frente como uma criança), entrar num salão de conferências por um elevador de carga e depois, pela cozinha ou área de serviço para poder se juntar às pessoas 'normais' que entram pela porta da frente" (SENIOR, Donald C. P. "With new eyes". **Stauros Notebook**, v. 9, n. 2, p. 1).

Milagres: instantâneos do sobrenatural

que ouviram as palavras mais incisivas de Jesus sobre graça e perdão afastaram-se sem arrependimento.

"Ora, para que saibais que o Filho do homem tem na terra autoridade para perdoar pecados [...]" Jesus anunciou aos céticos, enquanto curava o homem, uma ilustração clara do "menor" servindo o "maior". Jesus sabia que a disfunção espiritual tem um efeito mais devastador do que qualquer mera enfermidade física. Toda pessoa curada finalmente morre — e então o que acontece? Ele não viera principalmente para curar as células do mundo, mas para curar as almas das pessoas.

Com que facilidade nós, os que vivemos em corpos materiais, desvalorizamos o mundo espiritual! Ocorre-me que, embora Jesus gastasse mais tempo em questões como a hipocrisia, o legalismo e o orgulho, não conheço nenhum ministério de televisão dedicado a curar esses problemas "espirituais"; mas conheço muitos que se centralizam em doenças físicas. Antes que eu comece a ficar presunçoso, entretanto, é bom lembrar com que facilidade me sinto atormentado pelo mais leve ataque de sofrimento físico, e com que raridade me sinto atormentado pelo pecado.

Quando se trata de milagres, Jesus tem um diferente conjunto de prioridades em relação à maioria dos seus seguidores.

Houve apenas um milagre registrado em todos os quatro evangelhos. Aconteceu sobre as verdes colinas junto à praia do mar da Galileia numa ocasião em que a popularidade de Jesus e também a sua vulnerabilidade — estava subindo às alturas. Onde quer que fosse, uma multidão que também incluía muitos loucos e atormentados o seguia.

O dia antes do grande milagre, Jesus atravessou o lago para escapar às massas. Herodes acabara de executar João Batista, o primo de Jesus, seu precursor e amigo, e Jesus precisava de um tempo para sofrer a sós. Sem dúvida, a morte de João provocou pensamentos sombrios sobre o destino que o aguardava.

Mas não, não haveria um retiro separado. Um imenso enxame da turba do dia anterior fez a viagem de dezesseis quilômetros ao redor do lago e logo mais centenas, até mesmo milhares de pessoas gritavam à volta de Jesus. "[...] e teve compaixão deles", diz Marcos, "porque eram como ovelhas que não têm pastor". Em vez de passar o dia renovando o seu espírito, Jesus passou o dia curando os enfermos, sempre um sorvedouro de energia, e falando a uma multidão bastante grande para encher a arena de um moderno estádio de basquete.

159

Surgiu a questão da comida. *O que fazer? Há pelo menos cinco mil homens, sem mencionar as mulheres e as crianças!* Manda-os embora, sugeriu um discípulo. Comprem-lhes o jantar, disse Jesus. *O quê? Ele está brincando? Estamos falando do salário de oito meses!*

Então Jesus assumiu o comando como nenhum deles o vira fazer antes. Mandem as pessoas assentar-se em grupos de cinquenta, ele disse. Era como uma reunião política — festiva, ordeira, hierárquica — exatamente o que alguém poderia esperar da figura de um Messias.

Inevitavelmente, nós, os modernos, lemos a vida de Jesus de trás para diante, sabendo o que vai acontecer. Naquele dia, ninguém a não ser Jesus tinha uma pista. Murmúrios farfalharam pelos grupos sobre a encosta apinhada da colina. *Ele é aquele? Seria ele?* No deserto, Satanás balançara diante de Jesus as perspectivas de um milagre que agradasse às pessoas. Agora, não para agradar a uma multidão, mas simplesmente para apaziguar seus estômagos, Jesus pegou dois peixes salgados e cinco pãezinhos e realizou o milagre que todos esperavam.[12]

Três dos evangelhos param aí. "Todos comeram e se fartaram, e os discípulos levantaram doze cestos cheios de pedaços de pão e de peixe", conta Marcos interrompendo a narrativa com maestria. Apenas João conta o que aconteceu a seguir. Jesus conseguiu finalmente o seu momento de solidão. Enquanto os discípulos atravessavam o lago de volta a remo, lutando com uma tempestade o tempo todo, Jesus passou a noite numa montanha, sozinho e orando. Mais tarde, aquela noite, ele se reuniu a eles andando sobre as águas.

Na manhã seguinte, numa cena de uma corrida quase cômica, a multidão apoderou-se de barcos e navegou em furiosa perseguição, como um cardume de peixes perseguindo uma curiosidade ao redor do lago. Depois de um dia saboreando um milagre, estavam loucos por outro. Jesus detectou a verdadeira intenção da multidão: pegá-lo a força e coroá-lo rei. *Eu te darei todos os reinos da terra,* Satanás havia prometido.

Uma conversa realizada entre dois lados que poderiam muito bem estar falando línguas diferentes. Jesus foi invulgarmente brusco, acusando a multidão de motivações cúpidas, de desejar apenas comida para os seus ventres. Ele fez declarações provocantes, como "Eu sou o pão da vida" e "eu desci do céu". Ele disse coisas incompreensíveis como "[...] se não comerdes a carne do Filho do homem, e não beberdes o seu sangue, não tereis vida em vós mesmos".

---

[12]   Mateus 14.13-21; Marcos 6.30-44; Lucas 9.10-17; João 6.5-71

Como um coro grego, o auditório deu uma resposta dramática a cada uma dessas palavras duras. Eles resmungaram. Eles discutiram. Contudo, não desistiriam facilmente do seu sonho. Uma antiga tradição judia diz que o Messias renovaria a prática de Moisés de servir maná, e não foi exatamente o que Jesus fez no dia anterior? Com o milagre de ontem ainda em digestão em seus ventres, pediram outro sinal milagroso. Estavam viciados.

No final, Jesus "ganhou" a discussão. Ele não era o seu tipo de Messias, afinal: não daria pão e circo quando pedissem. A grande e inquieta multidão se dispersou, e os próprios discípulos de Jesus começaram a murmurar entre si. "Duro é este discurso, quem o pode ouvir?", disseram. Muitos desertaram dele, um rompimento apenas mencionado por João. "Não quereis vós também retirar-vos?", Jesus perguntou tristemente aos Doze.

A multiplicação dos pães para alimentar os cinco mil ilustra por que Jesus, com todos os poderes sobrenaturais à sua disposição, demonstrou tal ambivalência para com os milagres. Eles atraíram multidões e aplausos, sim, mas raramente encorajaram o arrependimento e uma fé duradoura. Ele estava trazendo uma mensagem dura de obediência e sacrifício, não um espetáculo de segunda categoria para basbaques e amantes de sensacionalismo.

A partir daquele dia, a mensagem de Jesus tomou rumo diferente. Como se as cenas de aclamação e de rejeição tivessem aclarado o seu futuro, ele começou a falar muito mais abertamente acerca de sua morte. As estranhas figuras de linguagem que usou contra a multidão começaram a fazer mais sentido. O pão da vida não era mágico, como o maná; veio do céu para ser quebrado, e misturado com sangue. Ele estava falando de seu próprio corpo. Nas palavras de Robert Farrar Capon, "o Messias não ia salvar o mundo com intervenções milagrosas tipo Band-Aid: uma tempestade acalmada aqui, uma multidão alimentada ali, uma sogra curada à beira da estrada. Antes, ia ser salvo por um mistério mais profundo, mais tenebroso, maldoso, no centro do qual jaz a sua própria morte".[13]

Jesus passou numa espécie de teste aquele dia sobre o outeiro gramado junto ao lago. Satanás lhe dera uma pré-estreia no deserto, mas aquela tentação era mais teórica. Essa era a coisa real, um teste de realeza oferecida à qual ele tinha todo o direito — e a qual recusou, em favor de um caminho mais duro, mais humilhante.

---

[13] CAPON, Robert Farrar. **Parables of the kingdom**. Grand Rapids: Zondervan, 1985. p. 27.

"Uma geração má e adúltera pede um sinal!",[14] Jesus diria quando outra pessoa mais lhe pediu uma exibição dos seus poderes. E em Jerusalém, a capital, embora muitas pessoas vissem os milagres que ele realizou e cressem nele, "Jesus não confiava neles",[15] pois sabia o que havia em seus corações.

Sinal não é o mesmo que prova; o sinal é simplesmente um indício para alguém à procura da direção certa.

O último grande "sinal" em João aparece no centro exato do seu livro, capítulo 11, e forma uma narrativa de articulação entre tudo o que o precede e lhe segue. João aponta para o milagre com Lázaro como o acontecimento que pôs a instituição religiosa fatalmente contra Jesus.[16] Sua narrativa também oferece um resumo perfeito do que os milagres fizeram, e não fizeram, durante o período em que Jesus esteve na terra.

A história de Lázaro tem uma qualidade excepcional de "cenário". Geralmente, quando Jesus recebia um pedido de uma pessoa doente, respondia imediatamente, às vezes mudando os planos a fim de adaptar-se ao pedido. Dessa vez, depois de receber o aviso da enfermidade de um dos seus bons amigos, demorou-se em outra cidade por mais dois dias. Ele o fez intencionalmente, com pleno conhecimento de que a demora resultaria na morte de Lázaro. João inclui a explicação oculta de Jesus a seus discípulos: "Lázaro está morto, e me alegro, por vossa causa, de que lá não estivesse, para que possais crer". Deliberadamente, ele permitiu que Lázaro morresse e sua família se entristecesse.

Em outro contexto Lucas contrasta os tipos de personalidade das duas irmãs de Lázaro: Marta, a anfitriã obsessiva que corre pela cozinha, e Maria, a contemplativa, satisfeita em ficar sentada aos pés de Jesus. Num momento de tragédia, os tipos de personalidade se acentuam. Marta correu pela estrada ao encontro do grupo de Jesus fora da cidade. "Senhor", ela o censurou, "se tu estivesses aqui, meu irmão não teria morrido". Algum tempo depois Maria chegou e, enternecedoramente, disse exatamente as mesmas palavras: "Senhor, se tu estivesses aqui, meu irmão não teria morrido".

As palavras das irmãs continham o tom da acusação, a culpa de um Deus que não responde á oração. Não importa quanto nos esforcemos, aqueles que estão sofrendo não conseguem evitar as palavras "se ao menos". *Se ao menos ele tivesse*

---

[14]   Mateus 12.39

[15]   João 2.24

[16]   João 11.1-54

perdido aquele voo. Se ao menos ele tivesse parado de fumar. Se ao menos eu tivesse me dado ao trabalho de dizer "adeus". Nesse caso, Maria e Marta tinham um alvo claro para os seus "se ao menos": o próprio Filho de Deus, seu amigo, que poderia ter evitado a morte.

Falta de fé não deve ser censurada. Marta garantiu a Jesus que acreditava na vida após a morte, e, notavelmente, até proclamou Jesus, o Messias, o Filho de Deus. Essa fé infantil jazia no fundo da questão: por que Jesus não a tinha honrado? Amigos e parentes perguntaram bruscamente: "Não podia ele, que abriu os olhos aos cegos, fazer também que este não morresse?".

Marta estava chorando. Maria estava chorando. Todos os pranteadores estavam chorando. Finalmente, o próprio Jesus "comoveu-se profundamente em espírito", e se desfez em lágrimas. João não conta por que Jesus chorou. Uma vez que já tinha revelado os seus planos de ressuscitar Lázaro dos mortos, certamente não sentia a mesma dor que devastava os outros. Ainda assim, alguma coisa o atingiu. Quando se aproximou da tumba, novamente sentiu um espasmo de dor e "gemeu no espírito", como algumas traduções dizem.

A morte nunca perturbou Jesus antes. Sem nenhum esforço restaurou o filho da viúva de Naim, interrompendo um cortejo fúnebre no caminho. Contudo, com a família de Lázaro, parecia perturbado, afetado, atormentado.

A oração de Jesus junto à sepultura dá uma pista: "Pai, graças te dou porque me ouviste. Eu sei que sempre me ouves, mas eu disse isso por causa da multidão que me rodeia, para que creiam que tu me enviaste". Em nenhum outro lugar Jesus orou tendo em mente o auditório que o ouvia por cima do ombro, como um ator shakespeareano que se volta para a multidão para recitar um aparte. Nesse momento Jesus parecia constrangedoramente consciente de sua identidade dual, ao mesmo tempo aquele que veio do céu e o Filho do Homem nascido no mundo.

A oração pública em voz alta, os gestos — tudo tem as marcas de uma batalha espiritual a caminho. Jesus estava dando uma mensagem, operando um "sinal" à vista de todo o público, e aqui como em nenhum outro lugar reconhecia o estado intermediário da criação de Deus. Jesus sabia, naturalmente, que Lázaro estava agora inteiro e satisfeito, de todas as maneiras melhor por ter saído desse casulo mortal. Marta e Maria também o sabiam, teoricamente. Mas ao contrário de Jesus e de Lázaro, nunca tinham ouvido os sons dos risos do outro lado da morte. A fé no poder e no amor de Deus estava no momento sobrepujada pela tristeza. Tudo o que sabiam era a perda, tudo o que sentiam era a dor.

Esse estado intermediário de perda e de dor talvez explicasse a fonte das lágrimas de Jesus. Os especialistas em grego dizem que a palavra traduzida por "comover-se profundamente" transmite mais do que angústia; implica cólera, até mesmo fúria. Naquele exato momento o próprio Jesus pendia entre dois mundos. Diante de uma tumba com cheiro de morte teve um presságio do que estava à sua frente neste mundo amaldiçoado — literalmente amaldiçoado. Que sua própria morte também terminasse em ressurreição não reduzia o medo ou a dor. Ele era humano: tinha de passar pelo Gólgota para chegar ao outro lado.

A história de Lázaro, considerada em sua totalidade, não apenas apresenta uma pré-estreia do futuro de Jesus mas também uma visão resumida de todo o planeta. Todos vivemos os dias num período intermediário, o intervalo do caos e da confusão entre a morte de Lázaro e o seu reaparecimento. Embora tal período possa ser temporário e possa desfazer-se na insignificância do futuro glorioso que nos aguarda, agora é tudo o que conhecemos, e isso basta para trazer lágrimas aos nossos olhos — o suficiente para trazer lágrimas aos olhos de Jesus.

A ressurreição de um homem, Lázaro, não resolveria o dilema do planeta Terra. Para isso, seria necessária a morte de um homem. João acrescenta o detalhe irônico, espantoso, de que o milagre de Lázaro selou o destino de Jesus. "Desde aquele dia, resolveram matá-lo." E, daquele dia em diante, de modo significativo, os sinais e as maravilhas de Jesus cessaram.

Quando leio agora as narrativas de milagres selecionados do tempo de Jesus, encontro nelas uma mensagem muito diferente.

Quando criança, via os milagres como provas absolutas das reivindicações de Jesus. Nos evangelhos, entretanto, os milagres nunca revelaram tal atitude mesmo naqueles que viram as maravilhas pessoalmente. "Se não ouvem a Moisés e aos profetas, tampouco acreditarão, ainda que algum dos mortos volte à vida",[17] disse Jesus acerca dos céticos. Talvez Jesus tivesse em mente a sua própria ressurreição, mas a consequência da história de Lázaro prova o mesmo: estranhamente, os sumos sacerdotes procuraram encobrir o milagre tentando matar o pobre Lázaro novamente! Com a forte evidência de um milagre espetacular andando por aí livremente na pessoa de Lázaro, eles conspiraram malignamente para destruir a evidência. Em nenhum acontecimento os milagres derrubaram as pessoas e as esmagaram como um rolo compressor para que cressem. Nesse caso não haveria lugar para a fé.

---

[17]   Lucas 16.31

Quando criança, eu via os milagres como garantia de segurança pessoal. Jesus não prometeu: "[...] nenhum deles [passarinhos] cairá em terra sem o consentimento de vosso Pai?".[18] Mais tarde, aprendi que essa promessa aparece no meio de uma série de advertências horríveis para os doze discípulos, nas quais Jesus prediz a prisão, a perseguição e a morte deles. De acordo com a tradição, os onze discípulos que sobreviveram a Judas tiveram todos morte de mártires. Jesus sofreu, como também o apóstolo Paulo e líderes cristãos mais recentes. A fé não é uma apólice de seguro. Ou, como Eddie Askew[19] acredita que possa ser: a apólice não previne os acidentes, antes dá uma garantia com a qual enfrentar suas consequências.

Quando criança, eu lutava para ter mais fé. Os adultos insistiam comigo para desenvolver a fé, e eu tinha poucas pistas sobre como proceder. Lendo todas as histórias de cura juntas, detecto agora nos evangelhos uma espécie de "escada de fé". No alto da escada estão aqueles que impressionaram Jesus com fé ousada, inabalável: um centurião, um mendigo cego impertinente, uma mulher cananeia persistente. Essas histórias de fé consistente me assustam, porque raramente tenho uma fé assim. Sinto-me com facilidade desencorajado pelo silêncio de Deus. Quando minhas orações não são respondidas, sou tentado a desistir e a não pedir de novo. Por esse motivo, olho para a parte de baixo da escada e encontro pessoas de fé menor, e isso me incentiva a aprender que Jesus esteve pronto a operar com qualquer pequenino vislumbre de fé que viesse à luz. Apego-me às misericordiosas narrativas de como Jesus lidou com os discípulos que o abandonaram e depois duvidaram dele. O mesmo Jesus que louvou a fé ousada daqueles lá em cima da escada também gentilmente estimulou a fé flácida de seus discípulos. E recebo consolo especial na confissão do pai de um rapaz possuído por demônios que disse a Jesus: "Eu creio; ajuda-me a vencer a minha falta de fé".[20] Até mesmo aquele homem vacilante recebeu a garantia de uma resposta.

Quando criança, eu via milagres por toda parte. Agora os vejo raramente, e parecem ambíguos, suscetíveis a diferentes interpretações. Minha visão infantil sem dúvida tornou-se nublada com a idade, e o sinto como uma perda. Mas certamente a seletividade frustrante dos milagres não era mais fácil de entender nos dias de Jesus do que agora. Um homem que podia andar sobre as águas só o

---

[18] Mateus 10.29

[19] ASKEW, Eddie. **Disguises of love**. Londres: The Leprosy Mission International, 1983. p. 50.

[20] Marcos 9.24

fez uma única vez. Que autocontrole! Sim, ele trouxe Lázaro de volta da morte e enxugou as lágrimas de suas irmãs — mas o que dizer das muitas outras irmãs, e esposas, e filhas, e mães que estavam chorando naquele dia pelos seus próprios queridos? Quando Jesus mesmo discutia os milagres diretamente, ele destacava a sua *falta de frequência.*

Quando criança, eu via os milagres como mágica. Agora, os vejo como sinais. Quando João Batista[21] jazia na prisão, Jesus lhe enviou relatórios de curas e de ressurreições para provar que era "aquele"; um pouco depois, entretanto, o próprio João morreu na mão de um carrasco. A mensagem de Jesus a João não fez nada para aliviar sua condição física, e não sabemos que efeito poderia ter tido sobre a sua fé. Apesar disso, a mensagem expressou o caráter do reino que Jesus veio estabelecer. Era um reino de libertação no qual os cegos veriam, os coxos saltariam, os surdos ouviriam, os leprosos seriam purificados e os pobres seriam libertados. Para alguns (nas três dúzias de exemplos de milagres que conhecemos), a libertação ocorreu enquanto Jesus caminhava pelas estradas da Galileia e da Judeia. Outros conheceram a libertação pelo serviço dedicado dos discípulos de Jesus. Mas outros, João Batista entre eles, não alcançaram tal libertação na terra.

Para que, então, qualquer milagre? Eles fizeram alguma diferença? Admito prontamente que Jesus, com algumas poucas curas e um punhado de ressurreições, fez pouco para resolver o problema da dor neste planeta. Não foi para isso que ele veio. Apesar disso, era da natureza de Jesus neutralizar os efeitos do mundo caído durante o seu período na terra. Enquanto caminhou pela vida, Jesus utilizou o poder sobrenatural para consertar o que estava errado. Cada cura física apontava de volta para um período no Éden em que os corpos físicos não ficavam cegos, não eram aleijados nem sangravam ininterruptamente por doze anos — e também apontava para a frente para um período de recriação por vir. Os milagres que ele realizou, arrebentando as correntes da enfermidade e da morte como fizeram, dão-me um vislumbre da razão pela qual o mundo foi criado e servem para instilar esperança em que um dia Deus vai consertar o que está errado. Para não dizer coisa pior, Deus não está mais satisfeito com este mundo do que nós; os milagres de Jesus oferecem uma pista do que Deus pretende fazer a respeito.

Alguns veem os milagres como uma suspensão implausível das leis do universo físico. Como sinais, entretanto, servem exatamente para uma função oposta.

---

[21]   Mateus 11.1-7

A morte, a deterioração, a entropia e a destruição são a verdadeira suspensão das leis de Deus; os milagres são vislumbres precoces da restauração. Nas palavras de Jürgen Moltmann: "As curas de Jesus não são milagres sobrenaturais em um mundo natural. São as únicas coisas verdadeiramente 'naturais' em um mundo que não é natural, e sim demoníaco e ferido".[22]

---

[22]   MOLTMANN, Jürgen. **The way of Jesus Christ**... cit., p. 99.

CAPÍTULO 10

A MORTE:
A SEMANA FINAL

Por que a Providência escondeu o seu rosto
"no momento mais crítico" [...] como se voluntariamente se submetesse
às leis cegas, mudas e cruéis da natureza? — FIODOR DOSTOIEVSKI

A igreja na qual fui criado passava depressa pelos acontecimentos da Semana Santa para ouvir o som dos sinos da Páscoa. Nunca realizamos um culto na Sexta-Feira Santa. Celebrávamos a ceia do Senhor apenas uma vez por trimestre, uma cerimônia estranha na qual os introdutores solenes orientavam o andamento das bandejas com os cálices do tamanho de dedais e bolachas de sal esfaceladas.

Os católicos romanos não criam na ressurreição, eu era informado, o que explicava por que as meninas católicas usavam cruzes "com o homenzinho pendurado nelas". A missa, fiquei sabendo, celebravam com velas acesas numa espécie de culto ritual, sintoma de sua fixação na morte. Nós, os protestantes, éramos diferentes. Guardávamos nossas melhores roupas, nossos hinos estimulantes e nossos poucos enfeites do santuário para a Páscoa.

Quando comecei a estudar teologia e a história da igreja, descobri que minha igreja estava errada acerca dos católicos, que criam na Páscoa tão fortemente quanto nós e, na verdade, escreveram muitos dos credos que melhor exprimem essa crença. Nos evangelhos também aprendi que, ao contrário de nossa igreja, o registro bíblico diminui o passo em vez de acelerar quando chega na Semana Santa. Os evangelhos, disse um comentarista cristão antigo, são crônicas da última semana de Jesus com introduções progressivamente mais longas.

Das biografias que li, poucas dedicam mais do que dez por cento de suas páginas ao assunto da morte — incluindo-se biografias de homens como Martin Luther King, Jr. e Mahatma Gandhi, que tiveram mortes violentas e politicamente significativas. Os evangelhos, entretanto, dedicam perto de um terço de seu conteúdo à excepcional última semana da vida de Jesus. Mateus, Marcos, Lucas e João viram a morte como o mistério central de Jesus.

Apenas dois dos evangelhos mencionam acontecimentos de seu nascimento, e todos os quatro oferecem apenas algumas poucas páginas acerca de sua ressurreição, mas cada cronista dá uma narrativa pormenorizada dos acontecimentos que levaram à morte de Jesus. Nada remotamente parecido com o que aconteceu antes. Os seres celestiais entraram e saíram de nossa dimensão antes da encarnação (lembre-se do lutador de Jacó e dos visitantes de Abraão), e alguns poucos humanos até ressuscitaram dos mortos. Mas quando o Filho de Deus morreu sobre o planeta Terra — era possível que um Messias enfrentasse a derrota, um Deus fosse crucificado? A própria natureza entrou em convulsão diante do ato: o chão tremeu, as rochas se fenderam, os céus ficaram negros.

Durante vários anos, quando a Semana Santa se aproximava, eu lia todas as narrativas dos evangelhos juntas, às vezes uma atrás da outra, às vezes entretecidas num formato de "harmonia dos evangelhos". Todas às vezes me sentia arrebatado pelo drama absoluto. A narrativa simples, desprovida de enfeites, tinha um poder esmagador, e quase posso ouvir um surdo batendo tristemente por trás do cenário. Nenhum milagre se introduz, nenhuma tentativa de resgate sobrenatural. Isso é tragédia que ultrapassa Sófocles ou Shakespeare.

O poder do mundo, o sistema religioso mais sofisticado do seu tempo aliado ao império político mais poderoso, coloca-se em ordem de batalha contra uma figura solitária, o único homem perfeito que já viveu. Embora seja zombado pelos poderes e abandonado pelos seus amigos, os evangelhos dão o sentido forte, irônico de que apenas ele está supervisionando todo o longo processo. Ele resolutamente voltou-se para Jerusalém, sabendo o destino que o aguardava. A cruz foi o seu alvo o tempo todo. Agora, com a proximidade da morte, ele dá as ordens.

Um ano cheguei às narrativas do evangelho logo depois de ler todo o Antigo Testamento. Passando pelos livros históricos, poéticos e proféticos, fiquei conhecendo um Deus de poder muscular. Cabeças rolaram, impérios desmoronaram, nações inteiras desapareceram da terra. Todos os anos os judeus paravam a nação inteira para lembrar o grande feito de Deus de libertá-los do

Egito, acontecimento cheio de milagres. Eu sentia ondas sísmicas vindas do Êxodo por meio dos salmos e dos profetas, indicações a uma tribo assediada de que o Deus que uma vez respondera a suas orações poderia fazê-lo novamente.

Com aquelas narrativas ainda soando em meus ouvidos, cheguei à descrição de Mateus, cena após cena, da semana final de Jesus. Mais uma vez os judeus estavam reunidos em Jerusalém para lembrar o Êxodo e celebrar a Páscoa. Mais um vez renasceu a esperança eterna: *O Messias chegou!* corria o rumor. E, depois, como o tiro de uma flecha no coração da esperança, veio a traição, o julgamento e a morte de Jesus.

Como podemos nós, que conhecemos o resultado de antemão, jamais recapturar o medonho sentimento de fim-de-mundo que desceu sobre os discípulos de Jesus? Através dos séculos a história se tornou familiar, e não posso compreender nem muito menos recriar o impacto daquela semana final sobre aqueles que a viveram. Vou simplesmente registrar o que se me destaca à medida que revejo a história da Paixão mais uma vez.

Entrada triunfal. Todos os quatro evangelhos mencionam esse acontecimento, que à primeira vista parece o único desvio da aversão que Jesus tinha dos aplausos. A multidão espalhava peças de roupa e galhos de árvores pelo caminho para demonstrar sua adoração. "Bendito o Rei que vem em nome do Senhor!",[1] gritavam. Embora Jesus costumeiramente recuasse de tais demonstrações de fanatismo, dessa vez deixou que gritassem. Aos fariseus indignados explicou: "Digo-vos que se estes se calarem, as próprias pedras clamarão".[2]

Será que o profeta da Galileia estava sendo vingado em Jerusalém? "Todo mundo vai após ele",[3] exclamaram os fariseus, alarmados. Nesse momento, com diversas centenas de peregrinos reunidos em Jerusalém, parecia a todo o mundo que o Rei havia chegado com poder para reivindicar seu trono de direito.

Lembro-me de como, criança, voltando de carro para casa, no culto de Domingo de Ramos, distraidamente rasgava as folhas de palmeira, folheando a revista da Escola Dominical para ver o assunto da próxima semana. Não fazia sentido. Com essa multidão jogando-se aos pés dele numa semana, como Jesus foi preso e morto na seguinte?

---

[1]   Lucas 19.38

[2]   Lucas 19.40

[3]   João 12.19

Agora, quando leio os evangelhos vejo as correntes submersas que ajudam a explicar a inversão. No Domingo de Ramos um grupo de Betânia o rodeou, ainda exultando pelo milagre de Lázaro. Sem dúvida os peregrinos da Galileia, que o conheciam bem, formavam outra grande porção da multidão. Mateus destaca que o maior apoio vinha dos cegos, dos aleijados e das crianças. Além desse grupo, entretanto, espreitava o perigo. As autoridades religiosas ressentiam-se de Jesus, e as legiões romanas que foram trazidas para controlar as multidões do festival dariam ouvidos ao Sinédrio quanto a quem poderia apresentar ameaça à ordem.

O próprio Jesus tinha sentimentos mistos durante o estrepitoso desfile. Lucas conta que, quando se aproximava da cidade, ele começou a chorar. Sabia com que facilidade uma turba podia mudar de ideia. Vozes que clamavam "Hosana!" uma semana podiam gritar "Crucifica-o!" na próxima.

A entrada triunfal tinha uma aura de ambivalência e, à medida que leio todas as narrativas juntas, o que se destaca para mim agora é a natureza burlesca da situação. Imagino um soldado romano galopando para averiguar o distúrbio. Ele havia participado dos desfiles em Roma, onde eram perfeitos. O general conquistador assentava-se numa carruagem dourada, com garanhões forçando as rédeas e as rodas reluzindo à luz do sol. Atrás dele, soldados em armaduras polidas apresentavam os estandartes capturados dos exércitos subjugados. Nó final vinha uma procissão andrajosa de escravos e de prisioneiros em cadeias, prova viva do que acontecia com os que desafiavam Roma.

Na entrada triunfal de Jesus, a multidão adoradora era formada pela procissão andrajosa: os aleijados, os cegos, as crianças, os camponeses da Galileia e de Betânia. Quando o soldado olhou para o objeto da atenção deles, viu uma figura infeliz, *chorando,* montada não num garanhão nem assentada numa carruagem, mas sobre um jumentinho, uma capa emprestada colocada sobre o seu lombo a servir de sela.

Sim, havia um sopro de triunfo no Domingo de Ramos, mas não o tipo de triunfo que poderia impressionar Roma, nem o tipo que impressionaria as multidões de Jerusalém por muito tempo. Que tipo de rei era aquele?

A última ceia. Toda vez que leio essa narrativa de João fico perplexo diante de seu tom moderno. Nesse evangelho, como em nenhum outro, o autor fornece um retrato realístico, em câmara lenta. João cita longos trechos do diálogo e observa as influências emocionais recíprocas entre Jesus e seus discípulos. Temos, em João 13-17, um lembrete íntimo da noite mais angustiante de Jesus na terra.

A morte: a semana final

Havia muitas surpresas reservadas para os discípulos aquela noite, quando passaram pelo ritual da Páscoa, cheia de simbolismos. Quando Jesus leu em voz alta a história do Êxodo, a mente dos discípulos substituiu compreensivelmente o "Egito" por "Roma". Que plano melhor do que esse de Deus duplicar aquele *tour de force* naquele momento, com todos os peregrinos congregados em Jerusalém? O pronunciamento arrebatador de Jesus excitou seus sonhos mais loucos: "Assim como meu Pai me confiou um reino, eu o confio a vós",[4] ele disse magistralmente, e "Eu venci o mundo".[5]

Enquanto leio a narrativa de João, continuo voltando a um episódio curioso que interrompe, o avanço da refeição. "Jesus, sabendo que o Pai tinha depositado nas suas mãos todas as coisas",[6] João inicia com um floreio e, depois, acrescenta o final incongruente: "levantou-se da ceia, tirou a vestimenta de cima e, tomando uma toalha, cingiu-se com ela". Na roupagem de um servo, então, inclinou-se e lavou a sujeira de Jerusalém dos pés dos discípulos.

Que maneira estranha para o hóspede de honra agir durante a última refeição com os amigos. Que comportamento incompreensível de um governante que imediatamente anunciaria: "Eu o confio (um reino) a vós". Naquele tempo, lavar os pés era considerado tão degradante que um mestre não o exigiria de um escravo judeu. Pedro empalideceu diante da provocação.

A cena da lavagem dos pés destaca-se ao escritor M. Scott Peck[7] como um dos acontecimentos mais significativos da vida de Jesus. "Até aquele momento a finalidade de todas as coisas era alguém chegar no topo e, uma vez atingindo o topo, lá permanecer, ou, mais, tentar subir ainda mais alto. Mas aqui esse homem já no topo — que era rabi, mestre, professor — subitamente se rebaixa até o chão e começa a lavar os pés dos seus discípulos. Nesse ato único Jesus simbolicamente inverteu toda a ordem social. Dificilmente entendendo o que estava acontecendo, até os seus próprios discípulos ficaram quase horrorizados com o seu comportamento."

Jesus pediu-nos, a nós, seus seguidores, que fizéssemos três coisas para lembrá-lo. Pediu-nos que batizássemos os outros, exatamente como fora batizado por João. Pediu-nos que nos lembrássemos da refeição que partilhou aquela noite

---

[4]   Lucas 22.29

[5]   João 16.33

[6]   João 13.3,4

[7]   **The different drum**. New York, Touchstone/Simon & Schuster, 1988. p. 293.

com os discípulos. Finalmente, pediu-nos que lavássemos os pés uns dos outros. A igreja sempre honrou dois daqueles mandamentos, embora discutindo o seu significado e a maneira de melhor cumpri-los. Mas hoje temos a tendência de associar o terceiro, a lavagem dos pés, com pequenas denominações escondidas nas montanhas de Appalachia. Apenas algumas poucas denominações executam a prática da lavagem dos pés; quanto às demais, toda a ideia lhes parece primitiva, rural, nada sofisticada. Pode-se discutir se Jesus pretendia entregar esse mandamento apenas para os doze discípulos ou para todos nós no futuro, mas não temos evidência nem mesmo de que os Doze seguiram as instruções.

Mais tarde naquela mesma noite surgiu uma discussão entre os discípulos acerca de quais deles eram considerados mais importantes. Notavelmente, Jesus não negou o instinto humano de competição e de ambição. Simplesmente redirecionou-o: "o maior entre vós seja como o menor; e quem governa seja como quem serve".[8] Foi quando proclamou: "Eu vos confio um reino" — um reino, em outras palavras, fundamentado no serviço e na humildade. Na lavagem dos pés, os discípulos haviam visto um quadro vivo do que ele queria dizer. Seguir esse exemplo não ficou mais fácil em dois mil anos.

A traição. No meio dessa noite de intimidade com os seus amigos mais achegados, Jesus jogou uma bomba: um dos doze homens reunidos ao redor dele, naquela noite, o trairia junto às autoridades. Os discípulos "olharam uns para os outros, sem saber de quem ele falava",[9] e começaram a se interrogar mutuamente.

Jesus tocara num ponto nevrálgico. "Por acaso sou eu?",[10] os discípulos reagiram por sua vez, expondo suas dúvidas subjacentes. A traição não era um pensamento novo. Na Jerusalém conspiracional, quem sabe quantos discípulos foram procurados pelos inimigos de Jesus, investigando uma via de acesso. Mesmo a última ceia foi encoberta pelo perigo, o cenáculo arranjado clandestinamente com um misterioso homem carregando um jarro de água.

Uns poucos momentos depois da bomba de Jesus, Judas sai silenciosamente da sala, levantando suspeitas. Naturalmente o tesoureiro do grupo podia ter uma desculpa para comprar suprimentos ou talvez executar uma tarefa de caridade.

O nome "Judas", antes comum, quase desapareceu. Nenhum pai deseja dar ao filho o nome do mais famigerado traidor da história. E, ainda agora, para minha

---

[8]   Lucas 22.26

[9]   João 13.22

[10]   Marcos 14.19

própria surpresa, quando leio as narrativas dos evangelhos, são as normalidades de Judas, não a sua vilania, que se destacam. Ele, como os outros discípulos, foi escolhido por Jesus depois de uma noite longa de oração. Como tesoureiro, obviamente merecia a confiança dos outros. Mesmo na última ceia ele se assentou em lugar de honra perto de Jesus. Os evangelhos não contêm nenhuma indicação de que Judas foi uma "massa informe" infiltrando-se no círculo íntimo para planejar essa perfídia.

Então como poderia Judas trair o Filho de Deus? Mesmo ao fazer a pergunta penso no restante dos discípulos a fugir de Jesus no Getsêmani, de Pedro a jurar "Não conheço este homem!",[11] quando pressionado no pátio, e os Onze obstinadamente recusando-se a crer nas notícias da ressurreição de Jesus. O ato de traição de Judas diferiu em grau, mas não em espécie, das muitas outras deslealdades.

Curioso, eu queria saber como Hollywood apresentaria o ato da traição, por isso assisti a quinze filmes acerca de Judas. As teorias abundaram. Segundo alguns, ele era ganancioso. Outros o apresentaram como covarde, decidido a fazer um acordo quando os inimigos de Jesus se aproximaram. Alguns o retrataram como desiludido — por que Jesus purificou o sagrado templo com um chicote em vez de organizar um exército contra Roma? Talvez ele ficasse aborrecido com a "brandura" de Jesus: como os militantes da moderna Palestina ou da Irlanda do Norte, Judas não tinha paciência para uma revolução lenta, sem violência. Ou, pelo contrário, estaria pensando em forçar a mão de Jesus? Se Judas arranjasse uma detenção, certamente isso incitaria Jesus a declarar-se e a instaurar o seu reino.

Hollywood prefere apresentar Judas como um rebelde complexo, heroico; a Bíblia declara simplesmente: "entrou nele Satanás"[12] quando saiu da mesa para tomar a sua atitude. Em todos os acontecimentos, a desilusão de Judas diferiu, novamente, apenas em grau da dos outros discípulos. Quando ficou claro que o tipo de reino de Jesus levava a uma cruz, não a um trono, cada um deles esgueirou-se para as trevas.

Judas não foi o primeiro nem o último a trair Jesus, simplesmente foi o mais famoso. Shusaku Endo, o romancista cristão japonês, centralizou muitos dos seus romances no tema da traição. *Silence* [Silêncio], o mais conhecido, fala dos cristãos japoneses que renegaram sua fé sob a perseguição dos xoguns. Endo leu muitas

---

[11]   Mateus 26.74

[12]   João 13.27

histórias eletrizantes acerca dos mártires cristãos, mas nenhuma acerca dos traidores cristãos. Como poderia? Nenhuma fora escrita. Mas, para Endo, a mais poderosa mensagem de Jesus era o inextinguível amor dele até mesmo por pessoas que o traíram — especialmente por elas. Quando Judas conduziu uma turba linchadora para o jardim, Jesus o chamou "Amigo". Os outros discípulos o abandonaram, mas ele continuou amando-os. Sua nação mandou executá-lo; mas, enquanto se estendia nu, na postura da desgraça máxima, Jesus ergueu-se para gritar: "Pai, perdoa-lhes [...]".[13]

Não sei de nenhum contraste mais comovente entre dois destinos humanos do que o de Pedro e de Judas. Ambos assumiram liderança dentro do grupo dos discípulos de Jesus. Ambos viram e ouviram coisas maravilhosas. Ambos passaram pelo mesmo ciclo trepidante de esperança, medo e desilusão. Quando os riscos aumentaram, ambos negaram o seu Mestre. Aí, a semelhança se desfaz. Judas, cheio de remorsos, mas aparentemente sem arrependimento, aceitou as consequências lógicas de seu ato, tirou a própria vida e tornou-se o maior traidor da história. Morreu sem querer aceitar o que Jesus viera para lhe oferecer. Pedro, humilhado, mas ainda aberto à mensagem de graça e de perdão de Jesus, liderou um reavivamento em Jerusalém e não parou até que alcançou Roma.

Getsêmani.[14] De um cenáculo em Jerusalém, cheio do cheiro da carne do cordeiro, das ervas amargas e dos corpos suados, Jesus e o seu grupo de onze se levantaram e dirigiram-se ao bosque fresco e espaçoso das oliveiras, para um jardim chamado Getsêmani. A primavera estava em pleno apogeu, o ar da noite, fragrante com o cheiro das flores. Reclinando-se sob a lua e as estrelas em lugar sossegado, fora do alvoroço da cidade, os discípulos rapidamente mergulharam no sono.

Jesus, entretanto, não sentia essa paz. Ele "começou a entristecer-se e a angustiar-se muito", diz Mateus. Ele "começou a ter pavor", acrescenta Marcos. Ambos os escritores registram as melancólicas palavras dele aos discípulos: "A minha alma está profundamente triste até à morte. Ficai aqui e vigiai". Com frequência Jesus se retirava à parte para orar, às vezes mandando os discípulos embora num barco para poder passar a noite a sós com o Pai. Nessa noite, entretanto, ele precisava da presença deles.

---

[13] Lucas 23.34

[14] Mateus 26.36-56; Marcos 14.32-52; Lucas 22.39-53

A morte: a semana final

Por instinto, nós, os humanos, desejamos alguém do nosso lado no hospital na noite antes da cirurgia, na enfermaria quando a morte nos espreita e em qualquer grande momento de crise. Precisamos do reconfortante toque da presença humana — o confinamento solitário é o pior castigo que a nossa espécie tem imaginado. Percebo na narrativa do Getsêmani nos evangelhos um profundo sentimento de solidão que Jesus não havia sentido antes.

Talvez se as mulheres estivessem incluídas na última ceia Jesus não tivesse passado aquelas horas sozinho. A mãe de Jesus previdentemente viera a Jerusalém — seu primeiro aparecimento nos evangelhos desde o início do ministério do filho. As mesmas mulheres que estariam ao pé da cruz, que enrolaram seu corpo sem vida e se apressaram à sepultura de madrugada certamente ficariam assentadas com ele no jardim, teriam segurado sua cabeça, enxugado suas lágrimas. Mas apenas amigos masculinos acompanharam Jesus. Sonolentos com o jantar e o vinho, dormiram enquanto Jesus enfrentava a provação, sozinho.

Quando os discípulos falharam, Jesus não tentou disfarçar o sofrimento: "Não pudeste vigiar nem uma hora?". Suas palavras sugerem algo mais sinistro do que a solidão. Será que pela primeira vez ele não queria ficar a sós com o Pai?

Uma grande luta estava a caminho, e os evangelhos descrevem o tormento de Jesus de maneira bastante diferente das histórias judia e cristã do martírio. "Afasta de mim este cálice", ele rogou. Não foram orações piedosas, formais: "Em agonia, orava mais intensamente. O seu suor tornou-se grandes gotas de sangue, que corriam até o chão". Qual era a luta, exatamente? Medo da dor e da morte? Naturalmente. Jesus não gostava da perspectiva mais do que eu ou você. Mas havia também algo mais em jogo, uma nova experiência para Jesus que apenas podemos chamar de abandono de Deus. No seu âmago o Getsêmani representa, afinal, a história da oração não respondida. O cálice do sofrimento não removido.

O mundo rejeitara Jesus: a prova veio na procissão, à luz de tochas, que sorrateiramente trilhou os caminhos do jardim. Logo os discípulos o abandonariam. Durante as orações, as orações cheias de angústia que encontraram uma parede de pedra negativa, certamente devia parecer como se Deus também se tivesse afastado.

John Howard Yoder[15] especula o que poderia ter acontecido se Deus tivesse intervindo para atender ao pedido "passa de mim este cálice". Jesus de maneira nenhuma tinha ausência de poder. Se tivesse insistido na sua vontade e não na

---

[15] **The politics of Jesus**. Grand Rapids: Eerdmans, 1972. p. 55-56,61.

do Pai, teria invocado doze legiões de anjos (72000) para uma guerra santa em seu benefício. No Getsêmani, Jesus reviveu a tentação de Satanás no deserto. Nas duas vezes ele poderia ter resolvido o problema do mal pela força, com um rápido golpe contra o acusador no deserto ou uma batalha feroz no jardim. Não haveria história da igreja — nem igreja, para dizer a verdade — quando toda a história humana teria parado e a atual dispensação sido interrompida. Tudo isso estava ao alcance de Jesus se simplesmente dissesse a palavra, fugisse ao sacrifício pessoal e negociasse o confuso futuro da redenção. Nenhum reino avançaria como a semente da mostarda; o reino antes desceria como uma chuva de saraiva.

Mas, como Yoder relembra-nos, a cruz, o "cálice" que agora parecia tão aterrador, foi o próprio motivo por que Jesus veio à terra. "Aqui na cruz está o homem que ama seus inimigos, o homem cuja justiça é maior que a dos fariseus, que sendo rico tornou-se pobre, que dá o seu manto a quem lhe tira a capa, que ora por aqueles que maldosamente abusam dele. A cruz não é um desvio nem um obstáculo no caminho do reino, nem mesmo é o caminho do reino; é o reino que vem."

Depois de diversas horas de oração torturante, Jesus tomou uma resolução. A sua vontade e a do Pai convergiam. "Não era necessário que o Cristo padecesse estas coisas?",[16] é como ele mais tarde expressaria. Ele despertou seus sonolentos amigos pela última vez e marchou corajosamente pelas trevas ao encontro dos que pretendiam matá-lo.

Os julgamentos. Nos dias de hoje os programas de televisão e os *best-sellers* tornam familiar o mundo antes misterioso dos procedimentos legais. Para os que desejam maior realismo, um canal a cabo põe no ar ao vivo o julgamento dos homicídios mais assustadores e os casos de assédio sexual mais sexy. Repetidamente o público americano assiste, fascinado, à forma pela qual a perícia dos advogados defende com astúcia as pessoas famosas para libertá-las, quando todos os que acompanham sabem que os réus são culpados.

Num espaço menor do que 24 horas, Jesus enfrentou seis interrogatórios, alguns realizados pelos judeus e outros pelos romanos. No final um governador exasperado pronunciou o veredicto mais severo permitido sob a lei romana. Quando leio as transcrições dos julgamentos, a *desproteção* de Jesus se destaca. Nem uma simples testemunha se levantou em sua defesa. Nenhum líder teve a coragem de falar contra a injustiça. Nem mesmo Jesus tentou defender-se. Através de tudo, Deus Pai não disse uma palavra.

---

[16] Lucas 24.26

A sequência do julgamento tem uma qualidade de "passar adiante o abacaxi". Ninguém parece pronto a aceitar total responsabilidade de executar Jesus, mas todos desejam livrar-se dele. Os mestres têm escrito milhares de palavras para determinar exatamente que porção da culpa pela morte de Jesus pertence a Roma e que porção pertence aos judeus.[17] Na verdade, ambos os lados participaram da decisão. Ao focalizar todas as irregularidades nos julgamentos, arriscamo-nos a perder o ponto principal: Jesus representava uma ameaça genuína às instituições em Jerusalém.

Como líder carismático com grande discipulado, Jesus havia muito despertara as suspeitas de Herodes, na Galileia, e do Sinédrio, em Jerusalém. Eles entenderam mal a natureza do reino dele, é verdade, mas, um pouco antes de sua prisão, Jesus realmente empregou a força para expulsar os cambistas do templo. Em relação à intenção de manter "a paz a qualquer preço" para os senhores romanos, intenção essa de um governo-fantoche, constituído pelo Sinédrio, tal acontecimento provocou um susto. Além disso, um rumor se espalhou de que Jesus proclamara poder destruir o templo e reconstruí-lo em três dias. Os líderes judeus tiveram problemas em arranjar testemunhas que concordassem quanto às palavras exatas da declaração de Jesus, mas o seu medo é compreensível. Imaginem a reação hoje se um árabe corresse pelas ruas da cidade de Nova York gritando: "O World Trade Center vai explodir, e eu posso reconstruí-lo em três dias".

Para os sacerdotes e as pessoas religiosas, essas ameaças políticas nada significavam diante dos rumores das reivindicações religiosas de Jesus. Os fariseus frequentemente empalideciam diante da ousadia de Jesus em unilateralmente perdoar pecados e invocar a Deus como seu Pai. Seu aparente desprezo pelo sábado os escandalizava; a lei de Moisés transformou a quebra do sábado em delito capital. Jesus representava uma ameaça à lei, ao sistema de sacrifícios, ao

---

[17] Apontar a raça judia como a total responsável pela morte de Jesus é uma das maiores calúnias da história. Ninguém imagina considerar os modernos italianos responsáveis pelo que os antepassados deles fizeram dezenove séculos atrás. Joseph Klausner escreve: "Os judeus, como nação, foram muito menos culpados da morte de Jesus do que foram os gregos, como nação, culpados da morte de Sócrates; mas quem agora pensaria em vingar o sangue do grego Sócrates nos seus compatriotas, a atual raça grega? Mas nesses mil e novecentos anos passados, o mundo tem vingado o sangue do judeu Jesus nos seus compatriotas, os judeus, que já pagaram a penalidade e continuam pagando em rios e torrentes de sangue" (KLAUSNER, Joseph. **Jesus of Nazareth**... cit., p. 348). Isso apesar do fato de Jesus dizer que veio para "as ovelhas perdidas de Israel" e apesar de que quase todos os cristãos primitivos foram judeus.

templo, aos regulamentos da alimentação *kosher* e às muitas diferenças entre puro e impuro.

De modo definitivo, no julgamento, o sumo sacerdote apelou para o solene juramento do Testemunho — "Conjuro-te pelo Deus vivo"[18] — para fazer uma pergunta que Jesus como réu tinha pela lei de responder. "[...] que nos digas se tu és o Cristo [Messias], o Filho de Deus." Finalmente Jesus quebrou o seu silêncio: "Sim, é como dizes".

O acusado continuou falando em termos exaltados sobre a vinda do Filho do Homem nas nuvens do céu. Foi demais. Para um judeu fiel, as palavras de Jesus soaram blasfemas, por mais que se abrandasse a justiça. "Por que precisamos ainda de testemunhas?", disse o sumo sacerdote, rasgando suas roupas.

Havia uma única alternativa para as blasfêmias e a sentença de morte que carregavam: que as palavras de Jesus fossem verdadeiras e que realmente ele fosse o Messias. Mas como podia ser? Amarrado, rodeado de guardas armados, a própria figura do desamparo, Jesus parecia a figura menos messiânica de todo Israel.

A blasfêmia, entretanto, significava pouco para os romanos, que preferiam permanecer distantes das disputas religiosas locais. A caminho dos juízes romanos, as implicações da reivindicação do *Messias* mudou de blasfêmia para sedição. A palavra significava rei, afinal de contas, e Roma não tolerava nenhum agitador que assumisse tal título.

Diante de Herodes, o mesmo governador que cortara a cabeça de João Batista e há muito desejava examinar Jesus pessoalmente, Jesus manteve um silêncio sereno. Apenas Pilatos conseguiu obter algum tipo de confissão dele. "És tu o Rei dos judeus?",[19] Pilatos perguntou. Novamente Jesus, mãos amarradas atrás, o rosto inchado pela falta de sono, as impressões das palmas das mãos dos soldados em suas faces, simplesmente respondeu: "Sim, é como dizes".

Muitas vezes antes, Jesus havia desviado a oportunidade de se declarar. Quando os curados, os discípulos e até mesmo os demônios o reconheceram como o Messias, ele os silenciou. Nos dias de popularidade, quando as multidões o caçavam ao redor do lago como fanáticos perseguindo uma celebridade, ele havia fugido. Quando esses fãs o pegaram, ansiosos para coroá-lo imediatamente, ele pregou um sermão tão perturbador, que todos, com exceção de alguns poucos, se afastaram.

---

[18]   Mateus 26.63-65

[19]   Lucas 23.3

Apenas nesse dia, primeira vez diante da instituição religiosa e depois diante da instituição política, apenas quando suas reivindicações pareceriam o máximo do absurdo, ele admitiu quem era. "O Filho de Deus", disse aos poderes religiosos, que o mantinham em suas garras. "Um rei", disse a um governador romano, que devia ter rido em voz alta. Um espécime digno de dó, talvez lembrasse a Pilatos um dos loucos de Roma que se diziam César.

Fraco, rejeitado, condenado, totalmente só — apenas então Jesus achou seguro revelar-se e aceitar o título de "Cristo". Como Karl Barth comenta: "Ele não confessou sua messianidade até o momento em que o perigo de fundar uma religião tivesse finalmente passado".[20]

Tal ideia era uma ofensa, diria Paulo mais tarde. Uma pedra de tropeço — o tipo de pedra jogada de lado como inútil, impedimento no local da construção. Mas tal pedra pode formar, com o tipo de poder que vem de Deus, a pedra de esquina de um novo reino.

Calvário. Em memória dos anos anteriores à Segunda Guerra Mundial, Pierre van Passen conta um ato de humilhação praticado pelas tropas de ataque nazistas que prenderam um idoso rabino e o arrastaram ao quartel. Na ponta extrema da mesma sala, dois colegas estavam espancando outro judeu até a morte, mas os capturadores do rabino decidiram divertir-se com ele. Eles o despiram e mandaram que pregasse o sermão que havia preparado para o próximo sábado na sinagoga. O rabino perguntou se podia usar o seu *yarmulke,* e os nazistas, rindo, concordaram. Ficava mais engraçado. O trêmulo rabino começou a pregar com voz rouca o seu sermão sobre o que significa andar humildemente diante de Deus, o tempo todo sendo cutucado e espicaçado pelos nazistas que o vaiavam e o tempo todo ouvindo os últimos gritos do seu vizinho na ponta da sala.

Quando leio as narrativas do evangelho sobre a prisão, a tortura e a execução de Jesus, penso naquele rabino nu, de pé, humilhado numa delegacia de polícia. Mesmo depois de assistir a dezenas de filmes sobre o assunto e ler os evangelhos repetidas vezes, ainda não consigo penetrar a indignidade, a *vergonha* suportada pelo Filho de Deus na terra, totalmente nu, açoitado, cuspido, esbofeteado, coroado de espinhos.

Os líderes judeus, como também os romanos, pretendiam que a zombaria parodiasse o crime pelo qual a vítima fora condenada. *Messias, hein? Grande!*

---

[20] Barth, Karl. **The word of God and the word of man**... cit., p. 82.

Vamos ouvir uma profecia. Plaft. *Quem lhe bateu, hein?* Tunc. *Venha cá, diga-nos, ponha para fora, sr. Profeta. Para um Messias, você não sabe muita coisa, não é mesmo? Você diz que é rei? Ei, Capitão, venha ver isto. Temos um rei jeitoso aqui, não temos? Bem, então, vamos todos ajoelhar diante de Sua Majestade. O que é isso? Um rei sem coroa? Ah! Isso não! Aqui, sr. Rei, vamos fazer-lhe uma coroa, vamos sim.* Poing. *Que tal? Um pouco torta? Vou arrumar. Ei, fique quieto! Nossa, que modéstia. Bem, que tal um manto então? — alguma coisa para cobrir essa porcaria sangrenta em suas costas. O que aconteceu? Sua Majestade levou um pequeno tombo?*

Isso levou quase o dia inteiro, desde os maus tratos da brincadeira da cabra-cega, no pátio do sumo sacerdote, até os empurrões profissionais dos guardas de Pilatos e de Herodes e os assobios dos espectadores expulsos do local, fazendo chacota dos criminosos que tropeçavam na subida do longo caminho até o Calvário, e por último, na própria cruz, em que Jesus ouviu uma torrente de zombarias que vinham de baixo e mesmo da cruz ao lado. *Você se intitula Messias? Bem, então desça dessa cruz. Como vai nos salvar se não pode salvar a si mesmo?*

Fico maravilhado e às vezes francamente perplexo diante do autocontrole que Deus tem demonstrado através da história, permitindo que os Gengis Kans, e os Hitlers, e os Stalins façam a vontade deles. Mas nada — nada mesmo — se compara ao autocontrole demonstrado naquela sexta-feira em Jerusalém. A cada chicotada, a cada soco duro desferido contra a carne, Jesus deve ter mentalmente repassado a tentação no deserto e no Getsêmani. Legiões de anjos aguardavam suas ordens. Uma palavra, e a provação acabaria.

"A ideia da cruz não deveria nunca se impor aos corpos dos cidadãos romanos",[21] disse Cícero; "nunca deveria passar pelas suas mentes, olhos ou ouvidos". Para os romanos, a crucificação era a forma mais cruel de pena de morte, reservada para homicídios, revoltas de escravos e outros crimes hediondos nas colônias. Os cidadãos romanos eram decapitados, não crucificados. Os judeus partilhavam da aversão deles — "o que for pendurado [no madeiro] é maldito de Deus",[22] disse Deuteronômio — e preferiam o apedrejamento quando tinham autoridade para fazer as execuções.

Evangelistas, arqueólogos e médicos especialistas têm descrito os pormenores sinistros da crucificação de maneira tão completa que me parece não precisar

---

[21] Apud KASPER, Walter. **Jesus the Christ**... cit., p. 113.
[22] Deuteronômio 21.23

A morte: a semana final

repeti-los aqui. Além disso, se as "sete palavras de Cristo na Cruz" constituem alguma indicação, o próprio Jesus tinha outras coisas na mente, além da dor. O mais próximo de uma queixa física foi o seu grito "Tenho sede!"[23] e mesmo então ele renunciou ao vinagre de vinho oferecido como anestésico. (A ironia daquele que fizera galões de vinho para uma festa de casamento, que falara de água viva que mataria toda a sede para sempre, morrendo com a língua inchada e o cheiro azedo de vinagre derramado sobre a barba.)

Como sempre, Jesus pensava nos outros. Ele perdoou aos homens que fizeram aquilo. Arranjou quem cuidasse de sua mãe. Deu as boas-vindas no paraíso a um ladrão confesso e absolvido.

Os evangelhos registram diferentes fragmentos de conversas no Calvário, e apenas dois concordam sobre as últimas palavras de Jesus. Lucas o faz dizer "Pai, nas tuas mãos entrego o meu espírito",[24] ato final de confiança antes de morrer. João dá o resumo enigmático de toda a sua missão na terra: "Está consumado!".[25] Mas Mateus e Marcos têm as mais misteriosas palavras de todas, a triste citação, "Deus meu, Deus meu, por que me desamparaste?".[26, 27]

Apenas dessa vez em todas as suas orações nos evangelhos, Jesus utilizou a palavra formal e distante "Deus" em vez de "Aba" ou "Pai". Estava citando um salmo, naturalmente, mas também estava expressando um grave sentimento de abandono. Alguma inconcebível brecha foi aberta na Divindade. O Filho sentiu-se abandonado pelo Pai.

"O 'ocultamento' de Deus talvez pressione mais dolorosamente os que de outra forma estão mais perto dele, e, portanto, o próprio Deus feito homem, de todos os homens, será o mais abandonado por Deus", escreveu C. S. Lewis.[28] Sem dúvida ele está certo. Pouco importa se sou repelido pela moça da caixa do supermercado ou até mesmo por uma vizinha dois quarteirões abaixo da minha casa.

---

[23] João 19.28

[24] Lucas 23.46

[25] João 19.30

[26] Mateus 27.46; Marcos 15.33

[27] Os comentaristas têm observado que o registro de Mateus e de Marcos é uma das mais fortes provas de que temos uma narrativa autêntica do que aconteceu no Calvário. Por que motivo os fundadores de uma nova religião colocariam tais palavras desesperadas na boca de seu herói moribundo — a não ser que fosse exatamente o que ele disse?

[28] **Letters to Malcolm: chiefly on prayer**. Londres: Geoffrey Bles, 1964. p. 65. [**Oração: cartas a Malcolm. São Paulo: Vida, 2009.**]

Mas, se minha esposa, com quem passei toda a vida adulta, subitamente cortasse toda a comunicação comigo — isso importaria.

Nenhum teólogo pode adequadamente explicar a natureza do que aconteceu no interior da Trindade naquele dia no Calvário. Tudo o que temos é um grito de dor de um filho que se sentiu abandonado. Será que ajudou Jesus ter sabido de antemão que a sua missão na terra incluiria tal morte? Será que ajudou Isaque saber que seu pai Abraão estava apenas cumprindo ordens quando o amarrou ao altar? E se nenhum anjo aparecesse e Abraão enterrasse a faca no coração do filho, seu único filho, a quem amava? E então? É o que aconteceu no Calvário, e para o Filho pareceu abandono.

Não ficamos sabendo o que Deus Pai gritou naquele momento. Apenas podemos imaginar. O Filho tornou-se "maldição por nós",[29] disse Paulo em Gálatas, e "aquele que não conheceu pecado, ele o fez pecado por nós",[30] escreveu aos coríntios. Sabemos o que Deus sente acerca do pecado; o sentimento de abandono cortou igualmente nos dois sentidos.

Dorothy Sayers escreve: "Ele é o único Deus que tem uma data na história [...]. Não há disposição mais espantosa de frases do que aquela, no Credo niceno, que coloca duas declarações categoricamente lado a lado: 'O próprio Deus do próprio Deus [...]. Ele sofreu sob Pôncio Pilatos'. Por todo o mundo, milhares de vezes por dia, os cristãos recitam o nome de um pouco notável procônsul romano [...] simplesmente porque esse nome fixa no espaço de poucos anos a data da morte de Deus".[31]

Apesar da vergonha e da tristeza de tudo isso, de alguma forma o que aconteceu numa colina chamada Calvário tornou-se discutivelmente o fato mais importante da vida de Jesus — para os autores dos evangelhos e das epístolas, para a igreja e, tanto quanto podemos especular sobre tais assuntos, para Deus também.

Levou tempo para que a igreja chegasse a um acordo com a ignomínia da cruz. Os pais da igreja proibiram sua representação nas artes até o reinado do imperador romano Constantino,[32] que tivera uma visão da cruz e que também a

---

[29]   Gálatas 3.13

[30]   2Coríntios 5.21

[31]   SAYERS. **The man born to be king**... cit., p. 5.

[32]   GRANT, Michael. **Constantine the Great**. New York: Charles Scribner's Sons, 1994. p. 149,222.

baniu como método de execução.[33] Apenas no século IV a cruz se tornou símbolo da fé. (Como C. S. Lewis[34] frisa, a crucificação não se tornou comum nas artes até que todos os que haviam visto uma de verdade morreram.)

Agora, entretanto, o símbolo está por toda parte: os artistas bateram o ouro no formato do objeto romano de execução, os jogadores de beisebol fazem o sinal da cruz antes de rebater e os confeiteiros até fazem cruzes de chocolate para os fiéis comerem durante a Semana Santa. Por mais estranho que pareça, o cristianismo se tornou a religião da cruz — o cadafalso, a cadeira elétrica, a câmara de gás, em versões modernas.

Normalmente consideramos um fracasso a pessoa que morre como criminosa. Mas o apóstolo Paulo mais tarde refletiria sobre Jesus: "E, tendo despojado os principados e as potestades, os expôs publicamente ao desprezo, e deles triunfou na cruz".[35] O que ele quis dizer?

Em determinado nível penso em indivíduos de nosso próprio tempo que desarmaram os poderes. As autoridades racistas que prenderam Martin Luther King Jr. em celas de cadeia, os soviéticos que deportaram Soljenitsin, os tchecos que prenderam Václav Havel, os filipinos que assassinaram Benigno Aquino, as autoridades sul-africanas que prenderam Nelson Mandela — todos pensaram que estavam resolvendo um problema, mas pelo contrário todos acabaram desmascarando sua própria violência e injustiça. O poder moral pode ter efeito desarmador.

Quando Jesus morreu, até mesmo um grosseiro soldado romano comoveu-se e exclamou: "Verdadeiramente este homem era o Filho de Deus!".[36] Ele viu, com muita clareza, o contraste entre seus colegas brutais e a vítima deles, que os perdoou em seu espasmo de morte. A pálida figura pregada à trave transversal desmascarava como falsos deuses os poderes que governam o mundo e que quebraram suas próprias promessas grandiosas de piedade e de justiça. A religião, não a irreligião,

---

[33] De acordo com o historiador Michael Grant, Constantino tinha pouco interesse na pessoa do próprio Jesus e achou a crucificação um estorvo. Em uma notável ironia, vendo "a cruz não tanto como emblema de sofrimento quanto como um totem mágico confirmando sua própria vitória", Constantino transformou a cruz de símbolo de amor sacrificial e humilhação em símbolo de triunfo: mandou pintá-la nos escudos dos seus soldados.

[34] **Letters to Malcolm**... cit., p. 113.

[35] Colossenses 2.15

[36] Marcos 15.39

acusou a Jesus; a lei, não a falta de lei, mandou executá-lo. Mas seus julgamentos arranjados, seus açoites, sua violenta oposição a Jesus, as autoridades políticas e religiosas daquele dia denunciaram-se pelo que eram: sustentadores do *status quo*, defensores do seu próprio poder apenas. Cada assalto contra Jesus desnudou sua ilegitimidade.

Os ladrões crucificados de cada lado de Jesus apresentaram duas possíveis explicações. Um zombava da impotência de Jesus: *um Messias que não pode nem mesmo salvar a si mesmo?* O outro reconhecia um diferente tipo de poder. Assumindo o risco da fé, pediu a Jesus: "Lembra-te de mim quando entrares no teu reino".[37] Ninguém, a não ser em zombaria, dirigiu-se a Jesus chamando-o rei. O ladrão moribundo viu com mais clareza do que qualquer outra pessoa a natureza do reino de Jesus.

Em certo sentido, os dois ladrões emparelhados apresentam a escolha que toda a história teve de fazer acerca da cruz. Olhamos para a impotência de Jesus como exemplo da impotência de Deus ou como prova do amor de Deus? Os romanos, instruídos com o poder de deuses como Júpiter, podiam notar pouca divindade num corpo deformado, pendurado no madeiro. Os devotos judeus, criados com histórias de um Iavé de poder, pouca coisa viam digna de admirar nesse deus que morreu em fraqueza e vergonha. Como Justino Mártir[38] mostra em *Diálogo com o judeu Trífão*, a morte de Jesus em uma cruz negou decisivamente a messianidade dele para os judeus; a crucificação cumpriu a maldição da lei.

Mesmo assim, naquela ocasião foi a cruz sobre a colina que mudou a paisagem moral do mundo. M. Scott Peck escreve:

> Não posso ser nem um pouco mais específico sobre a metodologia do amor do que citar essas palavras de um antigo sacerdote que passou muitos anos na batalha: "Há dúzias de meios de lidar com o mal e diversos meios de derrotá-lo. Todos são facetas da verdade de que o jeito máximo de derrotar o mal é simplesmente deixar que ele sufoque dentro de um ser humano vivo, voluntário. Quando absorvido ali como sangue numa esponja ou uma espada no coração de alguém, perde o seu poder e não avança mais".

---

[37] Lucas 23.42
[38] KÜNG, Hans. **On being a Christian**... cit., p. 339.

> A cura do mal — cientificamente ou de outra maneira — pode ser realizada apenas pelo amor dos indivíduos. Exige-se um sacrifício voluntário [...]. Não sei como isso acontece. Mas sei que acontece [...]. Sempre que isso acontece há uma pequena alteração no equilíbrio do poder no mundo.[39]

O equilíbrio do poder foi alterado mais do que um pouco naquele dia no Calvário, por causa de quem absorveu o mal. Se Jesus de Nazaré fosse apenas mais uma vítima inocente, como King, Mandela, Havel e Soljenitsin, teria feito sua marca na história e desaparecido do cenário. Nenhuma religião teria brotado em torno dele. O que modificou a história foi a conscientização que surgiu nos discípulos (foi preciso a ressurreição para convencê-los) de que o próprio Deus escolheu o caminho da fraqueza. A cruz redefine Deus como aquele que estava pronto a abandonar o poder por amor do amor. Jesus se tornou, na frase de Dorothy Sölle, "o desarmamento unilateral de Deus".[40]

O poder, não importa qual a sua boa intenção, tende a provocar sofrimento. O amor, sendo vulnerável, o absorve. Num ponto de convergência em uma colina chamada Calvário, Deus renunciou a um por causa do outro.

---

[39] PECK, M. Scott. **People of the lie**. New York: Simon and Schuster, 1983. p. 269.

[40] SÖLLE, Dorothy. **Of war and love**. Maryknoll: Orbis Books, 1984. p. 97.

CAPÍTULO 11

RESSURREIÇÃO: UMA MANHÃ ALÉM DA FÉ

Descobri que a Semana Santa é extenuante; não importa quantas vezes vivi sua crucificação, minha ansiedade acerca da ressurreição dele não diminui — estou aterrorizado, neste ano, que não aconteça; naquele, naquele ano, não aconteceu. Todos podem ser sentimentais acerca da Natividade; qualquer tolo pode sentir-se como cristão no Natal. Mas a Páscoa é o evento principal; se você não crer na ressurreição, não é um crente. — JOHN IRVING, *Uma oração por Owen Meany*

Na tenra infância eu associava a Páscoa com morte, não com ressurreição, por causa do que aconteceu num ensolarado Domingo de Páscoa ao único gato que já possuí. "Botinhas" era um gatinho de seis semanas de idade, todo preto com exceção das "botinhas" brancas em todas as patas, como se tivesse caprichosamente pisado num prato raso de tinta. Ele vivia numa caixa de papelão na varanda fechada e dormia num travesseiro cheio de aparas de cedro. Minha mãe, insistindo em que "Botinhas" devia aprender a se defender antes de aventurar-se na imensidão fora de casa, estabelecera uma data fixa no Domingo da Páscoa para a grande experiência do gatinho.

Finalmente chegou o dia. O sol da Geórgia já havia persuadido a primavera a desabrochar. "Botinhas" cheirou a sua primeira folha de grama naquele dia, brincou com o seu primeiro narciso e aproximou-se sorrateiramente de sua primeira borboleta, dando um grande pulo no ar sem conseguir pegá-la. Ele continuou a entreter-nos alegremente até que as crianças dos vizinhos vieram procurar ovos de Páscoa.

Quando nossos companheiros de brincadeiras chegaram, aconteceu o impensável. Seu cachorro terrier Pugs, acompanhando-os em nosso jardim, percebeu "Botinhas", soltou um grande rugido e atacou. Eu gritei, e todos corremos em socorro de "Botinhas". Pugs já tinha o gatinho na boca, sacudindo-o como se fosse uma meia. Nós, os garotos, rodeamos a cena, gritando e pulando para espantar o cachorro. Sem poder fazer nada, observamos uma confusão de dentes reluzindo e tufos de pelo voando. Finalmente, Pugs deixou cair o gatinho inerte sobre o gramado e saiu trotando.

Eu não poderia ter imaginado naquela ocasião, mas o que aprendi naquela Páscoa sob o sol do meio-dia foi o significado da feia palavra *irreversível*. Toda a tarde orei pedindo um milagre. *Não! Não podia ser. Diga-me que não é verdade!* Talvez "Botinhas" retornasse — o professor de escola dominical não tinha contado uma história dessas acerca de Jesus? Ou talvez toda a manhã poderia de algum modo ser apagada, rebobinada e executada de novo, menos aquela cena horrível. Poderíamos manter "Botinhas" na varanda fechada para sempre, nunca permitindo que saísse. Ou poderíamos pedir aos nossos vizinhos que construíssem uma cerca para Pugs. Milhares de esquemas passaram por minha mente nos dias seguintes, até que a realidade ganhou e aceitei pelo menos que "Botinhas" estava morto. Irreversivelmente morto.

Daquele dia em diante, os Domingos de Páscoa em minha infância foram manchados pela lembrança daquela morte no gramado. Com o passar dos anos, ia aprender muito mais acerca da palavra irreversível.

Não muito tempo depois, como já mencionei, três amigos meus morreram em rápida sucessão. Um deles, homem aposentado com excelente saúde, caiu morto no estacionamento depois de jantar fora com a esposa. A outra, uma jovem mulher de quarenta anos, morreu queimada a caminho de uma conferência missionária na igreja quando um caminhão-tanque bateu em seu carro por causa da neblina. O terceiro, meu amigo Bob, morreu mergulhando no fundo do lago Michigan. A vida parou três vezes naquele ano.

Falei em todos os três funerais, e, todas as vezes que lutava com o que dizer, a velha e feia palavra *irreversível* vinha flutuando de volta, com força maior do que nunca. Nada que eu pudesse dizer, nada que pudesse fazer realizaria o que eu desejava acima de tudo: trazer meus amigos de volta.

Ressurreição: uma manhã além da fé

No dia em que Bob fez o seu último mergulho eu estava sentado, distraído, numa cafeteria na Universidade de Chicago, lendo *My quest for beauty* [Em busca da beleza], de Rollo May.[1] Nesse livro o famoso terapeuta relembra cenas de sua longa busca da beleza, sobretudo uma visita ao monte Atos, uma península de mosteiros presa à Grécia. Ali, aconteceu de deparar com uma celebração da Páscoa da Igreja Ortodoxa Grega que durou a noite inteira. Havia incenso no ar. A única luz vinha das velas. No auge daquele culto, os sacerdotes entregaram a todos os presentes três ovos de Páscoa, esplendidamente enfeitados e embrulhados num véu. "Christos Anesti!", o sacerdote disse — "Cristo ressuscitou!". Cada pessoa presente, incluindo Rollo May, respondeu segundo o costume: "Verdadeiramente ele ressuscitou!".

Rollo May escreve: "Fui então tomado por um momento de realidade espiritual: o que significaria para o nosso mundo se ele verdadeiramente tivesse ressuscitado?". Li essa passagem exatamente antes de voltar para casa e ficar sabendo que Bob havia morrido, e a pergunta de Rollo May continuou boiando em minha mente, de maneira obsessiva, depois que ouvi a terrível notícia. O que significou para o nosso mundo que Cristo tenha ressuscitado?

Na nuvem da tristeza por causa da morte de Bob, comecei a perceber o significado da Páscoa com nova luz. Na qualidade de garoto de cinco anos de idade no Domingo da Páscoa, eu aprendera a sombria lição da irreversibilidade. Agora, adulto, percebi que a Páscoa realmente apresentava a espantosa promessa da reversibilidade. Nada — não, nem mesmo a morte — era definitiva. Até mesmo ela poderia ser revertida.

Quando falei no funeral de Bob, reformulei a pergunta de Rollo May sob o prisma de nossa dor particular. O que significaria para nós se Bob ressuscitasse? Estávamos sentados numa capela, entorpecidos por três dias de tristeza, a morte nos abatendo como um peso esmagador. Como seria sair para o estacionamento e ali, para nosso total espanto, encontrar o Bob. *Bob!* Com o seu andar elástico, seu sorriso enviesado, seus claros olhos cinzentos. Não seria outra pessoa, mas Bob, vivo de novo!

Essa imagem me deu um indício do que os discípulos de Jesus sentiram na primeira Páscoa. Também estiveram tristes por três dias. No Domingo ouviram uma notícia, de som eufônico, claro como um sino ecoando no ar da montanha.

---

[1] **My quest for beauty**. Dallas: Saybrook Publishing Company, 1985. p. 60.

A Páscoa toca nova nota de esperança e fé de que aquilo que Deus fez uma vez no cemitério em Jerusalém pode fazer e vai repetir em grande escala. Para Bob. Para nós. Para o mundo. Contra todas as impossibilidades, o irreversível será revertido.

Os primeiros cristãos arriscaram tudo na ressurreição, tanto que o apóstolo Paulo disse aos coríntios: "E, se Cristo não ressurgiu, logo é vã a nossa pregação, e também é vã a vossa fé".[2] Será que realmente aconteceu esse evento que, separado de nossa fé, é inútil? Como podemos ter certeza?

As pessoas que descreem da ressurreição de Jesus têm a tendência de retratar os discípulos de dois jeitos: ou como caipiras simplórios com inclinação para histórias de assombrações ou como conspiradores astutos que inventaram uma ressurreição para dar um jeito rápido de iniciar a sua nova religião. A Bíblia pinta um quadro totalmente diferente.

Quanto à primeira teoria, os evangelhos retratam os discípulos de Jesus como os mesmos que mais duvidaram dos rumores acerca de Jesus ressuscitado. Um discípulo especialmente, "o Tomé duvidador", ganhou a reputação de cético, mas na verdade todos os discípulos demonstraram falta de fé. Nenhum deles creu na notícia louca que as mulheres trouxeram de volta da sepultura vazia; "delírio",[3] disseram. Mesmo depois que Jesus lhes apareceu em pessoa, diz Mateus, "alguns duvidaram".[4] Os Onze, a quem Jesus precisou repreender por causa de sua obstinada recusa em crer, dificilmente podem ser chamados simplórios.

A outra hipótese, a teoria de conspiração, se desfaz quando examinada de perto, pois, se os discípulos resolveram inventar uma história de cobertura inconsútil, falharam miseravelmente. Chuck Colson, que participou de uma conspiração inepta depois da descoberta do Watergate, diz que as coberturas apenas funcionam se todos os participantes mantiverem um front unificado de certeza e de competência. Isso os discípulos certamente não fizeram.

Os evangelhos apresentam os discípulos encolhendo-se em salas trancadas, aterrorizados de que a mesma coisa que acontecera a Jesus lhes pudesse ocorrer. Assustados demais até mesmo para acompanhar o sepultamento de Jesus, deixaram que um grupo de mulheres cuidasse do corpo. (Ironicamente, apesar de Jesus ter lutado contra as restrições do sábado quanto às obras de caridade, as

---

[2] 1Coríntios 15.14

[3] Lucas 24.11

[4] Mateus 28.17

zelosas mulheres esperaram até o domingo de manhã para concluir o processo de embalsamamento.) Os discípulos pareciam totalmente incapazes de inventar uma ressurreição ou arriscar a vida roubando um corpo; nem lhes ocorreu tal coisa em seu estado de desespero.

De acordo com os quatro evangelhos, as mulheres foram as primeiras testemunhas da ressurreição, fato que nenhum conspirador do primeiro século teria inventado. Os tribunais judeus nem mesmo aceitavam o testemunho de mulheres. Uma cobertura deliberada teria destacado Pedro ou João, ou, melhor ainda, Nicodemos, não criando uma história centralizada em conversa de mulheres. Considerando que os evangelhos foram escritos diversas décadas após os acontecimentos, os autores tiveram tempo para corrigir tal anomalia — a não ser, naturalmente, que não estivessem criando uma lenda, mas registrando os fatos como eram.

Uma conspiração também teria ajeitado as histórias das primeiras testemunhas. Havia duas figuras vestidas de branco ou apenas uma? Por que Maria Madalena confundiu Jesus com um jardineiro? Ela estava sozinha ou com Salomé e a outra Maria? Narrativas da descoberta do túmulo vazio parecem desencontradas e fragmentárias. As mulheres estavam "com temor e grande alegria",[5] diz Mateus; "tremendo e assombradas",[6] diz Marcos. Jesus não faz uma entrada dramática, acompanhada de orquestra para acabar com todas as dúvidas; os primeiros relatórios parecem esfarrapados, misteriosos, confusos. Certamente conspiradores poderiam ter feito um trabalho mais ordeiro que descrevesse o que mais tarde proclamariam ser o acontecimento mais importante da história.

Resumindo, os evangelhos não apresentam a ressurreição de Jesus de maneira apologética, com argumentos arranjados para provar cada ponto principal, mas, antes, como uma intromissão chocante que ninguém estava esperando, muito menos os temerosos discípulos de Jesus. As primeiras testemunhas reagiram como qualquer um de nós teria reagido — como eu reagiria se atendesse à campainha da porta e subitamente visse o meu amigo Bob de pé em minha varanda: com temor e grande alegria. O temor é a reação humana reflexa diante de um encontro com o sobrenatural. O temor, entretanto, foi sobrepujado pela alegria, porque as notícias que ouviram eram notícias boas demais para ser verdadeiras, mas tão boas que tinham de ser verdadeiras. Jesus estava vivo! Os sonhos de um Messias voltaram

---

[5]   Mateus 28.8

[6]   Marcos 16.8

enquanto as mulheres correram, sobre pés de medo e de alegria, para contar a notícia aos discípulos.

Naturalmente, havia uma verdadeira conspiração posta em movimento não pelos discípulos de Jesus, mas pelas autoridades que tiveram de lidar com o embaraçoso fato da sepultura vazia. Elas poderiam ter dado um basta a todos os loucos rumores acerca de uma ressurreição simplesmente apontando para uma sepultura selada ou apresentando um corpo. Mas o selo fora quebrado, e o corpo havia desaparecido, por isso houve a necessidade de uma conspiração oficial. Já enquanto as mulheres corriam para contar sua descoberta, os soldados estavam ensaiando um álibi, seu papel no esquema do controle dos danos.

Os soldados que guardavam a sepultura de Jesus do lado de fora foram as únicas testemunhas oculares do maior milagre da história. Mateus diz que, quando a terra tremeu e um anjo apareceu, iluminado como um relâmpago, eles tremeram e ficaram como mortos.[7] Mas aqui está um fato perturbador: bem depois, naquela tarde, os soldados que haviam visto a prova da ressurreição com os próprios olhos mudaram a história para uma mentira, repetindo a fala dos sacerdotes de que "vieram de noite os seus discípulos"[8] e o roubaram enquanto dormíamos. O álibi tinha óbvias deficiências (uma imensa pedra rolada sem perturbar o seu sono? E como podiam identificar os discípulos se estavam dormindo?), mas pelo menos manteve os guardassem problemas.

Como tudo mais na vida de Jesus, a ressurreição provocou reações contraditórias. Os que criam eram transformados; recebiam esperança e coragem, saíam para transformar o mundo. Os que não criam encontravam meios de ignorar as fortes evidências. Jesus já havia predito: "Se não ouvem a Moisés e aos profetas, tampouco acreditarão, ainda que algum dos mortos volte à vida".[9]

---

[7] A ressurreição realmente constituiu ato de desobediência civil, uma vez que implicou a quebra do selo de Pilatos e a queda dos guardas oficiais. Nesse caso, triunfar sobre os poderes significava resistência ativa.

O apócrifo Evangelho de Pedro dá uma versão fantasiosa do que aconteceu junto à sepultura. Duas figuras desceram numa nuvem de luz, tão luminosa que muitas testemunhas oculares se reuniram para observar. A pedra rolou sozinha, e as duas figuras reluzentes emergiram da tumba apoiando uma terceira figura, seguida de uma cruz mágica. As cabeças das duas "atingiam o céu [...] mas o que estava amparado por elas [...] ultrapassava o céu". É o tipo de sensacionalismo que os evangelhos autênticos evitam (BUECHER, Frederick. **The faces of Jesus**. San Francisco: Harper & Row, 1989. p. 218).

[8] Mateus 28.13

[9] Lucas 16.31

Nós, os que lemos os evangelhos do outro lado da Páscoa, que temos o dia impresso em nossos calendários, esquecemos como foi *difícil* os discípulos crerem. A sepultura vazia por si mesma não os convenceu: esse fato apenas demonstrou que "Ele não está aqui",[10] não que "Ele ressuscitou". Para convencer esses céticos seriam necessários encontros íntimos, pessoais com aquele que fora o seu Mestre por três anos, e durante as próximas seis semanas Jesus providenciou exatamente isso.

O escritor Frederick Buechner[11] fica impressionado com a qualidade nada glamourosa das aparições de Jesus depois do domingo da ressurreição. Não houve anjos no céu cantando hinos, nem reis de longe trazendo presentes. Jesus apareceu nas mais ordinárias circunstâncias: um jantar particular, dois homens andando por uma estrada, uma mulher chorando num jardim, alguns pescadores trabalhando num lago.

Vejo nas aparições uma qualidade extravagante, como se Jesus estivesse desfrutando da liberdade do corpo ressurreto de um passarinho. Lucas, por exemplo, dá uma narrativa comovente da súbita chegada de Jesus ao lado de dois discípulos desesperançados numa estrada para Emaús.[12] Eles sabiam acerca da descoberta da sepultura vazia pelas mulheres e da confirmação ocular de Pedro. Mas quem pode acreditar em tais rumores? A morte por definição não é irreversível? "Nós esperávamos que fosse ele quem redimisse a Israel", um deles disse com evidente decepção.

Um pouco depois, na hora da refeição, o estrangeiro faz um gesto firme, partindo o pão, e um elo se coloca no lugar. Era Jesus quem estivera andando ao lado deles e agora está assentado à sua mesa! Mais estranhamente ainda, no instante em que reconhecem o seu hóspede, ele desaparece.

Quando os dois voltam depressa para Jerusalém, encontram os Onze reunidos a portas trancadas. Eles despejam sua incrível história, que corrobora o que Pedro já sabia: Jesus está em algum lugar, vivo. Sem advertência, quando os duvidosos ainda discutem a questão, o próprio Jesus aparece no meio deles. *Eu não sou um fantasma,* declara. *Toquem em minhas cicatrizes. Sou eu mesmo!* Mesmo então as dúvidas persistiram, até que Jesus se apresenta para comer um pedaço de peixe assado. Fantasmas não comem peixe; uma miragem não pode fazer o alimento desaparecer.

---

[10] Apud Küng, Hans. **On being a christian**... cit., p. 265.

[11] **Whistling in the dark**. San Francisco: Harper & Row Publishers, 1988. p. 42.

[12] Lucas 24.13-49

A vida continua dessa maneira por aproximadamente seis semanas: Jesus está ali, depois desaparece. As aparições não são fantasmagóricas, mas encontros de carne e osso. Jesus sempre pode provar sua identidade — nenhum outro ser vivo traz as cicatrizes da crucificação -, mas mesmo assim os discípulos com frequência deixam de reconhecê-lo imediatamente. Pacientemente, ele se digna a descer ao nível do seu ceticismo. Para o duvidoso Tomé, isso significa um convite pessoal para tocar as cicatrizes com o dedo. Para o humilhado Pedro, significa uma cena agridoce de reabilitação diante de seis amigos.

As aparições, aproximadamente doze, apresentam um padrão definitivo: Jesus visitava pequenos grupos de pessoas numa área remota ou quando fechadas em casa. Embora tais encontros particulares incentivassem a fé dos que já criam em Jesus, até onde sabemos nenhum único incrédulo viu Jesus depois de sua morte.

Lendo as narrativas da execução e da ressurreição, uma depois da outra, fico às vezes imaginando por que Jesus não fez ainda mais aparições. Por que limitar a visita aos amigos? Por que não reaparecer na varanda de Pilatos ou diante do Sinédrio, dessa vez com uma rajada de intimidação contra aqueles que o haviam condenado? Talvez uma pista estratégica possa ser encontrada em suas palavras a Tomé, no dia em que o ceticismo dele se derreteu para sempre. "Porque me viste, creste. Bem-aventurados os que não viram, e creram."[13]

No interlúdio de seis semanas entre a ressurreição e a ascensão, Jesus, se é que podemos utilizar tal linguagem, "quebrou suas próprias regras" acerca ela fé. Ele tornou a sua identidade tão óbvia que nenhum discípulo poderia jamais negá-la novamente (e nenhum o fez). Em suma, Jesus fez transbordar a fé das testemunhas: qualquer um que viu Jesus ressurreto perdeu a liberdade de escolher entre crer e descrer. Jesus era agora irrefutável. Até mesmo Tiago, o irmão de Jesus, sempre esquivo, capitulou depois de uma das aparições — o suficiente para se tornar líder da igreja em Jerusalém e, segundo Josefo, morrer como um dos primeiros mártires cristãos.

"Porque me viste, creste", disse Jesus. Aqueles poucos privilegiados dificilmente poderiam deixar de crer. Mas que dizer dos outros? Logo mais, conforme Jesus bem sabia, suas aparições acabariam, deixando apenas "os que não viram". A igreja permaneceria de pé ou desmoronaria fundamentada sobre a persuasão dessas testemunhas oculares diante de todos — até mesmo de nós hoje — que não viram. Jesus teve seis semanas para estabelecer sua identidade para todo o sempre.

---

[13] João 20.29

Jesus conseguiu transformar um bando choroso de discípulos nada confiáveis em evangelistas ousados; onze homens que o abandonaram na hora da morte morreram depois como mártires depositando a fé num Cristo ressurreto; essas poucas testemunhas conseguiram liberar uma força que venceria violenta oposição primeiro em Jerusalém e depois em Roma — essa sequência notável de transformação oferece a mais convincente evidência da ressurreição. O que mais explicaria essa mudança incrível em homens conhecidos por sua covardia e instabilidade?

Outros — pelo menos quinze judeus dentro de uma centena de anos depois de Jesus — fizeram reivindicações messiânicas, apenas para brilhar e depois se apagar como uma estrela cadente. A fanática lealdade a Jesus, entretanto, não acabou com a sua morte. Alguma coisa aconteceu, alguma coisa sem precedentes. Certamente os discípulos não dariam a vida por amor a uma teoria de conspiração remendada. Certamente seria mais fácil e mais natural honrar um Jesus morto como a um dos mártires-profetas cujas sepulturas eram tão veneradas pelos judeus.

Precisamos apenas ler as descrições que os evangelhos fazem dos discípulos encolhidos por trás de portas fechadas e, depois, continuar nas descrições de Atos dos mesmos homens proclamando Cristo abertamente nas ruas e nas celas das cadeias para perceber o significado sísmico do que aconteceu no Domingo de Páscoa. A ressurreição é o epicentro da fé. Ela é, diz C. H. Dodd, "não uma crença que se desenvolveu dentro da igreja; é a crença ao redor da qual a igreja cresceu, e o 'ponto' sobre o qual a fé se fundamenta".[14] O romancista John Updike[15] declara a mesma verdade mais poeticamente:

> *Não cometa um erro: se Ele ressuscitou*
> *foi como um corpo;*
> *se a dissolução das células não reverteu, se as moléculas*
> *não se ligaram, se os aminoácidos não se reanimaram,*
> *a Igreja vai desmoronar.*

"Bem-aventurados os que não viram, e creram", Jesus disse ao duvidoso Tomé depois de silenciar sua incredulidade com a prova tangível do milagre da Páscoa.

---

[14] DODD, C. H. **The founder of Christianity**... cit., p. 163.

[15] Seven stanzas at Easter. **Collected poems 1953-1993**. New York: Alfred A. Knopf, 1993. p. 20. Usado com permissão.

Exceto pelas mais ou menos quinhentas pessoas a quem o Jesus ressurreto apareceu, cada cristão que viveu se encaixa na categoria dos "bem-aventurados". Pergunto-me: *Por que creio?* — eu, que me pareço mais com Tomé do que com qualquer outro discípulo em meu ceticismo e lentidão em aceitar o que não pode ser provado além das dúvidas.

Pesei os argumentos a favor da ressurreição, e são verdadeiramente impressionantes. O jornalista inglês Frank Morison examinou a maioria desses argumentos no clássico *Who moved the stone?* [Quem moveu a pedra?]. Embora Morison tivesse por finalidade desacreditar a ressurreição mostrando ser ela um mito, a evidência convenceu-o do contrário. Mas também sei que muitas pessoas inteligentes observaram as mesmas evidências e acharam que são impossíveis de crer. Embora grande parte da ressurreição convide a crer, nada compele a isso. A fé exige a possibilidade da rejeição; caso contrário, não é fé. O que, então, me dá a fé da Páscoa?

Um dos motivos porque estou inclinado a crer, admito, é que num nível muito profundo quero que a história da Páscoa seja verdadeira. A fé cresce num subsolo de anseios, e alguma coisa primeira nos seres humanos clama contra o reino da morte. Quer a esperança assuma a forma dos faraós egípcios que armazenavam suas joias e carruagens em pirâmides, quer a obsessão americana moderna de manter o corpo vivo até o último segundo possível e, depois, preservá-lo com fluidos embalsamadores em caixões duplamente selados, nós, os seres humanos, resistimos à ideia da morte como a última palavra. Queremos crer de forma diferente.

Lembro-me do ano em que perdi meus três amigos. Acima de tudo, eu queria que a Páscoa fosse verdadeira por causa de sua promessa de que um dia receberia os meus amigos de volta. Queria abolir a palavra *irreversível* para sempre.

Creio que, para você, quero crer em contos de fadas. Não sou o único. Houve alguma época que não produziu contos de fadas? Primeiro os ouvimos em nossos berços contados pelos pais e avós, e os repetimos aos filhos que vão contá-los a seus filhos, e assim por diante. Mesmo nessa era científica, alguns dos filmes mais espetaculares são variações de contos de fadas: *Guerra nas* estrelas, *Aladim, O rei Leão*. Surpreendentemente, à luz da história humana, muitos contos de fadas têm um final feliz. Esse velho instinto, a esperança, vem à tona. Como a vida, os contos de fadas incluem muita luta e sofrimento, mas mesmo assim conseguem resolvê-los de forma que se substituam as lágrimas pelos sorrisos.

A Páscoa também faz isso, e por causa disso e por muitos outros motivos, parece verdadeira.[16]

A turba na crucificação de Jesus desafiou-o a descer da cruz para provar quem era, mas nenhuma pessoa imaginou o que realmente aconteceria: que morreria e depois voltaria. Entretanto, uma vez acabado o roteiro, para os que verdadeiramente conheciam Jesus, isso fez sentido perfeito. O estilo encaixa-se no padrão e no caráter de Deus. Deus sempre escolheu a maneira lenta e difícil, respeitando a liberdade humana apesar do custo. "Deus não aboliu o fato do mal: ele o transformou", escreveu Dorothy Sayers. "Ele não interrompeu a crucificação: ele, ressuscitou dos mortos."[17] O herói assumiu todas as consequências, mas de alguma forma triunfou.

Creio na ressurreição principalmente porque cheguei a conhecer Deus. Sei que Deus é amor, e também sei que nós, seres humanos, desejamos manter vivos os que amamos. Não deixei meus amigos morrer; eles vivem em minhas lembranças, muito tempo depois que deixei de vê-los. Seja qual for o motivo — a liberdade humana jaz no âmago, imagino —, Deus admite um planeta em que um homem na flor da vida morra mergulhando e no qual uma mulher morre num acidente terrível a caminho de uma conferência missionária na igreja. Mas creio — se não cresse nisso, não creria num Deus de amor — que Deus não está satisfeito com um planeta assim tão arruinado. O amor divino vai encontrar um jeito de vencer. "Morte, não seja orgulhosa", escreveu John Donne: Deus não vai deixar a morte vencer.

Um pormenor das histórias da Páscoa sempre me intrigou: Por que Jesus manteve as cicatrizes da crucificação? Presumivelmente poderia ter o corpo ressurreto que desejasse, mas escolheu um identificável principalmente pelas cicatrizes que pudessem ser vistas e tocadas. Por quê?

Creio que a história da Páscoa seria incompleta sem aquelas cicatrizes nas mãos, nos pés e no lado de Jesus. Quando os seres humanos fantasiam, sonham

---

[16]   J. R. R. Tolkien, talvez o maior criador de histórias de fadas deste século, com frequência enfrentou a acusação de que a fantasia é um "escapismo" para desviar a atenção das pressões do "mundo real". Sua resposta era simples: tudo depende daquilo de que estão escapando. Vemos o voo de um desertor e a fuga de um prisioneiro de maneira muito diferente. "Por que um homem deveria ser desprezado, se, encontrando-se prisioneiro, tenta sair e voltar para casa?" (TOLKIEN, J. R. R. "On fair tales". Apud BROWN, Robert McAfee. **Persuade us to rejoice**. Louisville: Westminster/John Knox Press, 1992. p. 145).

[17]   SAYERS, Dorothy L. **The mind of the Maker**. London: Methuen & Co., 1959. p. 67.

com dentes perfeitos como pérolas, pele sem rugas e uma aparência ideal, *sexy*. Sonhamos com um estado nada natural: o corpo perfeito. Mas, para Jesus, ficar confinado ao esqueleto e à pele humana era um estado nada natural. As cicatrizes são, para ele, um emblema da vida em nosso planeta, um lembrete permanente daqueles dias de confinamento e de sofrimento.

Tenho esperança nas cicatrizes de Jesus. Da perspectiva do céu, representam o acontecimento mais horrível que já se deu na história do universo. Mesmo esse fato — a crucificação —, no entanto, a Páscoa transformou em lembrança. Por causa da Páscoa, posso esperar que as lágrimas sejam enxugadas, os golpes que recebemos, a dor emocional, o sofrimento por causa de amigos e queridos perdidos, tudo isso se transforme em lembranças, como as cicatrizes de Jesus. Cicatrizes nunca desaparecem completamente, mas também, não doem mais. Teremos corpos recriados, um céu recriado e uma terra recriada. Teremos um começo novo, um começo pascal.

Cheguei à conclusão de que há duas maneiras de olhar para a história humana. Uma é focalizando as guerras e a violência, a esqualidez, a dor, a tragédia e a morte. Dessa perspectiva, a Páscoa parece uma exceção de conto de fadas, uma contradição atordoante em nome de Deus. Isso dá algum alívio, embora eu confesse que, quando meus amigos morreram, o sofrimento era tão sobrepujante que qualquer esperança na vida após a morte parecia um tanto fraca e nada substancial.

Há outro jeito de olhar para o mundo. Se tomo a Páscoa como ponto de partida, o único fato incontestável acerca de como Deus trata aqueles a quem ama, então a história humana se trans forma na contradição e a Páscoa é uma pré-estreia da realidade final. A esperança então flui como lava por baixo da crosta da vida cotidiana.

Isso, talvez, descreva a mudança na perspectiva dos discípulos quando estavam sentados nos quartos trancados discutindo os incompreensíveis acontecimentos do Domingo de Páscoa. Num sentido nada havia mudado: Roma ainda ocupava a Palestina, as autoridades religiosas ainda ofereciam um prêmio por suas cabeças, a morte e o mal ainda reinavam do lado de fora. Entretanto, gradualmente, o choque do reconhecimento deu lugar a uma longa e lenta contracorrente de alegria. Se Deus podia fazer isso...

TERCEIRA PARTE

O QUE ELE DEIXOU PARA TRÁS

CAPÍTULO 12

A ASCENSÃO:
UM CÉU
ABSOLUTAMENTE AZUL

Mas o que se pretendia Era a descida do próprio Deus
Como demonstração... O espírito penetra na carne e com
todo o seu valor Impregna a terra em nascimento após
nascimento Sempre de novo e de novo. — ROBERT FROST

Às vezes penso como o mundo seria diferente se Jesus não tivesse ressuscitado dos mortos. Embora os discípulos não tivessem arriscado a vida alardeando uma nova fé pelas ruas de Jerusalém, não o teriam também esquecido. Eles haviam dado três anos a Jesus. Ele podia não ser o Messias (não sem a Páscoa), mas ele os havia impressionado como o mestre mais sábio que já existira e havia demonstrado poderes que ninguém podia explicar.

Depois de certo tempo, quando os ferimentos emocionais começassem a sarar, os discípulos buscariam um jeito de perpetuar Jesus. Talvez reunissem seus sermões em forma escrita, de maneira parecida com um dos nossos evangelhos, embora com as reivindicações mais sensacionais excluídas. Ou, junto com os judeus daquele período que honravam outros profetas-mártires, poderiam construir um monumento à vida de Jesus. Nesse caso, nós, os que vivemos nos tempos atuais, ainda poderíamos visitar esse monumento e aprender acerca do filósofo-carpinteiro de Nazaré. Poderíamos peneirar suas palavras, levando em conta, ou deixando de lado o que quiséssemos. No mundo inteiro, Jesus seria respeitado como Confúcio ou Sócrates são respeitados.

Em muitos aspectos eu acharia mais fácil aceitar um Jesus não ressurreto. A Páscoa o torna perigoso. Por causa da Páscoa tenho de ouvir suas extravagantes reivindicações e não posso mais selecionar e escolher entre suas palavras. Mais ainda, a Páscoa significa que ele deve estar solto por aí em algum lugar. Como os discípulos, nunca sei onde Jesus poderia aparecer, como me poderia falar, o que me poderia pedir. Como Frederick Buechner diz, a Páscoa significa que "não podemos nunca explicar sua natureza exata, nem mesmo se o pregarmos numa cruz".[1]

A Páscoa coloca a vida de Jesus sob uma luz totalmente nova. Sem a Páscoa eu acharia uma tragédia Jesus morrer jovem depois de alguns poucos anos de ministério. Que desperdício partir tão cedo, tendo influenciado tão pouca gente numa pequena parte do mundo! Mas, observando essa mesma vida pelo ângulo da Páscoa, vejo que esse foi o plano de Jesus o tempo todo. Ele ficou o suficiente para reunir ao redor de si os discípulos que poderiam transmitir a mensagem aos outros. Matar Jesus, diz Walter Wink,[2] foi como tentar destruir um dente-de-leão assoprando nele.

Quando Jesus voltou depois da morte para vaporizar todas as dúvidas entre os crentes remanescentes, permaneceu apenas quarenta dias antes de desaparecer para sempre. O período entre a ressurreição e a ascensão foi um interlúdio, nada mais.

Se o Domingo de Páscoa foi o dia mais emocionante na vida dos discípulos, para Jesus foi talvez o dia da ascensão. Ele, o Criador, que descera tanto e desistira de tanto, estava agora voltando para casa. Como um soldado retornando de uma guerra longa e sangrenta através do oceano. Como um astronauta deixando cair sua roupa espacial para mergulhar na atmosfera familiar da terra. Finalmente em casa.

A oração de Jesus na última ceia com os seus discípulos revela algo dessa perspectiva. "Eu te glorifiquei na terra, concluindo a obra que me deste para fazer",[3] Jesus orou, "e, agora, Pai, glorifica me em tua presença com a glória que tinha contigo antes que o mundo existisse". Antes que o mundo existisse!

---

[1] BUECHNER, Frederick. **The magnificent defeat**. New York: Seabury Press, 1979. p. 86.

[2] **Engaging the powers**... cit., p. 143.

[3] João 17.4,5

A ascensão: um céu absolutamente azul

Como um homem idoso com suas reminiscências — não, como um Deus sem idade com suas reminiscências — Jesus, que estava sentado numa sala malventilada em Jerusalém, estava deixando a mente voltar para um tempo antes da existência da Via Láctea e de Andrômeda. Numa noite terrestre enegrecida de temores e ameaças, Jesus estava fazendo preparativos para retornar ao lar, para assumir de novo a glória que havia deixado de lado.

No dia em que Jesus ascendeu aos céus, os discípulos ficaram ao redor, atônitos, como crianças que perderam os pais. Dois anjos enviados para acalmá-los fizeram a pergunta óbvia: "Varões galileus, por que estais olhando para o céu?".[4] O céu estava limpo, vazio. Mas continuaram parados e olhando, não sabendo como sair dali ou o que fazer em seguida.

Tantas vezes no decorrer deste livro eu me senti como um daqueles discípulos, perscrutando um céu azul, limpo. Olho procurando algum sinal de Jesus, alguma indicação visual. Quando olho ao meu redor na igreja que ele deixou para trás, quero desviar meus olhos. Como os olhos dos discípulos, meus olhos doem com o desejo de ter um vislumbre puro daquele que ascendeu. Por que, pergunto novamente, teve de partir?

Mas, quando volto de novo aos evangelhos, tentando perceber como o próprio Jesus considerou o seu tempo na terra, parece óbvio que ele planejou essa partida desde o início. Nada agradou Jesus mais do que os sucessos dos seus discípulos; nada o perturbou mais do que seus fracassos. Ele viera à terra com o alvo de partir novamente, depois de transferir sua missão aos outros. A gentil repreensão dos anjos poderia bem ter sido dele mesmo: "Por que estais olhando para o céu?".

A primeira vez que Jesus enviou os discípulos sozinhos, advertiu-os acerca da oposição que talvez tomasse a forma de açoites e de tortura pública. "Eu vos envio como ovelhas ao meio de lobos",[5] disse. Lendo essas advertências horríveis, não posso tirar da mente uma cena pungente do romance *Silence,* de Shusaku Endo.[6] Um padre missionário português, preso, é forçado a assistir, enquanto os guardas samurais torturam os cristãos japoneses, um a um, e os jogam no mar. Os samurais juram que vão continuar matando os cristãos até que o sacerdote renuncie à sua fé. "Ele veio a este país para dar a vida dele por outros homens, mas em vez disso os japoneses estão dando suas vidas, uma a uma, por ele."

---

[4]   Atos 1.11

[5]   Mateus 10.16

[6]   ENDO, Shusaku. **Silence**. New York: Taplinger, 1979. p. 203.

Como Jesus se sentiu quando teve a visão penetrante das terríveis consequências do que liberou no mundo, não apenas para ele mesmo, mas também para os poucos achegados a ele, seus melhores amigos em todo o mundo? "Um irmão entregará à morte outro irmão, e o pai ao filho [...]. E odiados por todos sereis por causa do meu nome [...]".[7]

Luto para conciliar essa perspectiva — um pai entregando os filhos a quadrilhas, um general ordenando que suas tropas avancem para a linha de fogo — com o que aconteceu na última ceia. Ali, enquanto Jesus revelava os planos de sua partida de modo que ninguém se poderia confundir, disse: "Mas vou lhes dizer a verdade: É para o seu bem que vou partir".[8] O tempo todo planejara partir a fim de executar o seu trabalho em outro corpo. O corpo deles. O nosso corpo. O novo corpo de Cristo.

Na ocasião os discípulos não tiveram ideia do que Jesus queria dizer. *Como pode ser bom que ele vá embora?* Eles comeram o "corpo, partido por vós" sem compreender a drástica mudança, que a missão que Deus atribuíra ao Filho, o Filho estava agora confiando a eles. "Assim como tu me enviaste ao mundo, também eu os enviei ao mundo",[9] Jesus orou.

Jesus deixou sinais dele na terra. Não escreveu livros nem panfletos. Peregrino, não deixou casa nem pertences que pudessem ser venerados num museu. Não se casou, não se estabeleceu, não deu início a uma dinastia. Não saberíamos, de fato, nada a respeito dele, exceto pelos sinais que deixou nos seres humanos. Esse foi o seu plano. A lei e os profetas focalizaram-se como um raio de luz sobre aquele que viria, e agora essa luz, como se refletida por um prisma, repartir-se-ia e se projetaria num espectro humano de ondas e cores.

Seis semanas mais tarde, os discípulos descobririam o que Jesus quis dizer com as palavras *para o seu bem*. Como Agostinho disse: "Tu te elevaste diante dos nossos olhos, e nós voltamos entristecidos, apenas para encontrar-te em nossos corações".

Seria demais dizer que, desde a ascensão, Jesus tem procurado outros corpos para iniciar de novo a vida que viveu na terra? A igreja serve como extensão da encarnação, que foi o primeiro jeito de Deus estabelecer sua presença no mundo. Somos "pós-Cristos", na cunhagem de Gerard Manley Hopkins:

---

[7]   Mateus 10.21,22

[8]   João 16.7

[9]   João 17.18

[...] pois Cristo se apresenta em dez mil lugares,
Belo nos olhos, e belo no corpo, não o dele,
Agradável ao Pai nos humanos olhares. [10]

A igreja está onde Deus mora. O que Jesus trouxe para alguns — cura, graça e a boa nova da mensagem do amor de Deus — a igreja pode agora trazer a todos. Esse foi o desafio, ou a grande comissão, que Jesus deu exatamente antes de se desvanecer diante dos olhos dos discípulos entorpecidos. "Se o grão de trigo, caindo na terra, não morrer",[11] explicara antes, "fica só. Mas se morrer, produz muito fruto". A propagação pelo método do dente-de-leão.

Tal é a teoria, pelo menos. Na verdade, devo, contudo, colocar-me junto com os discípulos que observam com queixos caídos Jesus subir no ar como uma criatura sem asas desafiando a gravidade. "Senhor, restaurarás tu neste tempo o reino a Israel?",[12] tinham acabado de perguntar — e agora isso. Ele se foi! Simpatizo com a sua confusão, porque também anseio por um Messias poderoso que imponha a ordem num mundo maligno, de violência e de pobreza. Vivendo dois milênios depois dos discípulos, olho para trás e fico admirado da pouca diferença que a igreja fez neste mundo. Por que Jesus nos deixou sozinhos para lutar as batalhas? Como pode ser bom que ele tenha partido?

Concluí que, de fato, a ascensão representa minha maior luta de fé — não se aconteceu, mas por quê? Ela me desafia mais do que o problema da dor, mais do que a dificuldade de harmonizar a ciência com a Bíblia, mais do que a crença na ressurreição e em outros milagres. Parece estranho admitir tal ideia — jamais li um livro ou artigo concebido para responder às dúvidas acerca da ascensão -, mas para mim o que 'aconteceu desde a partida de Jesus atinge o âmago de minha fé. Não teria sido melhor se a ascensão nunca tivesse acontecido? Se Jesus permanecesse na terra, poderia responder às nossas perguntas, resolver nossas dúvidas, mediar nossas disputas de doutrina e política.

Acho muito mais fácil aceitar o fato de Deus encarnando em Jesus de Nazaré do que nas pessoas que frequentam a minha igreja local — e em mim. Mas é isso que nos pedem para crer; é assim que nos pedem que vivamos. O Novo Testamento

---

[10] Inversnaid. In: HOPKINS, Gerald Manley. **Poems and prose**. Baltimore: Penguin, 1953. p. 51.

[11] João 12.24

[12] Atos 1.6

declara que o futuro do cosmo está sendo determinado pela igreja (v. Rm 8.19-21; Ef 3.10). Jesus desempenhou o seu papel e depois partiu. Agora é a nossa vez.

"É muito sério", escreveu C. S. Lewis, "viver numa sociedade constituída por possíveis deuses e deusas, lembrar que a mais desinteressante e estúpida das pessoas com quem você fala pode, um dia, vir a ser alguém que, se a víssemos agora, nos sentiríamos fortemente impelidos a adorar; ou (quem sabe?) a personificação do horror e da corrupção só vistos em pesadelos. Passamos o dia inteiro ajudando-nos uns aos outros a, de certo modo, encontrar um desses destinos".[13]

As religiões antigas, como o paganismo romano do tempo de Jesus, criam que os atos dos deuses no céu afetavam a terra embaixo. Se Zeus ficava zangado, jogava raios. Tal como meninos jogando pedras das pontes das rodovias sobre os carros lá embaixo, os deuses faziam chover cataclismos sobre a terra. "Lá em cima, como lá embaixo", dizia a fórmula antiga. Jesus, contudo, inverteu essa fórmula: "Aqui embaixo, como em cima". "Quem vos ouve, a mim me ouve",[14] Jesus disse a seus discípulos; "quem vos rejeita, a mim me rejeita". Um crente ora, e o céu responde, um pecador se arrepende, e os anjos se regozijam; uma missão tem sucesso, e Satanás cai como relâmpago; um crente se rebela, e o Espírito Santo é entristecido. O que nós, humanos, fazemos aqui decisivamente afeta o cosmo.

Creio nessas coisas, e de algum jeito continuo "esquecendo-me" delas. Esqueço que minhas orações importam para Deus. Esqueço que estou ajudando o próximo em seu destino eterno. Esqueço que as escolhas que faço hoje trazem alegria — ou tristeza — ao Senhor do Universo. Vivo num mundo de, postes, telefones e máquinas de fax, e a realidade desse universo material tende a sobrepujar a minha fé num universo espiritual que paira sobre tudo. Olho para o céu limpidamente azul e não vejo nada.

Subindo ao céu, Jesus assumiu o risco de ser esquecido.

Não faz muito tempo, estava lendo Mateus, quando percebi assustado que o próprio Jesus previu a exata situação desagradável de ser esquecido. Quatro parábolas no final de Mateus, entre as últimas que Jesus contou, têm o tema comum escondido na cena de fundo. Um proprietário deixa a sua casa vazia, um senhor de terras ausente coloca seu servo como responsável, um noivo chega tão tarde que os convidados ficam sonolentos e adormecem, um senhor distribui

---

[13] Lewis, **C. S. Peso de glória... cit.**, p. 22-23.

[14] Lucas 10.16

talentos entre os seus servos e parte — todas elas circulam ao redor do tema do Deus que partiu.

Na verdade, as histórias de Jesus antecipavam a questão central da era atual: "Onde está Deus agora?". A resposta de hoje, de pessoas como Nietzsche, Freud, Marx, Camus e Beckett, é que o senhor das terras nos abandonou, deixando-nos livres para estabelecer nossas próprias regras. *Deus absconditus.* Em lugares como Auschwitz e Ruanda temos visto versões vivas daquelas parábolas, exemplos impressionantes de como alguns vão agir quando deixarem de crer num soberano senhor da terra. Se não existe Deus, como disse Dostoievski, então tudo é permissível.

Continuando a ler, chego a uma parábola, a da ovelha e dos bodes, talvez a última que Jesus ensinou.

> Quando o Filho do homem vier em sua glória, e todos os santos anjos com ele, então se assentará no trono da sua glória. Todas as nações se reunirão diante dele, e apartará uns dos outros, como o pastor aparta dos bodes as ovelhas. Ele porá as ovelhas à sua direita e os bodes à sua esquerda.
>
> Então dirá o Rei aos que estiverem à sua direita: Vinde, benditos de meu Pai, possuí por. herança o reino que. vos está preparado desde a fundação do mundo. Pois tive fome, e me destes de comer; tive sede e me destes de beber, era forasteiro e me hospedastes; estava nu, e me vestistes, preso e fostes ver-me.
>
> Então perguntarão os justos: Senhor, quando te vimos com fome e te demos de comer? ou com sede e te demos de beber? E quando te vimos forasteiro e te hospedamos? ou nu e te vestimos? E quando te vimos enfermo, ou preso e fomos ver-te?
>
> Ao que lhes responderá o Rei: Em verdade vos digo que, quando o fizestes a um destes meus pequeninos irmãos, a mim o fizestes.
>
> Então dirá também aos que estiverem à sua esquerda: Apartai-vos de mim, malditos, para o fogo eterno, preparado para o diabo e seus anjos. Pois tive fome e não me destes de comer; tive sede e não me destes de beber; fui forasteiro e não me recolhestes; estive nu e não me vestistes; enfermo e preso e não me visitastes.
>
> Então eles também lhe responderão: Senhor, quando te vimos com fome, ou com sede, ou estrangeiro, ou nu, ou enfermo, ou preso, e não te servimos?

O JESUS QUE EU NUNCA CONHECI

> Então lhes responderá: Em verdade vos digo que, todas as vezes
> que o deixastes de fazer a um destes pequeninos, foi a mim que o
> deixastes de fazer.
> E irão para o castigo eterno, mas os justos para a vida eterna.[15]

Eu conhecia bem essa última parábola. Ela é forte e perturbadora como tudo o que Jesus dizia. Mas nunca antes havia percebido sua conexão lógica com as quatro parábolas que a precedem.

De duas maneiras a parábola das ovelhas e dos bodes responde diretamente às perguntas suscitadas pelas outras: a questão do senhor de terras ausente, o Deus desaparecido. Primeiro, dá um vislumbre do retorno do senhor de terras no dia do juízo, quando haverá inferno para castigar — literalmente. Quem partiu vai retornar, dessa vez, em poder e glória, para ajustar contas por tudo o que aconteceu na terra. "Varões galileus", disseram os anjos, "por que estais olhando para o céu? Esse Jesus, que dentre vós foi recebido em cima no céu, há de vir, assim como para o céu o vistes ir".[16]

Segundo, a parábola refere-se ao período intermediário, o intervalo de duração de séculos em que vivemos agora, o período em que Deus parece ausente. A resposta a essa questão tão moderna é ao mesmo tempo profunda e chocante. Deus não se ocultou de maneira nenhuma. Antes, assumiu um disfarce, o mais inverossímil disfarce dos estrangeiros, dos pobres, dos famintos, dos prisioneiros, dos enfermos, dos maltrapilhos da terra: "Em verdade vos digo que, quando o fizestes a um destes meus pequeninos irmãos, a mim o fizestes". Se não podemos detectar a presença de Deus no mundo, pode ser que tenhamos procurado nos lugares errados.

Comentando essa passagem, o grande teólogo americano Jonathan Edwards[17] disse que Deus designou os pobres como seus "cobradores". Uma vez que não podemos expressar nosso amor fazendo alguma coisa que beneficie a Deus diretamente, Deus quer que façamos alguma coisa proveitosa para os pobres, que têm a incumbência de receber o amor dos cristãos.

Uma noite eu estava distraidamente mudando de canal na televisão quando deparei com o que parecia ser um filme para crianças, estrelado pela jovem

---

[15] Mateus 25.31-46

[16] Atos 1.11

[17] McDERMONT, Gerald R. What Jonathan Edwards can teach us about politics. **Christianity Today**, p. 35, 18 jul. 1994.

A ascensão: um céu absolutamente azul

Hayley Mills. Acomodei-me e comecei a assistir ao desenrolar do enredo. Ela e dois amigos encontraram, ao brincar num celeiro, um vagabundo (Alan Bates) a dormir na palha.

— Quem é você? — Mills perguntou.

O vagabundo despertou de repente e, vendo as crianças, murmurou:

— Jesus Cristo!

O que ele usou como exclamação, as crianças interpretaram como resposta. Na verdade creram que o homem era Jesus Cristo. No restante do filme (*O vento tem seus segredos*), trataram o vagabundo com admiração, respeito e amor. Trouxeram-lhe alimento e cobertores, assentaram-se e conversaram com ele, e lhe falaram acerca de suas vidas. Com o correr do tempo a ternura delas transformou o vagabundo, um fugitivo condenado que nunca havia recebido tanta bondade antes.

A mãe de Mills, que escreveu a história, pretendia que ela fosse uma alegoria do que poderia acontecer se todos aceitássemos literalmente as palavras de Jesus acerca dos pobres e necessitados. Servindo-os, servimos a Jesus. "Somos uma ordem contemplativa", madre Teresa disse a um rico visitante americano que não conseguia compreender seu veemente compromisso com a ralé de Calcutá. "Primeiro meditamos sobre Jesus, depois saímos e o procuramos disfarçado."

Quando reflito acerca da última parábola de Mateus 25, conscientizo-me de que minhas interrogações acerca de Deus são na realidade interrogações bumerangues que voltam diretamente para mim. Por que Deus permite que bebês nasçam nos guetos do Brooklyn e junto a um rio da morte em Ruanda? Por que Deus permite prisões, asilos para desabrigados e campos de refugiados? Por que Jesus não acabou com as desordens nos anos em que viveu aqui?

De acordo com essa parábola, Jesus sabia que no mundo que deixou para trás estariam presentes os pobres, os famintos, os prisioneiros, os doentes. O estado decrépito do mundo não o surpreendeu. Fez planos para conviver com ele: um plano a longo prazo e um plano a curto prazo. O plano a longo prazo implica sua volta, em poder e grande glória, para endireitar o planeta Terra. O plano a curto prazo significa entregá-lo aos que vão finalmente introduzir a libertação do cosmo. Ele subiu ao céu para que pudéssemos tomar o seu lugar.

"Onde está Deus quando sofremos?", tenho perguntado com frequência. A resposta é outra pergunta: "Onde está a igreja quando alguém sofre?".

A última pergunta, naturalmente, é o problema da história em miniatura, e também o motivo por que digo que a ascensão representa minha luta maior pela fé. Quando .Jesus partiu, deixou as chaves do reino em nossas mãos desajeitadas.

Através de toda minha busca por Jesus tem havido um tema de confronto: minha necessidade de limpar camadas de poeira e de sujeira aplicadas *pela própria igreja*. Em meu caso a imagem de Jesus foi obscurecida pelo racismo, pela intolerância e pelo legalismo tacanho das igrejas fundamentalistas do Sul. O católico russo ou europeu enfrenta um processo de restauração muito diferente. "Pois não apenas poeira, mas também ouro em demasia pode cobrir a verdadeira figura",[18] escreveu o alemão Hans Küng acerca de sua própria busca. Muitos, muitos mesmo, abandonam a busca totalmente; repelidos pela igreja, nunca chegam a Jesus.

"Que pena que os cristãos sigam os passos de Cristo tão rigidamente", observa Annie Dillard.[19] Sua declaração me faz pensar numa camiseta que pode ser vista nos comícios políticos de hoje: "Jesus nos salve [...] dos seus seguidores". E de uma fala do filme *Heavenly creatures* [Criaturas celestiais], da Nova Zelândia, no qual duas jovens descrevem seu reino imaginário: "É como o céu, apenas melhor — não existe nenhum cristão!".

O problema surgiu bem cedo. Comentando sobre a igreja de Corinto, Frederick Buecher escreveu: "Eles eram de fato o corpo de Cristo, como Paulo escreveu-lhes numa de suas metáforas mais famosas — olhos, ouvidos, mãos de Cristo —, mas utilizaram esse corpo de tal forma que só conseguiram mostrar um Cristo sanguinário, surdo, desajeitado, ao levar avante a obra de Deus num mundo decaído".[20]

No século IV um Agostinho exasperado escreveu sobre a igreja dividida: "As nuvens ressoam com estrondo que a Casa do Senhor deve ser edificada em toda a terra; e esses sapos sentam-se no brejo e coaxam: 'Somos os únicos cristãos!'".[21]

Eu poderia preencher diversas páginas com essas citações coloridas, todas sublinhando o risco de confiar a própria reputação de Deus a pessoas como nós. Diferentemente de Jesus, não expressamos de modo perfeito a Palavra. Falamos com sintaxe truncada, gaguejando, misturando linguagens, colocando acentos nos

---

[18] Küng, Hans. **On being a Christian**... cit., p. 132.

[19] Corn, Alfred. **Incarnation**... cit., p. 36.

[20] Ibid., p. 123.

[21] Apud Johnson, Paul. **A history of Christianity**. New York: Atheneum, 1976. p. 115.

A ascensão: um céu absolutamente azul

lugares errados. Quando o mundo procura Cristo, vê, como os habitantes das cavernas na alegoria de Platão, apenas sombras criadas pela luz, não a própria luz.

Por que não parecemos mais com a igreja que Jesus descreveu? Por que o corpo de Cristo se parece tão palidamente com ele? Se Jesus pudesse prever desastres como as Cruzadas, a Inquisição, o comércio cristão de escravos, o apartheid, por que subiu ao céu, em primeiro lugar?

Não posso arranjar resposta satisfatória a essas perguntas, pois sou parte do problema. Examinada de perto, minha busca assume um desesperador molde pessoal: por que *eu* pareço tão pouco com ele? Apenas ofereço três observações que me ajudam a aceitar o que tem se passado desde a ascensão de Jesus.

Primeira: a igreja tem produzido luz como também trevas. Em nome de Jesus, Francisco de Assis beijou os mendigos e despiu-se, madre Teresa fundou o Lar dos Moribundos, Wilberforce libertou os escravos, o general Booth organizou um Exército de Salvação urbano e Dorothy Day alimentou os famintos. Tais obras continuam: como jornalista tenho encontrado educadores, ministros urbanos, médicos e enfermeiras, linguistas, assistentes sociais e ecologistas atuando por todo o mundo a troco de pouco pagamento e menos fama, tudo em nome de Jesus. Em outros aspectos, Miguel Ângelo, Bach, Rembrandt, os pedreiros das catedrais e muitos iguais a eles ofereceram o melhor de suas criações "apenas para a glória de Deus". As mãos de Deus na terra têm alcançado mais longe desde a ascensão.

Não vejo por que registrar uma folha de balanço para pesar os fracassos e os sucessos da igreja. A palavra final virá do próprio julgamento de Deus. Os primeiros capítulos do Apocalipse mostram com que realismo Deus observa a igreja, todavia em outros lugares o Novo Testamento torna claro que Deus tem prazer em nós: somos "tesouros peculiares", "aroma agradável", "dons nos quais ele se deleita". Não posso desvendar tais declarações; simplesmente as aceito pela fé. Apenas Deus sabe o que agrada a Deus.

Segunda: Jesus assume plena responsabilidade pelas partes que constituem o seu corpo. "Não fostes vós que me escolhestes",[22] disse aos discípulos, e foram eles os próprios tratantes que tanto o exasperaram e logo o abandonariam na hora em que mais necessitaria deles. Penso em Pedro, cujas fanfarronadas, amor, impetuosidade, paixão descontrolada e traição desleal foram uma pré-estreia em forma embrionária dos dezenove séculos de história da igreja. Sobre "rochas"

---

[22]   João 15.16

iguais a ele, Jesus edificou sua igreja, e prometeu que as portas do inferno não prevaleceriam contra ela.[23]

Tenho esperanças quando observo Jesus junto com os seus discípulos. Nunca o decepcionaram mais do que na noite de sua traição. Mas foi então, diz João, que Jesus "amou-os até o fim",[24] e depois lhes conferiu um reino.

Jesus: o problema da igreja não é diferente do problema do cristão solitário. Como poderia um grupo de homens e mulheres nada santos constituírem o corpo de Cristo? Respondo com uma pergunta diferente: como pode um homem pecador, eu mesmo, ser aceito como filho de Deus? Um milagre torna possível o outro.

Lembro-me de que as elevadas palavras do apóstolo Paulo acerca da noiva de Cristo e do templo de Deus foram dirigidas a grupos de indivíduos horrivelmente imperfeitos em lugares como Corinto. "Temos, porém, este tesouro em vasos de barro, para que a excelência do poder seja de Deus, e não de nós",[25] escreveu Paulo numa das declarações mais precisas que já escreveu.

O romancista Flannery O'Connor, que nunca poderia ser acusado de atenuar a depravação humana, respondeu certa vez à carta de um leitor que se queixava do estado da igreja. "Toda a sua insatisfação com a Igreja parece vir de uma compreensão incompleta do pecado", O'Connor começou:

> [...] o que parece que você realmente está exigindo é que a igreja coloque o reino do céu na terra aqui e agora, que o Espírito Santo seja trasladado imediatamente para toda a carne. O Espírito Santo raramente se apresenta na superfície de alguma coisa. Você está pedindo que o homem retorne imediatamente ao estado em que Deus o criou, está deixando de fora o terrível orgulho radical humano que causa a morte. Cristo foi crucificado na terra, e a igreja está crucificada no tempo [...]. A igreja foi fundada sobre Pedro, que negou Cristo três vezes e não podia andar sobre a

---

[23] Charles Williams diz que Jesus "não parece, a julgar pelos seus comentários sobre os líderes religiosos do seu tempo, nem mesmo ter esperado mais dos líderes de uma igreja. O máximo que fez foi prometer que as portas do inferno não prevaleceriam contra ela. E é tudo, examinando a história da Igreja, que podemos sentir que elas não fizeram" (WILLIANS, Charles. **He came down from heaven**. Londres: Willian Heinemann, 1938. p. 108).

[24] João 13.1

[25] 2Coríntios 4.7

A ascensão: um céu absolutamente azul

água sozinho. Você está esperando que seus sucessores andem sobre as águas. Toda a natureza humana resiste vigorosamente à graça, porque a graça nos modifica, e a mudança é dolorosa. Os padres resistem a ela como os outros. Se a igreja fosse o que você deseja, seria necessário o contínuo intrometimento milagroso de Deus nos negócios humanos [...].[26]

Em duas frases memoráveis, O'Connor captou as escolhas que Deus enfrentou, olhando para a história humana: ocupar-se no "contínuo intrometimento milagroso nos negócios humanos" ou permitir ser "crucificado no tempo" como seu Filho foi na terra. Com poucas exceções, Deus, cuja natureza é amor autoexistente, escolheu a segunda opção. Cristo carrega os ferimentos da igreja, o seu corpo, exatamente como carrega as feridas da crucificação. Às vezes fico imaginando o que deve ter doído mais.

---

[26] O'CONNOR, Flannery. **The habit of being**. New York: Vintage Books, 1979. p. 307.

CAPÍTULO 13

O REINO:
TRIGO ENTRE
ERVAS DANINHAS

*A comédia humana não me atrai o suficiente. Não sou totalmente deste
mundo [...]. Sou de algum outro lugar. E vale a pena descobrir esse
outro lugar além dos muros. Mas onde está?* — EUGENE IONESCO

Todos os outonos a igreja que eu frequentava na infância patrocinava uma série de conferências sobre profecias. Homens de cabelos prateados de reputação nacional estendiam seus cartazes proféticos — lençóis emendados, cheios de interpretações reluzentes de animais e exércitos — pela plataforma e expunham os "últimos tempos" em que estávamos vivendo.

Eu ouvia com medo e fascínio enquanto traçavam uma linha direta do sul de Moscou para Jerusalém e desenhavam ali os movimentos de exércitos de milhares de homens que logo convergiriam para Israel. Aprendi que os dez membros do Mercado Comum Europeu recentemente cumpriram a profecia de Daniel acerca da besta com os dez chifres. Logo todos usaríamos um número carimbado em nossas testas, a marca da besta, e seríamos registrados num computador em algum lugar da Bélgica. A guerra nuclear se desencadearia e o planeta oscilaria à beira da aniquilação, até que no último instante o próprio Jesus retornaria para liderar os exércitos da justiça.

Esse cenário parece bem menos provável agora que a Rússia entrou em declínio e o Mercado Comum (agora União Europeia) expandiu-se além dos dez membros. Contudo, o que me deixa confuso não são tanto os particulares da profecia quanto o seu efeito emocional sobre mim. Cresci ao mesmo tempo aterrorizado e desesperadamente cheio de esperança. No colégio tive aulas de chinês, e meu irmão estudou russo para que um de nós pudesse comunicar-se com os exércitos invasores de qualquer direção. Meu tio foi mais longe, fazendo as malas da família e se mudando para a Austrália. Mas no meio desse terror também tínhamos esperança: embora sentisse como coisa certa que o mundo logo acabaria, ainda assim apostei toda a fé de minha infância na crença de que de alguma maneira Jesus sairia vitorioso.

Mais tarde, quando li a história da igreja, fiquei sabendo que com frequência, antes — nas primeiras décadas do Cristianismo, no final do século X, nos últimos anos do século XIV, na era napoleônica, na Primeira Guerra Mundial, com o Eixo de Hitler e Mussolini — visões do fim dos tempos haviam borbulhado na superfície. Recentemente, como na Guerra do Golfo em 1991, Saddam Hussein foi chamado Anticristo, o novo homem desencadeador do apocalipse. Todas as vezes os cristãos passaram por um apaixonado ciclo de medo, esperança e desilusão encabulada. O fim dos tempos não havia chegado coisa nenhuma.

Também fiquei sabendo que a raça judia havia repetidas vezes passado exatamente pelo mesmo ciclo, nunca de maneira mais comovente do que no primeiro século d.C. Na época muitos judeus esperaram que o Messias surgisse e os libertasse dos horrores de Roma, esperança que o homem de Nazaré no início acendeu e, depois, aniquilou. Para entender Jesus e a missão que deixou depois de sua ascensão, preciso retornar mais uma vez à era dele, para me colocar novamente no seu tempo, ouvi-lo falar sobre o assunto que favoreceu mais do que qualquer outro: o reino de Deus. O que ele disse acerca do reino de Deus no primeiro século tem grande pertinência para mim hoje no século XX.

No tempo de Jesus, os judeus estavam meditando sobre as mesmas passagens de Daniel e de Ezequiel que mais tarde figurariam tão destacadamente nas conferências sobre profecias na minha infância.[1] Discordávamos em alguns detalhes — a Europa Setentrional era então uma floresta cheia de bárbaros num Mercado Comum, e a Rússia era desconhecida — mas as nossas visões sobre o

---

[1] Os escribas que meditavam com tanta assiduidade sobre as profecias do Antigo Testamento não reconheceram em Jesus o cumprimento daquelas profecias. O fracasso deles em interpretar os sinais da primeira vinda não transmite uma nota de cautela para os que hoje tão confiantemente proclamam os sinais da segunda vinda?

Messias combinavam: esperávamos um herói conquistador. Qualquer um que declarasse "O reino de Deus chegou!"[2] certamente despertaria na mente dos seus ouvintes a imagem de um líder político que surgiria, assumiria e derrotaria o império mais poderoso já conhecido.

Em tal ambiente, Jesus entendeu bem o poder explosivo da palavra *Messias*. No julgamento de William Barclay, "Se Jesus se tivesse publicamente declarado o Messias, nada teria impedido uma onda inútil de derramamento de sangue".[3] Embora Jesus não utilizasse o título para si mesmo, aceitou-o quando outros o chamaram de Messias, e os evangelhos apresentam um despertamento gradual dos discípulos para o fato de seu mestre não ser outro senão o Rei há muito esperado.

Jesus estimulou essas crenças utilizando a palavra que acelerava o pulso do seu povo. "Está próximo o reino dos céus",[4] ele proclamou em sua primeira mensagem. Todas as vezes que falou nisso, a palavra dava vida às lembranças: bandeiras coloridas, exércitos reluzentes, o ouro e o mármore do tempo de Salomão, a nação de Israel restaurada. O que ia acontecer, disse Jesus, ultrapassaria de longe o passado: "Pois vos digo que muitos profetas e reis desejaram ver o que vedes, e não viram, e ouvir o que ouvis, e não o ouviram".[5] Em outra ocasião ele anunciou provocativamente: "E aqui está quem é maior do que Salomão".[6]

Os zelotes permaneciam à beira do auditório de Jesus, guerrilheiros armados e bem organizados, loucos por uma luta contra Roma, mas para sua consternação o sinal para a revolta nunca chegou. Com o tempo, o padrão de comportamento de Jesus desapontou todos os que procuravam um líder nos moldes tradicionais. Ele se inclinava a fugir dos grandes grupos, em vez de apreciá-los. Insultou os dias de glória de Israel, comparando o Rei Salomão a um lírio corriqueiro. Uma vez que a multidão tentou coroá-lo rei à força, misteriosamente desapareceu. E, quando Pedro finalmente brandiu uma espada para protegê-lo, Jesus curou os ferimentos da vítima.

Para decepção das turbas, tornou-se claro que Jesus falava acerca de um tipo de reino estranhamente diferente. Os judeus desejavam o que as pessoas sempre desejaram de um reino visível: um frango em cada panela, emprego certo, um

---

[2]   Mateus 12.28

[3]   Apud MUGGERIDGE, Malcolm. **Jesus the man who lives**... cit., p. 74.

[4]   Mateus 3.2

[5]   Lucas 10.24

[6]   Mateus 12.42

exército forte para deter os invasores. Jesus anunciou um reino que significava negar-se a si mesmo, assumir uma cruz, renunciar às riquezas, até mesmo amar seus inimigos. Conforme ele o comentava, as expectativas das multidões se esfarelavam.

Quando Jesus foi pregado nas entrecruzadas traves de madeira, todos haviam perdido as esperanças e se afastado. Os mestres contam que os judeus do primeiro século não tinham o conceito de um Messias sofredor. Quanto aos Doze, não importa com que frequência ou com que clareza Jesus os advertisse de sua morte iminente, isso nunca calava neles. Ninguém poderia imaginar um Messias morrendo.

A palavra *reino* significava uma coisa para Jesus e outra totalmente diferente para a multidão. Jesus foi rejeitado, em grande parte, porque não atendia à imagem nacional de como um Messias devia ser.

Uma pergunta me perturbou durante muito tempo. À vista das expectativas deles, por que Jesus continuou animando as esperanças de seus discípulos com a palavra *reino*? (Ela aparece 53 vezes só no evangelho de Mateus.) Insistia em associar-se com um termo que todos pareciam interpretar mal. O que Jesus queria dizer com *reino de Deus*?

É uma grande ironia que aquele que assim falou diante das expectativas do seu povo tornou-se conhecido em toda a história como rei — tanto que uma forma da palavra transformou-se em seu "sobrenome". Cristo, ou *Cristos* no grego, é tradução da palavra hebraica *Messias*, que significa ungido e se refere à maneira antiga de coroar os reis. Agora, todos nós que nos chamamos *cristãos* carregamos o eco da palavra que tanto frustrou as pessoas do tempo de Jesus. Fico imaginando: será que entendemos melhor o reino de Deus?

Jesus nunca apresentou uma definição clara do reino; em vez disso transmitiu a sua visão a esse respeito indiretamente, por meio de uma série de histórias. Sua escolha de imagens é vigorosa: aspectos cotidianos da lavoura, da pesca, de mulheres assando pão, de comerciantes comprando pérolas.

O reino do céu é como um semeador que sai para lançar a semente. Como todo lavrador sabe, nem toda semente que se planta acaba produzindo fruto. Algumas caem entre pedras, algumas são comidas pelas aves e pelos ratos do campo, algumas ficam sufocadas pelas ervas daninhas. Tudo isso parece natural a um lavrador, mas heresia a um tradicional edificador de reino. Os reis não são julgados pelo seu poder, por sua capacidade de impor a vontade

O reino: trigo entre ervas daninhas

sobre o populacho, sua força em repelir os inimigos? Jesus estava indicando que o reino de Deus vem com um poder resistível. Ele é humilde, discreto e coexistente com o mal — uma mensagem que certamente não agradou à intenção de revolta dos judeus patriotas.

Pense na semente da mostarda, tão miúda que pode cair ao chão e ficar despercebida pelos seres humanos e também pelas aves. Dado o tempo, entretanto, a semente pode brotar e se transformar num arbusto que sobrepuja todas as outras plantas da horta, arbusto tão grande e tão verdejante que as aves vêm e se aninham em seus galhos. O reino de Deus opera dessa maneira. Começa tão pequeno que as pessoas zombam dele e não veem possibilidade de sucesso. Contra todas as probabilidades, o reino de Deus vai crescer e se espalhar por todo o mundo, trazendo sombra para os doentes, para os pobres, para os prisioneiros e para os não amados.

O reino do céu é como um comerciante que se especializa em pedras raras. Um dia encontra uma pérola tão deslumbrante que pode levar princesas a babar de inveja. Reconhecendo o seu valor, ele liquida todos os seus negócios a fim de comprá-la. Embora o negócio encerre tudo o que possui, nem por um momento se arrepende. Ele faz a compra com alegria, como a realização máxima de sua vida: o tesouro sobreviverá a ele, muito tempo depois que o nome da família tiver desaparecido. O reino de Deus opera assim. O sacrifício — negue-se a si mesmo, tome a sua cruz — acaba sendo um investimento inteligente, seu resultado não é o remorso, mas a alegria além de qualquer palavra.

São histórias que Jesus contou. Quando revejo as parábolas do reino, entretanto, percebo como o meu próprio entendimento desviou-se para longe dessas imagens despretensiosas. Tenho a tendência de ver o mesmo tipo de reino que os judeus viam: um reino visível, poderoso. Penso em Constantino liderando suas tropas, cruzes adornando suas armaduras, com o lema "Por esse símbolo conquistem". Penso em exércitos marchando através de lençóis nas conferências sobre profecias. Obviamente, preciso ouvir de novo a descrição do reino de Deus feita por Jesus.

Nós, do século XX, era de poucos "reis" de fato, imaginamos os reinos sob o aspecto do poder e da polarização. Somos os filhos da revolução. Dois séculos atrás, nos Estados Unidos e na França, os oprimidos se levantaram e derrubaram os poderes reinantes. Mais tarde, em locais como a Rússia e a China, os marxistas lideraram revoltas com uma ideologia que se tornou uma espécie de religião: começaram, de fato, a considerar toda a história como resultado das lutas de classe

221

O JESUS QUE EU NUNCA CONHECI

ou do materialismo dialético. "Operários, uni-vos! Jogai fora vossas cadeias!", gritava Marx, e assim fizeram grande parte de nosso século sangrento.

Por algum período de tempo tentei ler os evangelhos pelos olhos da teologia da libertação. Finalmente tive de concluir que, fosse o que fosse, o reino de Deus sem dúvida não pede uma revolução violenta. Os judeus do primeiro século com certeza estavam procurando tal sublevação. As linhas de batalha eram claras: os judeus oprimidos versas os meninos maus romanos — pagãos que cobravam impostos, traficavam escravos, se intrometiam na religião e reprimiam dissensões. Sob tais condições os zelotes emitiam um grito parecido com o de Marx: "Judeus, uni-vos! Jogai fora vossas cadeias!". Mas a mensagem de Jesus do reino pouco tinha em comum com a política da polarização.

Quando leio os evangelhos, parece que Jesus proclama uma mensagem de duas pontas. Para os opressores, tinha palavras de advertência e de julgamento. Tratava os poderes do governo com uma atitude de desrespeito suave, menosprezando Herodes como "aquela raposa"[7] (expressão judaica para uma pessoa sem valor ou insignificante) e concordando em pagar o imposto do templo "para que não os escandalizemos".[8] Ele confiava pouco na política; era o governo, afinal, que tentava exterminá-lo.

Aos oprimidos, seu auditório principal, Jesus oferecia uma mensagem de conforto e consolo. Chamava os pobres e perseguidos de "bem-aventurados". Nunca incitou os oprimidos a se levantar e jogar fora as cadeias. Em palavras que devem ter irritado os zelotes, ordenou: "Amai os vossos inimigos".[9] Invocava um diferente tipo de poder: amor, não coerção.

As pessoas que olhavam para Jesus como salvador político ficavam constantemente atônitas com a sua escolha de companheiros. Ele se tornou conhecido como amigo de cobradores de impostos, grupo claramente identificado com os exploradores estrangeiros, não os explorados. Embora denunciasse o sistema religioso do seu tempo, tratou um líder como Nicodemos com respeito e, embora falasse contra os perigos do dinheiro e da violência, demonstrou amor e compaixão para com o jovem advogado e o centurião romano.

Em suma, Jesus honrava a dignidade das pessoas, quer discutisse com elas, quer não. Não fundaria o seu reino com base em raça ou classe, ou quaisquer

---

[7]   Lucas 13.32

[8]   Mateus 17.27

[9]   Mateus 5.44

— 222 —

O reino: trigo entre ervas daninhas

outras divisões. Qualquer um, até mesmo uma mestiça com cinco maridos ou um ladrão morrendo numa cruz, era bem-vindo para juntar-se ao seu reino. A pessoa era mais importante do que qualquer categoria ou etiqueta.

Sinto-me convencido por essa qualidade de Jesus toda vez que me envolvo numa causa na qual creio fortemente. Como é fácil juntar-me à política da polarização e me ver gritando através das filas dos grevistas contra o "inimigo" do outro lado. Como é difícil lembrar que o reino de Deus me chama para amar a mulher que acabou de sair da clínica de abortos (e, sim, até o seu médico), a pessoa promíscua que está morrendo de aids, o rico proprietário de terras que está explorando a. criação de Deus. Se não consigo demonstrar amor a tais pessoas, então devo questionar se realmente entendi o evangelho de Jesus.

Um movimento político traça linhas por natureza, faz distinções, enuncia julgamentos; em contrapartida, o amor de Jesus cruza as linhas, transcende diferenças, dispensa graça. Apesar dos méritos de dada questão — quer um lobby pró-vida da direita ou um *lobby* de paz-e-justiça da esquerda — os movimentos políticos arriscam-se a puxar sobre si o manto do poder e abafar o amor. Com Jesus aprendi que, seja qual for o ativismo em que me envolvo, não devo expulsar o amor e a humildade, caso contrário trairei o reino do céu.

Se me sinto tentado a ver o reino de Deus como mais uma estrutura de poder, preciso apenas voltar-me para a narrativa do julgamento em Jerusalém, cena que reúne os dois reinos em admirável justaposição. Naquele dia de clímax os governantes do "reino deste mundo" confrontaram Jesus e o seu reino face a face.

Dois reis, Herodes e Jesus, personificavam tipos muito diferentes de poder. Herodes tinha os soldados das legiões romanas para reforçar a sua vontade, e a história registra como Herodes utilizava o seu poder: roubou a esposa do irmão, prendeu todos os dissidentes, decapitou João Batista numa brincadeira de festa. Jesus também tinha poder, mas o utilizava compassivamente, para alimentar os famintos e curar os doentes. Herodes tinha uma coroa de ouro, palácios, guardas e todos os símbolos visíveis da realeza. Para Jesus, a coisa mais parecida com coroação formal, ou "unção" de Messias, aconteceu numa embaraçosa cena, quando uma mulher de má reputação derramou perfume sobre a cabeça dele. Ele recebeu o título de "Rei dos judeus" como sentença de criminoso. Sua "coroa" feita de espinhos foi meramente mais uma fonte de dor. E, embora pudesse ter convocado uma legião de anjos para protegê-lo, declinou.

223

Sistematicamente, Jesus recusou utilizar poder coercivo. De modo consciente permitiu que um dos seus discípulos o traísse e, depois, submeteu-se sem protestos aos seus capturadores. Nunca paro de me admirar que a esperança cristã repouse sobre um homem cuja mensagem foi rejeitada e cujo amor foi desprezado, que foi condenado como criminoso e recebeu uma sentença de pena de morte.

Apesar do exemplo explícito de Jesus, muitos dos seus discípulos têm sido incapazes de resistir, preferindo o caminho de Herodes em vez do caminho de Jesus. Os Cruzados que pilharam o Oriente Médio, os conquistadores que converteram o Novo Mundo sob a ponta de uma espada, os exploradores cristãos na África que cooperaram com o comércio de escravos — ainda estamos sentindo os choques dos seus erros. A história mostra que, quando a igreja utiliza as ferramentas do reino do mundo, torna-se ineficaz, ou tão tirânica quanto qualquer outra estrutura poderosa. E, toda vez que a igreja tem se mesclado com o estado (o Sacro Império Romano, a Inglaterra de Cromwell, a Genebra de Calvino), o apelo da fé sofre também. Por ironia, nosso respeito no mundo declina em proporção de quão vigorosamente tentamos forçar os outros a adotar nossas concepções.

Ovelhas entre lobos, uma sementinha numa horta, fermento na massa do pão, sal no alimento: as próprias metáforas de Jesus sobre o reino descrevem uma espécie de "força secreta" que trabalha de dentro para fora. Ele não falou nada acerca de uma igreja triunfante partilhando poder com as autoridades. O reino de Deus parece operar melhor como movimento da minoria, em oposição ao reino deste mundo. Quando cresce além disso, sutilmente muda de natureza.

Por esse motivo, fazendo um aparte, preocupo-me com o recente surgimento do poder entre os cristãos americanos, que parecem estar focalizando mais e mais os meios políticos. Antigamente os cristãos eram desprezados; agora são cortejados por todo político de bom senso. Os evangélicos são especialmente identificados com certa posição política, tanto que a mídia utiliza os termos "evangélico" e "direito de religião" intercambiavelmente. Quando pergunto a um estrangeiro "O que é um cristão evangélico?", obtenho uma resposta mais ou menos assim: "Alguém que defende os valores da família e se opõe aos direitos dos homossexuais e ao aborto".

Essa tendência me perturba porque o evangelho de Jesus não foi principalmente uma plataforma política. As questões que confrontam os cristãos numa sociedade secular devem ser encaradas, discutidas e legisladas, e uma democracia dá aos cristãos todo o direito de se expressarem. Mas não nos atrevamos a investir tanto no reino deste mundo que negligenciemos nossa tarefa principal de apresentar as

O reino: trigo entre ervas daninhas

pessoas a um tipo diferente de reino, fundamentado apenas na graça e no perdão de Deus. Criar leis para garantir a moral cumpre uma função necessária, para represar o mal, mas nunca resolve os problemas humanos. Se daqui a um século tudo o que os historiadores puderem dizer acerca dos evangélicos de 1990 é que defenderam os valores da família, então teremos falhado na missão que Jesus nos deu para realizar: transmitir o amor reconciliador de Deus aos *pecadores*.

Jesus não disse: "Nisto conhecerão todos que sois meus discípulos [...] se apenas passardes leis, acabardes com a imoralidade, e restaurardes a decência à família e ao governo",[10] mas, antes, "[...] se vos amardes uns aos outros". Ele fez essa declaração na noite anterior à sua morte, noite em que o poder humano, representado pela potência de Roma e por toda a força das autoridades religiosas judaicas, colidiu de cabeça, com o poder de Deus. Toda a sua vida, Jesus esteve envolvido numa forma de "guerra de culturas" contra uma instituição religiosa rígida e um império pagão, mas reagiu dando a vida por aqueles que se lhe opunham. Na cruz, ele os perdoou. Veio, acima de tudo, para demonstrar amor: "Porque Deus amou o mundo de tal maneira que deu o seu Filho unigênito [...]".[11]

Quando Pilatos, o governador romano, perguntou a Jesus sem rodeios se ele era o rei dos judeus, ele respondeu: "O meu reino não é deste mundo. Se fosse, os meus súditos combateriam para que eu não fosse entregue aos judeus. Mas agora o meu reino não é daqui".[12] Fidelidade a um reino "não deste mundo" também tem estimulado os mártires cristãos que, desde a morte de seu fundador, têm encontrado a resistência dos reinos deste mundo. Crentes desarmados utilizaram-se desse texto contra seus perseguidores romanos no Coliseu, Tolstoi utilizou-o para solapar a autoridade dos czares, e participantes de marchas dos direitos civis utilizaram-se dele para desafiar as leis do apartheid no sul dos Estados Unidos e na África do Sul. Ele fala de um reino que transcende as fronteiras — e às vezes as leis — de nações e impérios.

Em outra ocasião, Jesus foi interrogado pelos fariseus sobre quando viria o reino de Deus. Ele respondeu: "O reino de Deus não vem com aparência visível. Nem dirão: Ei-lo aqui! ou Ei-lo ali! porque o reino de Deus está dentro de vós!".[13]

---

[10]   João 13.35

[11]   João 3.16

[12]   João 18.36

[13]   Lucas 17.20

Visivelmente, o reino de Deus opera por um conjunto de regras diferentes de qualquer reino do mundo. O reino de Deus não tem fronteiras geográficas, nem capital, nem sede de parlamento, nem adornos reais visíveis. Seus súditos vivem bem no meio de seus inimigos, não separados deles por uma cerca ou muro divisório. Ele vive e cresce dentro dos seres humanos.

Aqueles de nós que seguem a Jesus possuem assim uma espécie de dupla cidadania. Vivemos num reino externo de família, cidades e nacionalidade, enquanto ao mesmo tempo pertencemos ao reino de Deus. Em seu mandamento "Dai a César o que é de César, e a Deus o que é de Deus",[14] Jesus sublinhou a tensão fundamental que pode resultar. Para os cristãos primitivos, a lealdade ao reino de Deus às vezes significava entrar em choque com o reino visível de César. O historiador Will Durant, na *História da civilização*, conclui:

> Não existe drama maior no registro humano do que a visão de alguns cristãos, desprezados e oprimidos por uma sucessão de imperadores, enfrentando todos os tribunais com uma tenacidade feroz, multiplicando-se silenciosamente, criando ordem enquanto seus inimigos geravam o caos, enfrentando a espada com a palavra, a brutalidade com a esperança e finalmente derrotando o estado mais forte que a história já conheceu. César e Cristo encontraram-se na arena, e Cristo venceu.[15]

Temos visto vívidas demonstrações de colisão de reinos em nosso próprio tempo. Nos países comunistas — Albânia, URSS, China[16] — o governo forçou a igreja a se esconder, de modo que ela se tornou, quase literalmente, invisível. Em ondas de perseguição nas décadas de sessenta e de setenta, por exemplo, os crentes chineses foram multados, presos e torturados, e regulamentos locais proibiram a maioria das atividades religiosas. Mas, apesar dessa opressão governamental, irrompeu um reavivamento espiritual que poderia bem ser o maior da história da igreja. Cerca de cinquenta milhões de crentes juraram fidelidade a um reino invisível mesmo quando o reino visível os fazia sofrer por isso.

---

[14] Mateus 22.21

[15] DURANT, Will. **História da civilização**. Parte III: César e Cristo. New York: Simon & Schuster, 1944. p. 652.

[16] FEAVER, Karen M. Chinese lessons. **Christianity Today**, p. 33, 16 maio 1994.

O reino: trigo entre ervas daninhas

Na verdade, os problemas parecem surgir quando a igreja se torna demasiado externa e fica excessivamente acomodada com o governo. Como uma representante do legislativo dos Estados Unidos disse depois de uma viagem à China: "Creio que cabe uma palavra de cautela para nós na natureza apolítica da igreja secreta da China. Eles oram fervorosamente pelos seus líderes, mas mantêm uma independência cuidadosa. Somos privilegiados em viver numa democracia participativa, mas, tendo trabalhado na política americana por quase uma década, tenho visto mais do que alguns crentes venderem a sua primogenitura cristã por um prato de comida material. Temos de continuamente nos perguntar: Nosso alvo principal é mudar nosso governo ou ver vidas transformadas para Cristo dentro e fora do governo?".

Refazendo a sua pergunta: é nosso alvo primordial mudar o reino externo, político ou promover o reino transcendente de Deus? Numa nação como os Estados Unidos, os dois facilmente se confundem.

Cresci numa igreja que orgulhosamente desfraldava a "bandeira cristã" junto com a bandeira dos Estados Unidos, e declarávamos fidelidade a ambas. As pessoas aplicavam aos Estados Unidos passagens do Antigo Testamento que foram obviamente escritas para um período em que Deus atuava por meio de um reino visível na terra, a nação de Israel. Por exemplo, com frequência ouvi este versículo citado como fórmula de reavivamento nacional: "Se o meu povo, que se chama pelo meu nome, se humilhar, e orar e buscar a minha face, e se converter dos seus maus caminhos, então eu ouvirei dos céus, e perdoarei os seus pecados, e sararei a sua terra".[17] O princípio pode aplicar-se de maneira geral, é claro, mas a promessa nacional específica foi dada como parte do relacionamento da aliança de Deus com os hebreus antigos; foi por ocasião da dedicação do templo de Salomão, o lugar da habitação de Deus na terra. Temos qualquer motivo para presumir que Deus tenha um arranjo de aliança semelhante com os Estados Unidos?

Realmente, temos alguma indicação de que Deus agora julga os Estados Unidos ou qualquer outro país *como uma entidade nacional?* Jesus contou suas parábolas do reino em parte para corrigir tais noções nacionalistas. Deus está operando não principalmente por meio de nações, mas por meio de um reino que transcende nações.

Quando agora reflito nas histórias de Jesus acerca do reino, sinto que grande parte da inquietação entre os cristãos de hoje brota de uma confusão dos dois

---

[17] 2Crônicas 7.14

reinos, visível e invisível. Cada vez que surge uma eleição, os cristãos debatem se este ou aquele candidato é o "homem de Deus" para a Casa Branca. Projetando-me de volta para o tempo de Jesus, tenho dificuldade em imaginá-lo pensando se Tibério, Otávio ou Júlio César eram os "homens de Deus" para o Império. Os políticos de Roma eram quase irrelevantes para o reino de Deus.

Atualmente, enquanto os Estados Unidos se tornam cada vez mais secularizados, parece que a igreja e o estado estão caminhando em diferentes direções. Quanto mais entendo a mensagem de Jesus acerca do reino de Deus, menos alarme sinto por causa dessa tendência. Nosso verdadeiro desafio, a focalização de nossa energia, não deve ser a cristianização dos Estados Unidos (sempre uma batalha perdida), mas, antes, lutar para ser o reino de Deus num mundo cada vez mais hostil. Como Karl Barth disse: "[A igreja] existe [...] para estabelecer no mundo um sinal novo radicalmente diferente da maneira própria [do mundo] e que o contradiz de maneira promissora".[18]

Ironicamente, se os Estados Unidos estão de fato escorregando por um declive moral, isso pode permitir à igreja — como aconteceu em Roma e também na China — estabelecer melhor "um sinal novo [...] mais promissor". Eu preferiria, devo admitir, viver num país em que a maioria das pessoas obedecesse aos dez mandamentos, agisse com civilidade para com as outras pessoas e inclinasse a cabeça uma vez por dia para fazer uma oração afável, não partidária. Sinto uma certa nostalgia pelo clima social da década de 1950, no qual fui criado. Mas, se esse ambiente não retornar, não perderei o sono. Conforme os Estados Unidos vão escorregando, vou trabalhar e orar pelo avanço do reino de Deus. Se as portas do inferno não podem prevalecer contra a igreja, o cenário político contemporâneo dificilmente oferece muita ameaça.

Em Stuttgart, na Alemanha, em 1933, Martin Buber[19] teve um debate com um perito em Novo Testamento sobre por que ele, judeu que admirava Jesus, mesmo assim não podia aceitá-lo. Para os cristãos, ele começou, os judeus deviam parecer obstinados quando firmemente aguardavam a vinda de um Messias. Por que não reconhecer Jesus como o Messias? "A igreja repousa sobre a fé de que Cristo veio, e que essa é a redenção que Deus concedeu à humanidade. Nós, os israelitas, não podemos crer nisso [...]. Sabemos com

---

[18] BARTH, Karl. Church dogmatics. Apud HAUERWAS, Stanley; WILLIMON, William H. **Resident aliens**. Nashville: Abingdon Press, 1989. p. 83.

[19] Apud MOLTMANN, Jürgen. **The way of Jesus Christ**... cit., p. 28.

mais profundidade, mais realidade, que a história do mundo não virou de cabeça para baixo desde os seus fundamentos — que o mundo não foi remido. *Sentimos* sua falta de redenção." A declaração clássica de Buber assumiu um ar de lamentação aumentado nos anos seguintes, pois 1933 foi o ano em que Adolf Hitler subiu ao poder na Alemanha, acabando com qualquer dúvida acerca do caráter não remido do mundo. Como poderia um verdadeiro Messias permitir que tal mundo continuasse existindo?

A única explicação possível encontra-se nos ensinamentos de Jesus de que o reino de Deus vem em estágios. É "agora" e também "ainda não", presente e também futuro. Às vezes Jesus enfatizava o aspecto presente, como quando disse que o reino está "próximo" ou "dentro de vós". Em outras ocasiões disse que o reino jaz no futuro, como quando ensinou seus discípulos a orar: "Venha o teu reino, seja feita a tua vontade, assim na terra como no céu".[20] Martin Buber está certo quando observa que a vontade de Deus não está aparentemente sendo feita na terra como é feita no céu. Sob alguns aspectos importantes, o reino ainda não veio completamente.

Talvez o próprio Jesus tivesse concordado com a afirmação de Buber sobre o estado do mundo. "No mundo tereis aflições",[21] disse a seus discípulos. Ele também advertiu de calamidades iminentes: "Ouvireis de guerras e rumores de guerras, mas cuidado para não vos alarmardes. Tais coisas devem acontecer, mas ainda não é o fim".[22] A presença do mal garante que a história será cheia de lutas e que o mundo parecerá não remido. Durante um período de tempo, o reino de Deus deve existir junto com uma rebelião ativa contra Deus. O reino de Deus avança lentamente, humildemente, como um exército secreto de invasão atuando dentro dos reinos governados por Satanás.

Como C. S. Lewis expressou:

> Por que Deus está aterrissando disfarçado neste mundo ocupado pelo inimigo e dando início a uma espécie de sociedade secreta para solapar o diabo? Por que não está aterrissando com força, invadindo-o? Será que não é suficientemente forte? Bem, os cristãos pensam que Ele vai aterrissar com força; não sabemos quando.

---

[20] Mateus 6.10

[21] João 16.33

[22] Mateus 24.6

Mas podemos imaginar por que está demorando: quer dar-nos a oportunidade de nos juntarmos a Ele livremente [...] Deus vai invadir. Mas fico imaginando se as pessoas que pedem que Deus interfira abertamente em nosso mundo entendem bem como será quando o fizer. Quando isso acontecer, será o fim do mundo. Quando o autor caminha pelo palco, a peça acabou.[23]

Os discípulos mais íntimos de Jesus tiveram dificuldade em captar essa visão dupla do reino. Depois de sua morte e ressurreição, quando compreenderam finalmente que o Messias viera não como rei conquistador, mas revestido de humildade e de fraqueza, mesmo então um pensamento os atormentava: "Senhor, restaurarás tu neste tempo o reino a Israel?".[24] Sem dúvida estavam pensando num reino visível para substituir o governo de Roma. Jesus repeliu a pergunta e ordenou que levassem a sua palavra até os confins da terra. Foi então, para espanto deles, que ele desapareceu de vista e, alguns momentos depois, os anjos explicaram: "Esse Jesus, que dentre vós foi recebido em cima no céu, *há de vir,* assim como para o céu o vistes ir".[25] O tipo de reino que desejavam ardentemente viria de fato, mas não já.

Devo confessar que por muitos anos evitei pensar na segunda vinda de Jesus — parcialmente, não tenho certeza, em reação à mania de profecias da igreja de minha infância. A doutrina parecia um estorvo, o tipo de conversa que atraía os que acreditavam em discos voadores. Ainda tenho pouca certeza acerca dos pormenores da segunda vinda, mas agora a vejo como o clímax necessário do reino de Deus. À medida que a igreja perde a fé na volta de Cristo e se contenta em ser parte confortável deste mundo e não a vanguarda de um reino de outro mundo, nós nos arriscamos a perder a fé num Deus soberano.

Deus colocou sua reputação em jogo. O Novo Testamento aponta para um período em que "se dobre todo joelho [...] e toda língua confesse que Cristo Jesus é o Senhor".[26] Obviamente, isso ainda não aconteceu. Diversas décadas depois da Páscoa, o apóstolo Paulo falou de toda a criação gemendo com dores de parto por uma redenção ainda não realizada. A primeira vinda de Jesus não resolveu o

---

[23] Lewis, C. S. **Cristianismo puro e simples**. São Paulo: Mundo Cristão.

[24] Atos 1.6

[25] Atos 1.11

[26] Filipenses 2.10,11

O reino: trigo entre ervas daninhas

problema do planeta Terra, antes apresentou uma visão do reino de Deus para ajudar a quebrar a maldição terrestre da ilusão.

Apenas na segunda vinda de Cristo o reino de Deus aparecerá em toda a sua plenitude. Até lá trabalhamos por um futuro melhor, sempre olhando para trás, para os evangelhos, para o modelo de como será o futuro. Jürgen Moltmann observou que a expressão "dia do Senhor" no Antigo Testamento inspirava temor; mas no Novo Testamento inspira confiança, porque os autores vieram a conhecer o Senhor daquele dia. Agora sabiam o que esperar.

Quando Jesus vivia na terra fez os cegos verem e os aleijados andarem; ele vai voltar para governar num reino que não terá enfermidades nem incapacidades. Na terra ele morreu e ressuscitou; na sua volta, a morte não existirá mais. Na terra ele expulsou demônios; na sua volta; ele destruirá o maligno. Na terra ele veio como um bebê nascido numa manjedoura; ele vai voltar na figura deslumbrante descrita no livro do Apocalipse. O reino que ele iniciou na terra não foi o fim, apenas o começo do fim.

De fato, o reino de Deus crescerá na terra quando a igreja criar uma sociedade alternativa, demonstrando o que o mundo não é, mas um dia será: a prescrição de Barth de "um novo sinal que é radicalmente diferente da maneira própria [do mundo] e que o contradiz de modo promissor". Uma sociedade que recebe pessoas de todas as raças e de todas as classes sociais, que se caracteriza pelo amor e não pela polarização, que se interessa mais pelos seus membros mais fracos, que defende a justiça e o direito num mundo apaixonado pelo egoísmo e pela decadência, uma sociedade na qual os membros competem pelo privilégio de servir uns aos outros — é o que Jesus quis dizer com reino de Deus.

Os quatro cavaleiros do Apocalipse apresentam uma pré-estreia de como o mundo acabará: em guerra, fome, enfermidade e morte. Mas Jesus deu uma pré-estreia pessoal de como o mundo será restaurado, revertendo os atos dos quatro cavaleiros: ele fez a paz, alimentou os famintos, curou os doentes e devolveu a vida aos mortos. Tornou a mensagem do reino de Deus poderosa por vivê-la, trazendo-a à realidade entre as pessoas que o cercavam. As predições fantásticas dos profetas de um mundo livre de dor, de lágrimas e de morte referiam-se não a um mundo imaginário, mas a este mundo.

Nós, na igreja, os sucessores de Jesus, fomos deixados com a tarefa de apresentar os sinais do reino de Deus, e o mundo que observa vai julgar os méritos do reino por nós. Vivemos num período de transição — uma transição da morte para a vida, da injustiça humana para a justiça divina, do velho para o novo — tragicamente incompleto, mas marcado aqui e ali, num momento ou noutro, com indicações do que Deus vai um dia realizar em perfeição. O reino de Deus está irrompendo no mundo, e podemos ouvir seus arautos.

CAPÍTULO 14

A DIFERENÇA
QUE ELE FAZ

Outros deuses eram fortes; mas Tu fraco tinhas de ser;
A caminho do trono cavalgaram, mas Tu tropeçaste ali;
Nossas feridas apenas Deus pode entender,
E nenhum deus tem ferimentos além de Ti. — EDWARD SHILLITO

Scott Peck escreve que se aproximou primeiro dos evangelhos de modo cético, suspeitando que encontraria relatos de relações públicas, escritos por autores que juntaram pedaços soltos e embelezaram suas biografias de Jesus. Os evangelhos propriamente ditos rapidamente o afastaram dessa ideia.

> Fiquei absolutamente estupefato pela extraordinária *realidade* do homem que encontrei nos evangelhos. Descobri um homem que vivia quase continuamente frustrado. Sua frustração salta quase de cada página: "O que devo dizer-lhes? Quantas vezes tenho de lhes dizer? O que devo fazer para que entendam?". Também descobri um homem muitas vezes triste e às vezes deprimido, frequentemente ansioso e assustado [...]. Um homem terrivelmente, terrivelmente solitário, mas com frequência precisando ficar sozinho. Descobri um homem tão incrivelmente real que ninguém poderia tê-lo inventado.

Ocorreu-me então que, se os autores dos evangelhos fossem relações-públicas e os tivessem embelezado, como eu presumia, teriam criado o tipo de Jesus que três quartos dos cristãos ainda parecem tentar criar [...] retratado com um sorriso doce, contínuo no rosto, acariciando criancinhas na cabeça, apenas passeando pela terra com esta equanimidade imperturbável, constante [...]. Mas o Jesus dos evangelhos — que alguns acreditam ser o segredo mais bem guardado do cristianismo — não teve muita "paz de espírito", como geralmente pensamos acerca da paz de espírito nos parâmetros deste mundo, e, à medida que podemos ser seus discípulos, talvez nós também não.

Como podemos conhecer o "verdadeiro Jesus" de que Scott Peck[1] obteve um vislumbre? Tenho feito uma consciente tentativa de ver Jesus "de baixo para cima", para captar o máximo possível o que devia ter sido observar pessoalmente os acontecimentos extraordinários na Galileia e na Judeia. Como Scott Peck, também me sinto atônito com o que descobri.

Ícones da Igreja Ortodoxa, vitrais na catedrais europeias e a arte da escola dominical na igreja protestante americana, tudo descreve de maneira pouco interessante um Jesus plácido, "domesticado", mas o Jesus que encontrei nos evangelhos era tudo, menos manso. Sua honestidade cauterizante o fez parecer sem nenhum tato em alguns aspectos. Poucas pessoas se sentiam à vontade perto dele; as que se sentiam eram do tipo que não deixava mais ninguém à vontade. Ele tinha a má fama de ser imprevisível, difícil de definir ou mesmo de compreender.

Concluí minha investigação acerca de Jesus com tantas perguntas quanto respostas. Certamente não consegui dominá-lo, para mim mesmo, e muito menos para os outros. Agora tenho uma suspeita embutida contra todas as tentativas de classificar Jesus, de colocá-lo num molde. Jesus é radicalmente diferente de qualquer outra pessoa que já tenha vivido. A diferença, nas palavras de Charles Williams, é a diferença entre "alguém que é um exemplo de vida e alguém que é a própria vida".

Para resumir o que aprendi acerca de Jesus, ofereço uma série de impressões. Não formam um quadro completo de jeito nenhum, mas são as facetas da vida de Jesus que me desafiaram e, suspeito, nunca deixarão de me desafiar.

Um amigo dos pecadores, mas sem pecado. Quando Jesus veio ao mundo, os demônios o reconheceram, os enfermos afluíram a ele e pecadores encharcaram seus pés e sua cabeça com perfume. Enquanto isso, ele escandalizava os judeus piedosos, cheios de preconceitos acerca de como Deus deveria ser. Sua rejeição me faz imaginar: os tipos religiosos fariam exatamente o inverso hoje? Poderíamos perpetuar

---

[1] **Further along the road less traveled**. New York: Simon & Schuster, 1993. p. 160.

A diferença que ele faz

uma imagem de Jesus que se encaixe em nossas piedosas expectativas, mas não combine com a pessoa pintada de maneira tão brilhante nos evangelhos?

Jesus era amigo dos pecadores. Elogiou um cobrador de impostos servil acima de um fariseu temente a Deus. A primeira pessoa a quem se revelou francamente como Messias foi uma mulher samaritana que tinha um passado de cinco casamentos fracassados e na ocasião vivia com outro homem. Com seu último alento perdoou um ladrão que não teria nenhuma oportunidade de crescer espiritualmente.

Mas o próprio Jesus não era pecador. "[...] se a vossa justiça não exceder a dos escribas e fariseus, de modo nenhum entrareis no reino dos céus",[2] ele ensinou. Os próprios fariseus procuraram em vão provas de que ele havia transgredido a lei de Moisés. Ele havia desafiado algumas de suas tradições, sim, mas em seu julgamento formal o único "crime" que valeu foi o que ele finalmente reconheceu, sua reivindicação de ser o Messias.

Observo admirado a combinação intransigente da gentileza de Jesus para com os pecadores com a sua hostilidade para com o pecado, porque na maior parte da história da igreja vejo praticamente o oposto. Prestamos um culto da boca para fora de "odiar o pecado e amar o pecador", mas com que inteireza praticamos esse princípio?

A igreja sempre tem achado maneiras de amolecer as fortes palavras de Jesus sobre a moral. Por três séculos os cristãos se inclinaram a aceitar literalmente seu mandamento de "resistir ao mal", mas finalmente a igreja desenvolveu uma doutrina de "guerra justa" e até mesmo "guerra santa". Em diversas ocasiões pequenos grupos de cristãos seguiram as palavras de Jesus acerca do abandono das riquezas, mas a maioria deles viveu à orla de uma organização eclesiástica rica. Atualmente muitos daqueles cristãos que condenam veementemente a homossexualidade, que Jesus nem mencionou, desprezam seus mandamentos diretos contra o divórcio. Continuamos redefinindo o pecado e mudando a ênfase.

Ao mesmo tempo, a igreja instituída gasta muita energia posicionando-se contra o mundo pecador lá fora. (Um termo como "maioria moral" soa atraente apenas para alguém já incluído nela.) Recentemente assisti a. uma peça sobre histórias de um grupo de apoio a pessoas com aids. O diretor do teatro disse que decidiu apresentar a peça depois de ouvir um ministro declarar que se alegrava

---

[2]   Mateus 5.20

toda vez que lia o obituário de um jovem solteiro, crendo que cada morte era outro sinal da desaprovação de Deus. Cada vez mais, temo, a igreja é considerada inimiga dos pecadores.

Com demasiada frequência, os pecadores sentem-se mal amados pela igreja, que, em troca, continua alterando sua definição de pecado — exatamente o oposto do padrão de Jesus. Alguma coisa está errada.

Num dos seus primeiros livros, *Shame* [Vergonha], Salman Rushdie disse que a verdadeira batalha da história não é levada a efeito entre ricos e pobres, socialistas e capitalistas ou negros e brancos, mas entre os que chamou epicuristas e puritanos. O pêndulo da sociedade balança de lá para cá entre os que dizem "Tudo bem", e os que dizem "Ah! não, você não pode!": a restauração versus Cromwell, a ACLU versus o direito de religião, os modernos secularistas versus os fundamentalistas islâmicos. Como se fosse para provar o que dizem, logo depois o Irã estabeleceu uma recompensa de um milhão de dólares pela cabeça de Rushdie; ele havia transgredido.

A história apresenta amplos precedentes do legalismo e também da decadência. Mas como se apegar a elevados padrões de pureza moral e ao mesmo tempo demonstrar complacência para com os que não conseguem alcançar esses padrões? Como abraçar o pecador sem incentivar o pecado? A história cristã oferece poucos fac-símiles do padrão que Jesus estabeleceu.

Ao pesquisar a vida de Jesus, também li diversos estudos prolongados dos três primeiros séculos da fé. A igreja primitiva começou bem, incentivando a pureza moral. Os candidatos ao batismo tinham de passar por longos períodos de instrução, e a disciplina da igreja era rigorosamente cumprida. A perseguição esporádica pelos imperadores romanos ajudou a purgar a igreja dos cristãos "mornos". E até os observadores pagãos eram atraídos pela maneira de os cristãos se interessarem pelos outros cuidando dos oprimidos e dedicando-se aos doentes e pobres.

Uma mudança importante aconteceu com o imperador Constantino, que legalizou o cristianismo e o transformou numa religião subsidiada pelo Estado. Naquele período o seu reinado parecia o maior triunfo da fé, pois o imperador estava agora utilizando os fundos do Estado para construir igrejas e patrocinar conferências teológicas em vez de perseguir cristãos. Mas que pena! O triunfo não veio de graça: os dois reinos ficaram confundidos. O Estado começou a nomear bispos e outros oficiais da igreja, e logo surgiu uma hierarquia que foi uma réplica exata do próprio Império. Quanto aos bispos cristãos, eles começaram a impor a moral à sociedade de modo geral, não apenas à igreja.

Desde Constantino, a igreja tem enfrentado a tentação de se tornar a "polícia moral" da sociedade. A Igreja Católica na idade Média, a Genebra de Calvino, a Inglaterra de Cromwell, a Nova Inglaterra de Winthrop, a Igreja Ortodoxa Russa — cada uma delas tentou legislar uma forma de moral cristã, e cada uma à sua maneira achou difícil comunicar a graça.

Percebo, ao olhar para a vida de Jesus, como nos distanciamos do equilíbrio divino que ele estabeleceu para nós. Ouvindo os sermões e lendo as obras da atual igreja nos Estados Unidos, às vezes detecto mais de Constantino do que de Jesus. O homem de Nazaré era um amigo dos pecadores, mas sem pecado, um padrão que deveria nos convencer das duas coisas.

* * *

O Homem-Deus. Seria mais fácil, penso às vezes, se Deus nos tivesse dado um conjunto de ideias para ruminar, chegar a uma decisão e decidir se aceitamos ou rejeitamos. Ele não o fez. Ele nos deu a si mesmo na forma de uma pessoa.

"Jesus salva", anunciam os para-choques — imaginem como pareceria ridículo se no lugar puséssemos Sócrates, Napoleão ou Mam Buda deu a seus discípulos permissão de esquecê-lo, contanto que honrassem seus ensinamentos e seguissem seu exemplo. Platão disse coisa parecida de Sócrates. Jesus, entretanto, apontou para si mesmo e disse: "Eu sou o caminho".[3]

Olhando para a vida de Jesus em primeiro lugar "de baixo para cima", não destaquei conceitos como a preexistência, a essência divina e a natureza dual, que tanto espaço tomaram nos livros de teologia. Foram precisos cinco séculos para a igreja desenvolver os pormenores da divindade-humanidade de Jesus, e deliberadamente permaneci apegado à visão apresentada por Mateus, Marcos, Lucas e João, não à tela interpretativa fornecida pelo restante do Novo Testamento e formalizada pelos concílios de Niceia e de Calcedônia.

Mesmo assim, os próprios evangelhos apresentam o mistério da identidade dual de Jesus. Como esse judeu, galileu, com uma família e uma cidade natal, veio a ser adorado como o "Próprio Deus do Próprio Deus"? Simples: leia os evangelhos, especialmente João. Jesus aceitou a adoração de Pedro prostrado.

---

[3] João 14.6

Para um homem aleijado, para uma mulher adúltera e para muitos outros ele disse imperativamente: "Perdoo os teus pecados". Para Jerusalém ele observou: "[...] eu vos envio profetas, sábios e escribas",[4] como se ele não fosse um rabi diante deles, mas o Deus soberano da história. Quando foi desafiado, Jesus respondeu rudemente: "Eu e o Pai somos um".[5] "[...] antes que Abraão nascesse, *eu sou!*",[6] ele disse noutra ocasião, pronunciando a sagrada palavra hebraica em referência a Deus, caso não compreendessem. Os judeus devotos não deixaram de entender; diversas vezes pegaram em pedras para puni-lo por blasfêmia.

As reivindicações audaciosas de Jesus acerca de si mesmo apresentam o que pode ser o problema central de toda a história, o divisor de águas entre o cristianismo e as demais religiões. Embora os muçulmanos e cada vez mais judeus respeitem Jesus como um grande professor e profeta, nenhum muçulmano pode imaginar Maomé reivindicando ser Alá, como também nenhum judeu pode imaginar Moisés proclamando ser Iavé. De modo igual, os hindus creem em muitas encarnações, mas em nenhuma Encarnação, enquanto os budistas não têm categorias nas quais possam conceber um Deus soberano tornando-se ser humano.

Poderiam os discípulos de Jesus ter feito acréscimos aos ensinamentos dele para incluir tais reivindicações atrevidas como parte de uma conspiração para lançar uma nova religião? Improvável. Os discípulos, conforme vimos, eram conspiradores incapazes, e de fato os evangelhos os retratam resistentes à própria ideia da divindade de Jesus. Cada discípulo, afinal, pertencia à raça mais ferozmente monoteísta da terra. Até na última noite de Jesus com eles, depois de terem ouvido as reivindicações e visto todos os milagres, um deles perguntou ao Mestre: "Senhor, mostra-nos o Pai".[7] Eles ainda não conseguiam assimilar. Jesus nunca foi mais explícito do que na sua resposta: "Quem me vê, vê o Pai".[8]

É fato incontestável da história que os discípulos de Jesus, os mesmos que ficaram coçando a cabeça diante de suas palavras na última ceia, algumas semanas depois o estavam proclamando como o "Santo e justo", o "Senhor", o "autor da vida". Na ocasião em que os evangelhos foram escritos, eles o consideravam o Verbo que era Deus, por meio de quem todas as coisas foram feitas. Numa carta posterior,

---

[4]   Mateus 23.34

[5]   João 10.30

[6]   João 8.58

[7]   João 14.8

[8]   João 14.9

A diferença que ele faz

João esmerou-se para destacar "o que era desde o princípio, o que ouvimos, o que vimos com os nossos olhos, o que contemplamos, e as nossas mãos tocaram, isto proclamamos com respeito ao Verbo da vida".[9] O livro de Apocalipse descreve Jesus como uma figura reluzente, cuja face "era como o sol, quando resplandece na sua força",[10] mas sempre o autor conectava este Cristo cósmico ao verdadeiro homem galileu que os discípulos haviam visto, ouvido e tocado.

Por que os discípulos de Jesus inventariam tais ideias? Os discípulos de Maomé ou de Buda, dispostos a dar a vida pelo seu mestre, não deram tal pulo na lógica. Por que os discípulos de Jesus, tão lentos em aceitá-lo por si mesmos, exigem de nós uma fé tão difícil de engolir? Por que tornar mais difícil em vez de tornar mais fácil aceitar Jesus?

A alternativa da teoria da conspiração, considerando o próprio Jesus como a fonte das audaciosas reivindicações, apenas aumenta o problema. Quando leio os evangelhos, às vezes tento vê-los como alguém de fora, da mesma forma que leio o Corão ou os *Upanixades*. Quando assumo tal perspectiva descubro-me repetidas vezes perplexo, até mesmo ofendido, pela arrogância de alguém dizer: "Eu sou o caminho, a verdade e a vida. Ninguém vem ao Pai, senão por mim".[11] Consigo ler apenas algumas páginas antes de tropeçar numa dessas declarações que parecem exoticamente rebater todos os seus sábios ensinamentos e boas obras. Se Jesus não é Deus, então ele está gravemente iludido.

C. S. Lewis frisou essa visão com força. "A discrepância entre a profundeza e a sanidade e (deixem-me acrescentar) a *sagacidade* de seus ensinamentos morais e a desenfreada megalomania que devia jazer por trás de seus ensinamentos teológicos, a não ser que ele seja realmente Deus, nunca foi satisfatoriamente resolvida",[12] ele escreve em *Miracles* [Milagres]. Lewis expôs o argumento de maneira mais colorida numa famosa passagem de *Cristianismo puro e simples*: "Um homem que foi simplesmente um homem e disse o tipo de coisas que Jesus disse não seria um grande professor de moral. Seria um lunático — do nível do homem que diz que é um ovo escaldado — ou seria o diabo em pessoa. Você precisa escolher. Ou esse homem foi, e é, o Filho de Deus; ou foi um louco ou coisa pior".[13]

---

[9]   1João 1.1

[10]   Apocalipse 1.16

[11]   João 14.6

[12]   Lewis, C. S. **Miracles**. New York: Macmillan, 1947. p. 113. (**Milagres. São Paulo: Vida, 2006.**)

[13]   **Cristianismo puro e simples**... cit., p. 56.

Lembro-me de ler essa citação de Cristianismo puro e simples na faculdade e achar que era um exagero grosseiro. Eu conhecia muita gente que respeitava Jesus como um grande mestre moral sem no entanto julgá-lo Filho de Deus nem um lunático. Essa era, aliás, a minha concepção na época. Contudo, quando estudei os evangelhos, cheguei a concordar com Lewis. Jesus nunca contemporizou nem brincou acerca de sua identidade. Ou ele era o Filho de Deus enviado para salvar o mundo ou um impostor que merecia ser crucificado. O povo do seu tempo entendeu a escolha binária de maneira exata.

Agora vejo que toda a vida de Jesus permanece ou cai em função de sua reivindicação de ser Deus. Não posso confiar em seu perdão prometido se ele não tem autoridade para dar apoio a tal oferta. Não posso confiar em suas palavras acerca do outro lado ("Vou preparar-vos lugar [...]"[14]) a não ser que creia no que ele disse de ter vindo do Pai e estar retornando ao Pai. Mais importante, se ele não for Deus de alguma forma, tenho de considerar a cruz um ato de crueldade divina e não de amor sacrificial.

Sidney Carter escreveu este perturbador poema:

> *Mas Deus está lá no céu*
> *Não faz coisa nenhuma, nada,*
> *Com um milhão de anjos observando,*
> *Todos eles de asa parada...*
> *É a Deus que deviam crucificar*
> *Em vez de você e a mim,*
> *Eu disse a este Carpinteiro*
> *Ali pendurado no madeiro.*[15]

Teologicamente, a única resposta para a acusação de Carter é a misteriosa doutrina de que, nas palavras de Paulo, "Deus estava em Cristo reconciliando consigo o mundo". De maneira incompreensível, Deus pessoalmente experimentou a cruz. Caso contrário, o Calvário passaria para a história como uma forma de abuso infantil cósmico, em vez de um dia a que chamamos Sexta-Feira Santa.[16]

---

[14] João 14.2

[15] Apud BRIDGER, Gordon. **A day that changed the world**. Downers Grove: InterVarsity, 1975. p. 56.

[16] Nas palavras de Frederick BUECHNER, "Portanto, o que é novo na nova aliança não é a ideia de que Deus ama o mundo o suficiente para sangrar por ele, mas a declaração de que está de fato investido onde se encontra a necessidade. Como um pai dizendo acerca do filho

Retrato de Deus. George Buttrick, ex-capelão de Harvard, lembra-se dos alunos que entravam em seu escritório, desabavam sobre uma cadeira e declaravam: "Eu não creio em Deus". Buttrick costumava dar esta resposta, que os desarmava: "Sente-se e me diga em que tipo de Deus você não crê. Talvez eu também não creia nesse Deus". E então ele falava acerca de Jesus, a correção para todas as nossas suposições acerca de Deus.

Livros de teologia tendem a definir Deus pelo que ele não é: Deus é *i*mortal, *in*visível, *in*finito. Mas, pelo aspecto positivo, como Deus é? Para o cristão, Jesus responde a essas importantíssimas perguntas. O apóstolo Paulo atreveu-se a chamar Jesus "a imagem do Deus invisível".[17] Jesus era a réplica exata de Deus: "Pois foi do agrado do Pai que toda a plenitude nele habitasse".[18]

Resumindo numa só palavra, Deus é como Cristo. Jesus apresenta Deus com pele, o qual podemos pegar ou largar, amar ou desprezar. Nesse modelo visível, reduzido, podemos discernir as características de Deus com maior clareza.

Devo admitir que Jesus atualizou em carne muitas das minhas noções mais sombrias e desagradáveis acerca de Deus. *Por que sou cristão?*, às vezes me pergunto, e, para ser de todo sincero, os motivos se reduzem a dois: 1) a falta de boas alternativas e 2) Jesus. Brilhante, indomado, meigo, criativo, esquivo, irredutível, paradoxalmente humilde — Jesus apresenta-se para ser minuciosamente examinado. Quero que meu Deus seja como ele.

Martinho Lutero incentivou seus alunos a fugir do Deus oculto e a correr para Cristo, e agora sei por quê. Se eu usar uma lente de aumento para examinar uma pintura preciosa, o objeto no centro da lente permanece vivo e claro, enquanto *à* volta nas margens a visão se torna cada vez mais distorcida. Para mim, Jesus se tornou o ponto central. Quando especulo acerca de elementos imponderáveis como o problema do sofrimento ou da providência versus o livre arbítrio, tudo se torna impreciso. Mas, quando olho para o próprio Jesus, como ele tratou pessoas reais que sofriam, o seu chamado *à* ação livre e diligente, a clareza é restaurada. Posso preocupar-me até entrar num estado de aborrecimento acerca de questões

---

enfermo: 'Farei tudo para você ficar bom', Deus finalmente está-se desmascarando e fazendo isso. Jesus Cristo é o que Deus faz, e a cruz onde ele o fez é o símbolo central da fé da nova aliança" (**Wishful Thinking**. San Francisco: Harper & Row, [s.d.]. p. 17).

[17] Colossenses 1.15

[18] Colossenses 1.19

como "O que adianta orar se Deus já sabe todas as coisas?". Jesus silencia tais questões: ele orou, por isso também devo orar.

Durante meu trabalho em *The student Bible* [*A Bíblia do estudante*], passei diversos anos mergulhado no Antigo Testamento. Com um regime constante da "Antiga Aliança", absorvi algo da atitude de um judeu ortodoxo. O Antigo Testamento destaca o imenso abismo entre Deus e a humanidade. Deus é supremo, onipotente, transcendente, e qualquer contato limitado com ele põe em risco os seres humanos. As instruções de adoração num livro como Levítico me fazem pensar num manual para lidar com material radioativo. Levar apenas cordeiros imaculados para o tabernáculo. Não tocar a arca. Sempre deixar que a fumaça o cubra; se você olhar para a arca, morrerá. Nunca entre no Lugar Santíssimo, exceto em se tratando do sumo sacerdote num dia permitido no ano. Nesse dia, o Yom Kippur, amarre uma corda em seu tornozelo e um sino, para que, no caso de cometer um engano e morrer lá dentro, seu corpo possa ser arrastado para fora.

Os discípulos de Jesus cresceram num ambiente desses, nunca pronunciando o nome de Deus, agindo de acordo com o intricado código de purificação, obedecendo às exigências da lei mosaica. Eles tinham por certo, como em muitas outras religiões da época, que o culto tinha de incluir sacrifício: alguma coisa tinha de morrer. O Deus deles proibira sacrifícios humanos e, assim, no dia do festival Jerusalém se enchia de balidos e mugidos de um quarto de milhão de animais destinados ao altar do templo. O barulho e o cheiro do sacrifício eram fortes lembretes sensoriais do grande abismo entre Deus e eles.

Trabalhei por tanto tempo no Antigo Testamento que, quando um dia passei os olhos pelo livro de Atos, o contraste me balançou. Agora os discípulos de Deus, bons judeus na maioria, estavam-se reunindo em casas particulares, cantando hinos e dirigindo-se a Deus com o nome informal Aba. Onde estava o medo e o solene protocolo exigido de qualquer um que se atrevesse a aproximar-se do *mysterium tremendum?* Ninguém trazia animais para sacrificar; a morte não fazia parte do culto, exceto pelo momento solene em que partiam o pão e bebiam o vinho juntos, refletindo no sacrifício definitivo de Jesus.

Dessa maneira, Jesus introduziu profundas alterações no modo pelo qual vemos a Deus. Principalmente trouxe Deus para mais perto. Para os judeus que conheciam um Deus distante, inefável, Jesus trouxe a mensagem de que Deus se importa com a relva dos campos, alimenta os pardais, conta os cabelos da cabeça de uma pessoa. Para os judeus que não se atreviam a pronunciar o Nome, Jesus trouxe a chocante intimidade da palavra aramaica *Aba*. Era um termo de conhecido afeto familiar, onomatopaico como "papá", a primeira palavra que muitas crianças dizem. Antes de Jesus, ninguém imaginaria aplicar tal palavra a Iavé, o Senhor soberano do universo. Depois dele, tornou-se termo padronizado de chamamento até mesmo nas congregações de língua grega; imitando Jesus, tomaram emprestada a palavra estrangeira para expressar sua própria intimidade com o Pai.

Enquanto Jesus pendia da cruz, aconteceu algo que pareceu selar a nova intimidade para a jovem igreja. Marcos registra que, exatamente quando Jesus exalou seu último suspiro, "o véu do templo rasgou-se em duas partes, de alto a baixo".[19] Essa cortina maciça havia servido para manter separado o Santíssimo Lugar, onde habitava a presença de Deus. Como o autor de Hebreus observaria mais tarde, o rasgar-se dessa cortina mostrou além de qualquer dúvida exatamente o que foi realizado com a morte de Jesus. Não haveria mais necessidade de sacrifícios. Nenhum sumo sacerdote precisaria tremer ao entrar no sagrado recinto.

Nós, nos tempos modernos, temos vivido sob a nova intimidade por tanto tempo que a aceitamos como coisa normal. Cantamos corinhos a Deus e conversamos com ele em orações casuais. Para nós, a ideia de sacrifício parece primitiva. Com demasiada facilidade esquecemos o que custou a Jesus obter para todos nós — gente comum, não apenas sacerdotes — o acesso imediato à presença de Deus. Conhecemos Deus como *Aba,* o Pai amoroso, apenas por causa de Jesus.

O Amante. Se eu ficasse entregue a mim mesmo, acabaria tendo uma noção muito diferente de Deus. Meu Deus seria estático, imutável; eu não imaginaria Deus "indo" e "vindo". Meu Deus controlaria todas as coisas com poder, extinguindo a oposição rápida e decisivamente. Como um garoto muçulmano contou ao psiquiatra Robert Coles: "Alá diria ao mundo, a todos: 'Deus é grande, muito grande' [...]. Ele obrigaria todos a crer nele, e, se alguém se recusasse, morreria — isso é o que aconteceria se Alá viesse aqui".[20]

Por causa de Jesus, entretanto, tenho de ajustar minhas noções instintivas acerca de Deus. (Talvez isso estivesse no cerne de sua missão?) Jesus revela um Deus que nos busca,. um Deus que dá lugar à nossa liberdade mesmo quando isso

---

[19] Marcos 15.38

[20] COLES, Robert. **The spiritual life of children**. Boston: Houghton Nifflin, 1990. p. 231.

custa a vida do Filho, um Deus vulnerável. Acima de tudo, Jesus revela um Deus que é amor.

Por nós mesmos, algum de nós chegaria à noção de um Deus que ama e deseja ser amado? Os que foram criados na tradição cristã podem não alcançar o choque da mensagem de Jesus, mas na verdade o amor nunca foi uma maneira normal de descrever o que acontece entre seres humanos e o seu Deus. Numa só vez o Corão aplica a palavra amor a Deus. Aristóteles declarou bruscamente: "Seria extravagante alguém declarar que ama a Zeus"[21] — ou que Zeus amasse um ser humano, da mesma forma. Em fascinante contraste, a Bíblia cristã afirma "Deus é amor"[22] e cita o amor como o motivo principal de Jesus vir ao mundo: "Nisto se manifestou o amor de Deus para conosco: em que Deus enviou o seu Filho unigênito ao mundo, para que por meio dele vivamos".[23]

Como Soren Kierkegaard escreveu: "A ave no ramo, o lírio na campina, o cervo na floresta, o peixe no mar, e inúmeras pessoas felizes cantando: Deus é amor! Mas sob todos esses sopranos, como se fosse a partitura constante do baixo, soa o *de profundis* do sacrificado: Deus é amor".[24]

As histórias do próprio Jesus acerca do amor de Deus expressam uma qualidade quase de desespero. Em Lucas 15 ele fala de uma mulher que procura a noite inteira até encontrar uma valiosa moeda e de um pastor que caça nas trevas até encontrar a ovelha que se desgarrou. Cada parábola conclui com uma cena de regozijo, uma festa celestial que irrompe por causa da notícia de que outro pecador voltou ao lar. Finalmente, chegando a um clímax emocional, Jesus conta a história do filho Pródigo, perdido que despreza o amor do pai e desperdiça sua herança num país distante.

O padre Henri Nouwen[25] sentou-se no "Hermitage Museum" de S. Petersburgo, na Rússia, durante muitas horas meditando na grande pintura de Rembrandt *O retorno do filho pródigo*. Enquanto observava a pintura, Nouwen chegou a uma nova visão da parábola: o mistério de que o próprio Jesus se tornou uma espécie de filho pródigo por amor a nós. "Ele deixou o lar de seu Pai celestial,

---

[21]   ARISTÓTELES. **Magna moralia**. Apud ALLEN, Diogenes. **Love**. Cambridge: Cowley, 1987. p. 115.

[22]   1João 4.8

[23]   1João 4.9

[24]   Apud BARTH, Karl. **The Word of god and the word of man**, p. 84.

[25]   **The return of the prodigal son**. New York: Image Books/Doubleday, 1994. p. 55.

veio a um país estrangeiro, deu tudo o que tinha e 'voltou por meio de uma cruz para a casa do Pai. Tudo isso ele fez, não como um filho rebelde, mas como filho obediente, enviado para trazer para casa todos os filhos perdidos de Deus [...] Jesus é o filho pródigo do Pai pródigo que deu tudo o que o Pai lhe tinha confiado para que eu pudesse me tornar como ele e voltar com ele para a casa do seu Pai."

Em miniatura, a Bíblia, de Gênesis 3 a Apocalipse 22, conta a história de um Deus inquieto com o desejo de trazer sua família de volta. Deus deu o golpe decisivo de reconciliação quando enviou o Filho para a longa viagem ao planeta Terra. A última cena da Bíblia, como a da parábola do filho perdido, termina com júbilo, a família reunida novamente.

Em outro lugar, os evangelhos comentam até onde Deus foi para realizar esse plano de amor para resgate.

> Nisto está o amor, não em que nós tenhamos amado a Deus, mas em que ele nos amou, e enviou o seu Filho como propiciação pelos nossos pecados.[26]
> Ninguém tem maior amor do que este, de dar alguém a própria vida pelos seus amigos.[27]
> Porque Deus amou o mundo de tal maneira que deu o seu Filho unigênito [...].[28]

Eu me lembro de uma longa noite sentado em cadeiras desconfortáveis no Aeroporto de O'Hare, aguardando impacientemente um voo que atrasou em cinco horas. Aconteceu estar ao lado de uma sábia senhora que ia para a mesma conferência. A longa espera e a hora tardia combinaram-se para criar um ambiente melancólico, e em cinco horas tivemos tempo de partilhar todas as disfunções da infância, nossas decepções com a igreja, nossas questões acerca da fé. Eu estava escrevendo o livro *Decepcionado com Deus* naquela ocasião, e me sentia oprimido com os sofrimentos e tristezas, dúvidas e orações não respondidas de outras pessoas.

Minha companheira me ouviu em silêncio por um tempo muito longo, e depois de repente me fez uma pergunta que sempre permaneceu comigo.

---

[26]   1João 4.10

[27]   João 15.13

[28]   João 3.16

"Philip, você nunca deixa Deus apenas amar você?", ela perguntou. "É muito importante, eu acho."

Percebi com um susto que ela iluminou um buraco escancarado em minha vida espiritual. Com toda a minha concentração na fé cristã, eu havia perdido a mais importante mensagem de todas. A história de Jesus é a história de uma celebração, uma história de amor. Acarreta sofrimento e decepção, sim, para Deus como também para nós. Mas Jesus personificou a promessa de um Deus que não medirá esforços para nos trazer de volta. Não foi a menor das realizações de Jesus ele nos ter feito de alguma forma amáveis para Deus.

O romancista e crítico literário Reynolds Price expressou desta maneira: "Ele diz com a voz mais inteligível que temos a frase pela qual a humanidade anseia nas histórias — *O Autor de todas as coisas me ama e me deseja...* Em nenhum outro livro de nossa cultura podemos encontrar um gráfico mais explícito de nossa necessidade, esse incrível e imenso arco brilhante: frágeis criaturas feitas pela mão de Deus, arremessadas no espaço, depois apanhadas finalmente por um homem de certa forma como nós mesmos".[29]

Retrato da humanidade. Quando uma luz é introduzida numa sala, o que é janela também se transforma em espelho refletindo o conteúdo da sala. Em Jesus, além de termos uma janela para Deus, também temos um espelho de nós mesmos, um reflexo do que Deus tinha em mente quando criou esse "pobre animal nu e bifurcado". Os seres humanos foram, afinal, criados à imagem de Deus; Jesus revela como essa imagem deveria ser.

"A encarnação mostra ao homem a grandeza de sua miséria pela grandeza do remédio que exigiu", disse Pascal.[30] De um jeito mais variado Jesus denunciou nossas falhas como seres humanos. Temos a tendência de justificar nossas muitas falhas dizendo: "Isso é apenas humano". Um homem se embriaga, uma mulher tem um caso, uma criança tortura um animal, uma nação declara guerra: é apenas humano. Jesus acabou com essa conversa. Apresentando o que deveríamos ser, ele mostrou quem deveríamos ser e como erramos o alvo.

"Eis o homem!",[31] exclamou Pilatos. Eis o melhor exemplo da humanidade. Mas vejam o que isso lhe custou. Jesus desmascarou para todo o sempre a inveja, o desejo do poder, a violência que infecciona este planeta como um vírus.

---

[29] Apud CORN, Alfred. **Incarnation**... cit., p. 72.

[30] **Pensées**... cit., p. 143.

[31] João 19.5

A diferença que ele faz

De um jeito sobrenatural, essa foi a intenção da encarnação. Jesus sabia no que se estava metendo quando veio a este planeta; sua morte foi decretada desde o início. Ele veio para fazer uma troca do tipo mais absurdo, conforme descrito nas Epístolas:

> [...] sendo rico, por amor de vós se fez pobre, para que pela sua pobreza vos tornásseis ricos.[32]

> Que, sendo em forma de Deus [...] a si mesmo se esvaziou, tomando a forma de servo, fazendo-se semelhante aos homens.[33]

> Aquele que não conheceu pecado, ele o fez pecado, por nós, para que nele fôssemos feitos justiça de Deus.[34]

> E ele morreu por todos, para que os que vivem não vivam mais para si, mas para aquele que por eles morreu e ressurgiu.[35]

A riqueza pela pobreza, a divindade pela servidão, a perfeição pelo pecado, sua morte pela nossa vida — a troca parece ser totalmente unilateral. Mas em outra passagem das epístolas podemos encontrar sinais intrigantes de que a encarnação teve significado para Deus como também para os seres humanos. Realmente, o sofrimento suportado na terra serviu de um tipo de "experiência de aprendizado" para Deus. Tais palavras parecem um tanto heréticas, mas estou simplesmente acompanhando Hebreus: "Embora sendo Filho, aprendeu a obediência por meio daquilo que sofreu".[36] Em outra passagem, esse livro conta-nos que o autor de nossa salvação foi "feito perfeito" por meio do sofrimento. Os comentários muitas vezes evitam essas declarações, pois são difíceis de conciliar com as noções tradicionais de um Deus imutável. Para mim, elas demonstram certas "mudanças" que tiveram de acontecer dentro da Divindade para que pudéssemos ser reconciliados.

---

[32] 2Coríntios 8.9

[33] Filipenses 2.6,7

[34] 2Coríntios 5.21

[35] 2Coríntios 5.15

[36] Hebreus 5.8

Durante aquela nesga de tempo conhecida como encarnação, Deus experimentou o que é um ser humano. Em 33 anos na terra o Filho de Deus aprendeu acerca da pobreza e das discussões familiares, da rejeição social, do abuso verbal e da traição. Ele aprendeu, também, acerca da dor. Aprendeu como é quando um acusador deixa imprimidos em vermelho os dedos em seu rosto. Como é quando um açoite com pontas de metal é solto em suas costas. Como é quando um prego grosseiro de ferro é introduzido perspassando músculos, tendões e ossos. Na terra, o Filho de Deus "aprendeu" tudo isso.

O caráter de Deus não permitia a opção de simplesmente declarar acerca deste planeta defeituoso: "Não tem importância". O Filho de Deus teve de encontrar-se com o mal pessoalmente de um modo em que a divindade perfeita jamais o havia antes encontrado. Ele teve de perdoar o pecado assumindo o nosso pecado. Teve de derrotar a morte morrendo. Teve de aprender a simpatizar com os seres humanos tornando-se um deles. O autor de Hebreus conta que Jesus se tornou para nós um advogado "compassivo". Existe apenas uma maneira de aprender a condoer-se ou simpatizar, conforme o significado das raízes gregas da palavra, *syn pathos,* "sentir ou sofrer junto". Por causa da encarnação, Hebreus dá a entender, Deus ouve nossas orações de outra maneira, tendo vivido aqui e tendo orado como um ser humano fraco e vulnerável.[37]

Numa de suas últimas declarações antes de morrer, Jesus orou: "Pai, perdoa-lhes"[38] — a todos eles, os soldados romanos, os líderes religiosos, seus discípulos que fugiram nas trevas, você, eu, que o negamos de tantas maneiras — "perdoa-lhes, pois não sabem o que fazem". Apenas se tornando um ser humano poderia o Filho de Deus verdadeiramente dizer com entendimento: "Eles não sabem o que fazem". Ele viveu entre nós. Agora, ele entende.

* * *

O Médico Ferido. Goethe perguntou: "Ali está a cruz, densamente adornada de rosas. Quem pôs as rosas sobre a cruz?".[39] Em minhas viagens por países estrangeiros, observei a notável diferença dos símbolos utilizados pelas grandes

---

[37] Como um médico que trabalha num asilo me contou: "Quando os meus pacientes oram, falam com alguém que realmente já morreu — uma coisa que não aconteceu com qualquer outro mentor, conselheiro ou perito em morte".

[38] Lucas 23.34

[39] Apud KASPER, Walter. **Jesus the Christ**... cit., p. 182.

religiões. Na índia, onde as quatro maiores religiões coexistem, fiz uma rápida caminhada pela grande cidade de Bombaim durante a qual deparei com centros de adoração de todas as quatro.

Os templos hindus estavam por toda parte, até templos portáteis sobre carrinhos móveis iguais aos que os vendedores ambulantes utilizam, e cada um tinha caprichadas imagens esculpidas e esplendidamente pintadas representando alguns dos milhares de deuses e deusas do panteão hindu. Em rígido contraste, uma grande mesquita muçulmana no centro da cidade não continha imagens; um elevado pináculo ou minarete apontava para o céu, para Alá, o Deus único, que nunca poderia ficar reduzido a uma imagem esculpida. Observando as construções hindu e muçulmana, virtualmente lado a lado, eu pude entender melhor por que cada religião acha a outra tão incompreensível.

Também visitei um centro budista naquela tarde. Comparado com as ruas cheias de gente, barulhentas, lá fora, ele oferecia uma atmosfera de serenidade. Monges em mantos cor de açafrão ajoelhavam-se orando no recinto escuro, sossegado, inundado pelo cheiro do incenso. Uma estátua dourada de Buda dominava o recinto, com seu sorriso dissimulado expressando a crença budista de que o segredo da satisfação se encontra no desenvolvimento da força interior que permite à pessoa superar qualquer sofrimento na vida.

E depois cheguei a uma igreja protestante do tipo que desestimula as imagens. Parecia bastante com a mesquita muçulmana, com uma exceção: no alto do pináculo acima da igreja encontrava-se uma cruz grande, enfeitada.

Num país estrangeiro, arrancado de minha própria cultura, vi a cruz com novos olhos, e subitamente ela me pareceu bizarra. Por que os cristãos se apropriaram desse engenho de execução como símbolo de fé? Por que não fazer de tudo que está ao nosso alcance para arrancar da memória a escandalosa injustiça? Poderíamos enfatizar a ressurreição, mencionando a cruz apenas como um rodapé infeliz da história. Por que fazer dela a peça central da fé? "Ora, esse quadro poderia fazer algumas pessoas perderem a sua fé!",[40] gritou uma das personagens de Dostoievski depois de observar a pintura do Cristo crucificado de Holbein.

Há, naturalmente, 'o simples fato de que Jesus ordenou que nos lembrássemos de sua morte quando nos reuníssemos para adoração. Ele não precisou dizer: "Fazei isto em memória de mim", acerca do Domingo de Ramos ou da Páscoa, mas claramente não queria que esquecêssemos o que aconteceu no Calvário.

---

[40] Apud KONG, Hans. **On being a Christian**... cit., p. 142.

Os cristãos não esqueceram. Nas palavras de John Updike, a cruz "escandalizou profundamente os gregos com o seu panteão divertido, belo, invulnerável e os judeus com as suas tradicionais expectativas de um Messias real. Mas atendeu, por assim dizer, aos fatos, a uma coisa profunda dentro dos homens. O Deus crucificado formou uma ponte entre nossa percepção humana de um mundo cruelmente imperfeito e indiferente e nossa necessidade humana de Deus, nosso senso humano de que Deus está presente".[41]

Percebi, enquanto permanecia numa esquina de Bombaim, junto com pedestres, ciclistas e animais domésticos enxameando ao meu redor, por que a cruz chegou a significar tanto para os cristãos, por que ela veio a significar tanto para mim. A cruz representa para nós as profundas verdades que não fariam sentido sem ela. A cruz dá esperança quando não há esperança.

O apóstolo Paulo ouviu de Deus: "[...] o meu poder se aperfeiçoa na fraqueza",[42] e depois ele concluiu a respeito de si mesmo: "[...] quando estou fraco, então é que sou forte". "Pelo que sinto prazer", ele acrescentou, "nas fraquezas, nas injúrias, nas necessidades, nas perseguições, nas angústias". Ele apontava para um mistério que vai alguns passos além do modo budista de resolver o sofrimento e as dificuldades. Paulo não falava de resignação, mas de transformação. Aquelas mesmas coisas que nos fazem sentir insuficientes, que espoliam a esperança, são as que Deus utiliza para realizar a sua obra. Para ter a prova, olhem para a cruz.

Eu gostaria de que alguém com o talento de Milton ou de Dante representasse a cena que devia ter transpirado no inferno no dia em que Jesus morreu. Sem dúvida explodiu uma celebração infernal. A serpente do Gênesis havia ferido o calcanhar de Deus; o dragão do Apocalipse havia finalmente devorado a criança. O Filho de Deus, enviado à terra numa missão de resgate, acabara pendurado numa cruz como algum espantalho maltrapilho. Ah! que vitória diabólica!

Ah! que vitória curta. Na mais irônica reviravolta de toda a história, o que Satanás tencionava para o mal, Deus tencionava para o bem. A morte de Jesus na cruz transpôs o hiato entre um Deus perfeito e uma humanidade fatalmente defeituosa. Num dia a que chamamos Sexta-Feira Santa, Deus derrotou o pecado, desarraigou a morte, triunfou sobre Satanás e trouxe sua família de volta. Nesse ato de transformação, Deus pegou o pior dos atos da história e o transformou na

---

[41]   CORN, Alfred. **Incarnation**... cit., p. 10.

[42]   2Coríntios 12.9,10

A diferença que ele faz

maior vitória. Não nos causa admiração que o símbolo não desaparecesse nunca; não nos causa admiração que Jesus ordenasse que nunca o esquecêssemos.

Por causa da cruz, tenho esperança. Foi pelos ferimentos do Servo que fomos curados, disse Isaías — não pelos seus milagres. Se Deus pode arrancar tal triunfo das mandíbulas da derrota aparente, extrair força de um momento de fraqueza total, o que Deus poderia fazer com os aparentes fracassos e dificuldades de minha própria vida?

Nada — nem mesmo o assassinato do Filho do próprio Deus — pode acabar com o relacionamento de Deus com os seres humanos. Na alquimia da redenção, esse tão infame crime transforma-se em nossa força curadora.

O curador fatalmente ferido voltou na Páscoa, o dia que dá uma pré-estreia furtiva de como toda a história parecerá da perspectiva da eternidade, quando cada cicatriz, cada ferida, cada decepção serão vistos numa luz diferente. Nossa fé começa onde pareceria ter acabado. Entre a cruz e a sepultura vazia paira a promessa da história: esperança para o mundo e esperança para cada um de nós que vivemos nele.

O teólogo alemão Jürgen Moltmann expressa numa simples frase a grande extensão entre a Sexta-Feira Santa e a Páscoa. É, aliás, um resumo da história humana, passada, presente e futura: "Deus chora conosco para que possamos um dia rir com ele".[43]

$$* * *$$

O escritor e pastor Tony Campolo prega um emocionante sermão adaptado de um idoso pastor negro de sua igreja na Filadélfia. "É sexta-feira, mas o domingo vem aí" é o título do sermão, e conhecendo o título você conhece o sermão todo. Numa cadência que aumenta no tempo e no volume, Campolo contrasta como o mundo parecia na sexta-feira — quando as forças do mal venceram as forças do bem, quando cada amigo e discípulo fugiu de medo, quando o Filho de Deus morreu na cruz — com a aparência dele no Domingo de Páscoa. Os discípulos que viveram os dois dias, a sexta-feira e o domingo, nunca mais duvidaram de Deus. Aprenderam que, quando Deus parece mais ausente, pode estar mais perto, quando Deus parece mais sem força, pode ser mais poderoso, quando Deus parece

---

[43] MOLTMANN, Jürgen. **The way of Jesus Christ**... cit., p. 322.

mais morto, pode estar voltando à vida. Aprenderam a nunca mais pensar que Deus está vencido.

Campolo, entretanto, passou por cima de um dia no seu sermão. Os outros dois dias receberam nomes no calendário da igreja: Sexta-Feira Santa e Domingo de Páscoa. Mas num sentido real vivemos no Sábado, o dia sem nome. O que os discípulos experimentaram em pequena escala — três dias de luto por um homem que havia morrido numa cruz — agora vivemos em escala cósmica. A história humana prossegue, entre o período da promessa e do cumprimento. Podemos confiar em que Deus pode fazer alguma coisa bela e santa e boa num mundo que inclui a Bósnia e Ruanda, e guetos dentro das cidades, e prisões superlotadas na nação mais rica do mundo? É sábado no planeta Terra; será que o domingo vem aí?

A negra sexta-feira do Gólgota só pode ser chamada santa pelo que aconteceu no Domingo de Páscoa, um dia que dá uma pista da charada do universo. A Páscoa abriu uma rachadura na corrida do universo para a entropia e o declínio, selando a promessa de que um dia Deus vai alargar o milagre da Páscoa em escala cósmica.

É uma boa coisa lembrar que, no drama cósmico, vivemos nossos dias no sábado, no dia intermediário sem nome. Conheço uma mulher cuja avó jaz sepultada sob um carvalho de 150 anos de idade no cemitério de uma igreja episcopal no interior de Louisiana. De acordo com as instruções da avó, apenas uma palavra se encontra gravada na pedra tumular: "Esperando".

BIBLIOGRAFIA

Além das citações específicas anteriores, devo expressar gratidão aos seguintes autores por me ajudarem a ter um melhor entendimento de Jesus:

ANDERSON, Sir Norman. **Jesus Christ:** the witness of History. Downers Grove: InterVarsity Press, 1985.

BAILLIE, John. **The place of Jesus Christ in modern christianity.** Edinburgh: T&T Clark, 1929.

BAINTON, Roland H. **Behold the Christ.** New York: Harper & Row, 1974.

BAKER, John Austin. **The foolishness of God.** Atlanta: John Knox Press, 1970.

BARCLAY, William. **Jesus as they saw him.** Grand Rapids: Eerdmans Publishing Company, 1962.

BARTON, Bruce. **The man nobody knows.** New York: Macmillan, 1987.

BATEY, Richard. **Jesus and the poor.** San Francisco: Harper & Row, 1972.

BERKHOF, Hendrik. **Christ and the powers.** Scottsdale: Herald Press, 1977.

BRIGHT, John. **The kingdom of God.** Nashville: Abingdon, 1980.

BROWN, Colin. **Miracles and the critical mind.** Grand Rapids: Eerdmans, 1984.

BRUCE, F. F. **Jesus and christian origins outside the New Testament.** Grand Rapids: Eerdmans, 1974.

_____. **What the Bible teaches about what Jesus did**. Wheaton: Tyndale, 1979.

CAPON, Robert Farrar. **Hunting the divine fox.** New York: The Seabury Press, 1974.

CULLMAN, Oscar. **Jesus and the revolutionaries.** New York: Harper & Row, 1970.

ELLUL, Jacques. **The subversion of christianity.** Grand Rapids: Eerdmans, 1986.

FALK, Harvey. **Jesus the pharisee: a new look at the jewishness of Jesus.** New York: Paulist Press, 1985.

FRETHEIM, Terence E. **The suffering of God.** Philadelphia: Fortress Press, 1984.

GUARDINI, Romano. **The Lord.** Chicago: Regenery Gateway, 1954.

GUTHRIE, Donald. **A shorter life of Christ.** Grand Rapids: Zondervan, 1970.

HELLWIG, Monika. **Jesus, the compassion of God.** Wilmington, Michael Glazier, 1983.

HENGEL, Martin. **The charismatic leader and his followers.** New York: Crossroad, 1981.

KIERKEGAARD, Soren. **Training in Christianity.** Princeton: Princeton University Press,1974.

LADD, George Eldon. **O evangelho do Reino.** São Paulo: Shedd, 2008.

MACQUARRIE, John. **Jesus Christ in modern thought.** Philadelphia: Trinity Press, 1990.

_____. THE HUMILITY OF GOD. PHILADELPHIA: THE WESTMINSTER PRESS, 1978.

MASON, Steve. **Josephus and the New Testament.** Peabody: Hendrickson, 1992.

McGRATH, Alister. **Understanding Jesus.** Grand Rapids: Zondervan, 1988.

MEIER, John P. **Um judeu marginal.** Rio de Janeiro: Imago, 1996. v. 1 (1997, v. 2; 1998, v.3).

MOLTMANN, Jurgen. **The trinity and the kingdom.** San Francisco: Harper & Row, 1981.

MORISON, Frank. **Who moved the stone?** Londres: Faber and Faber, 1944.

NIEBUHR, H. **Richard. Christ and culture.** New York: Harper & Brothers, 1956.

OPPENHEIMER, Helen. **Incarnation and immanence.** Londres: Hodder and Stroughton, 1973.

PFEIFFER, Charles. **Between the testaments.** Grand Rapids: Baker, 1959.

STOTT, John. **Mensagem do sermão do monte.** São Paulo: Abu, 2007.

VAN BUREN, Paul M. **A theology of the Jewish-Christian reality:** Part III, Christ in context. San Francisco: Harper & Row, 1988.

WILLIS, Wendell (Org.). **The kingdom of God in 20th-century interpretation.** Peabody: Hendrickson, 1987.

WRIGHT, N.**T. Who was Jesus?** Grand Rapids: Eerdmans, 1992.

ZIOLKOWSKI, Theodore. **Fictional transfigurations of Jesus.** Princeton: Princeton University Press, 1972.

Esta obra foi composta em *Adobe Garamond Pro*
e impressa por Gráfica Coan sobre papel
Chambril Avena 70g/m² para Editora Vida.